Os Dianc Rhai

Martin Davis

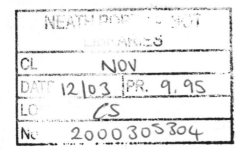
Argraffiad cyntaf: 2003

© Hawlfraint Martin Davis a'r Lolfa Cyf., 2003

Clawr: Ceri Jones

Rhif Llyfr Rhyngwladol: 0 86243 663 X

Cyhoeddwyd yng Nghymru
ac argraffwyd ar bapur di-asid a rhannol eilgylch
gan Y Lolfa Cyf., Talybont, Ceredigion SY24 5AP
e-bost ylolfa@ylolfa.com
y we www.ylolfa.com
ffôn (01970) 832 304
ffacs 832 782
isdn 832 782

"...ond anodd iawn yw i ninnau dderbyn y rhaniad rhwng gwledydd democrataidd a gwledydd Ffasgaidd a ni'n methu gweld ond gwahaniaeth gradd rhwng agwedd llywodraeth Westminster a'r llywodraethau Ffasgaidd at eu lleiafrifoedd."

Golygyddol y cylchgrawn *Heddiw*, Medi 1938

"Canai'r gynulleidfa fawr fel pe baem mewn cyn-hebrwng a theimlwn fy mod yn sefyll ar lan bedd fel yr oeddem yn llusgo i ddiwedd y pennill. Ac yng nghanol yr ysbaid o ychydig eiliadau o ddistawrwydd ar ddiwedd y canu dyma'r Sais hwnnw'n gweiddi'n groch, *'Thah won't stop a woah'*."

Mewn cyfarfod protest yn erbyn yr Ysgol Fomio ym Mhwllheli
J.G. Williams, *Maes Mihangel*

"Y byddinoedd awyr fydd bwysicaf yn y rhyfel hwnnw, a phennaf nod yr awyrblaniau bomio fydd dinistrio dinasoedd yn ulw... gollwng i lawr allan o ddiogelwch yr awyr, yr angau creulonaf ar wragedd a phlant a gwŷr di-arf a diamddiffyn, a sicrhau os dianc rhai â'u bywydau ganddynt, na bydd nac annedd na bwyd i'w porthi nac aelwyd i'w cadw'n fyw."

Saunders Lewis, *Yr Ysgol Fomio yn Llŷn*, 1936

RHAGAIR

Dychmygol yw holl gymeriadau'r nofel hon, ond ysbrydolwyd rhannau o'r stori gan rai digwyddiadau, amgylchiadau a lleoliadau go iawn. Rwyf yn ddiolchgar am yr ysbrydoliaeth honno.

Hefyd, dymunaf gydnabod derbyn Ysgoloriaeth gan Gyngor Celfyddydau Cymru i gwblhau ysgrifennu'r llyfr hwn yn ogystal â chefnogaeth ariannol gan Gyngor Llyfrau Cymru.

Cyflwynir y gyfrol hon i'r rhai na lwyddodd i ddianc.

Martin Davis
Mai 2003

RHAI DYDDIADAU ALLWEDDOL

1933

Ionawr 30   Adolf Hitler yn dod yn Ganghellor y Reich Almaenig.

1935

Mawrth 16   Yr Almaen yn ymwrthod â chymalau diarfogi Cytundeb Versailles.

Mai 30   Cadarnhad seneddol bod Porth Neigwl o dan ystyriaeth fel safle i ysgol fomio.

Medi 15   Deddfau Gwrth-Semitaidd Nuremburg yn cael eu pasio.

1936

Mawrth 7   Lluoedd yr Almaen yn meddiannu'r Rheinland.

Mai 25   Brwydr Carfax, Rhydychen rhwng cefnogwyr a gwrthwynebwyr yr Arweinydd Ffasgaidd, Oswald Moseley.

Gorffennaf 18   Dechrau rhyfel cartref Sbaen.

Medi 8   Llosgi'r Ysgol Fomio gan Saunders Lewis, D.J. Williams a'r Parch Lewis Valentine.

Hydref 13   Y Tri o flaen y Llys yng Nghaernarfon.

1937

Gorffennaf 6 Y lluoedd gweriniaethol yn ymosod yn Brunete yn Sbaen.

1938

Mawrth 11 Yr Almaen yn goresgyn Awstria.
Medi 30 Cytundeb München sy'n ildio Sudetenland yn Tsiecoslofacia i'r Almaen.

1939

Mawrth 15 Yr Almaen yn goresgyn gweddill Tsiecoslofacia.
Mawrth 28 Madrid yn syrthio i Franco. Y Weriniaeth Sbaenaidd yn cael ei threchu.
Awst 23 Cytundeb yn cael ei lofnodi rhwng yr Almaen a'r Undeb Sofietaidd.
Medi 1 Yr Almaen yn ymosod ar Wlad Pwyl.
Medi 3 Dechrau'r Ail Ryfel Byd.
Tachwedd 30 Yr Undeb Sofietaidd yn ymosod ar y Ffindir.

1941

Mai 24 Suddo HMS Hood.

1943

Gorffennaf 24 50,000 yn cael eu lladd mewn cyrch awyr gan yr RAF ar Hamburg.

RHAN UN

1

(*Haf 1935, Rhydychen*)

"Hiraeth," meddai Hugh Eldon-Hughes wrtho'i hun a phwyso'n ôl yn erbyn un o golofnau cyntedd y coleg. Anadlodd yn ddwfn a gwrando ar fwrlwm y lleisiau o'i gwmpas. Roedd hi'n brynhawn poeth a theimlai'r wisg *subfusc* dywyll yn fogfa amdano. Ysai am dynnu'r cwbwl a rhedeg at lan afon Cherwell a'i hyrddio ei hun i'w ddyfroedd gwyrddloyw gan suddo mewn cawell o swigod arian rhag dwndwr y mân siarad o'i gwmpas...

Cerddodd i lawr y grisiau llydain a arweiniai at y lawnt-bwrdd-biliards o flaen cartref y deon. Safodd a blaen ei esgid yn braidd gyffwrdd ag ymyl y llain emrallt gan edrych draw at y ffenestri gwydr plwm agored y llithrai ohonynt nodau un o *preludes* Chopin i ymdoddi â'r tarth mwll a fyddai bob amser yn cronni uwchben Rhydychen ar ddiwrnod fel heddiw. Ychwanegai'r alaw ddolefus at ei anesmwythyd a'r rhwystredigaeth a'i llethai...

Yn fwriadol, camodd dros yr ymyl gwyrdd gan adael i'w ddeudroed sangu tiriogaeth waharddedig y lawnt.

"Hi-i-i-i-i-ra-a-a-e-e-th!"

Am ennyd bu gosteg ym murmur y lleisiau yn y cwòd.

Deublyg oedd hiraeth Hugh – hiraeth am wlad Llŷn yn yr haf, a hiraeth am eilun ei serch, Ilse Meyer o Hamburg. Erbyn hyn roedd dwy ffrwd ei ddyheadau wedi ymuno'n llif nerthol a ruai'n barhaus yn ei ben gan sgubo pob dim arall o'i feddwl.

Byddai'n dychwelyd i Ben Llŷn cyn bo hir i ymgolli unwaith yn rhagor yn harddwch bro ei febyd gan ddiwallu'i ysfa am fôr a mynydd. Yno y câi ddihangfa rhag diflastod a moesau mindlws academia. Doedd o ddim wedi bod yn ôl ers y Nadolig ac roedd hynny'n ormod o amser. Roedd fel bod yn gaeth i gyffur; hebddo teimlai'n gorfforol sâl.

Llai pendant, fodd bynnag, oedd rhagolygon ei 'garwriaeth'. Dau lythyr heb eu hateb; misoedd yn cripian heibio… atgofion pêr y gwanwyn yn dechrau afloywi a'u hesgyrn yn gwynnu yng ngwres yr haf…

Yn raddol, ac atsain y llef ingol yn dal i ganu yn eu clustiau, dechreuodd pennau syn a syber ei gyd-efrydwyr a'r athrawon prifysgol droi'n ôl i ailgydio yn eu hymgom, gan ddewis anwybyddu'r ynfytyn o flaen cartref y deon, ac ni thrafferthodd neb i'w hysio oddi ar y lawnt waharddedig a'i ddirwyo'r sofren statudol am ei drosedd.

Camodd Hugh yn ôl ar y singrug melyn a gwyro'i gamrau am y llwybr a redai ar lan yr afon.

Gwta wythnos yn ôl roedd popeth mor wahanol ym mywyd Ilse.

Dyna'r teulu'n uned gyfannol, gadarn, yn croesawu'r Saboth i'w cartref yn y fflat gyfforddus ym Maiglöckchen Strasse. Popeth ar ei echel heb argoel yn y byd y byddai bywyd yn troi mor chwyrn mor sydyn.

Nid nad oedd y newidiadau a gafwyd eisoes yn amlwg i bawb – er nid mor amlwg, efallai, i ferch siriol ddwy ar bymtheg oed â'i phen yn llawn cynlluniau mawr. Ond i'r rhan fwyaf o oedolion, roeddent yn ddigon amlwg, a hynny o'r dyddiau cyntaf – o'r diwrnod y cipiodd Hitler rym yn yr Almaen ddwy flynedd yn ôl. Bu'r Crysau Cachu Llo Bach allan yn cyflawni eu hanfadwaith o'r cychwyn cyntaf, gwahanol griwiau ohonynt yn gweithio mewn rhannau penodedig o'r ddinas, yn llif budr a olchai'n ddirwystr drwy'r strydoedd, yn atgyfnerthu ac yn tynhau gafael lechwraidd y wladwriaeth newydd ar feddwl, calon ac enaid y bobl.

Roedd ffenestri rhai siopau yn y bloc nesa atynt wedi'u paentio gyda sloganau gwrth-Semitaidd; rhyw baent melyn clwyfus gyda'r llythrennau'n rhedeg i'w gilydd. Yn aml byddai olion eu neges i'w gweld yn amlwg er gwaethaf holl sgwrio'r perchenogion i gael gwared â nhw. Ychydig yn ddiweddarach, roedd piced wedi ymddangos y tu allan i bron pob siop a busnes Iddewig yn yr ardal, yn pwyso'n groch ar bobl i beidio â'u defnyddio. Bu yna rywfaint o dwt-dwtian ond, yn raddol ac yn anorfod, roedd y dyfal donc yn cyrraedd y nod.

Methu â choelio oedd ymateb ei mam a'i thad a llawer o'u cymdogion; methu â choelio na fyddai pobl gyffredin, pobl y galwent yn ffrindiau, eu cyd-Almaenwyr, yn gweld y math hwn o ymddygiad a'r holl waharddiadau ar ryddid yn gwbwl annerbyniol a gwaradwyddus, ac na fyddent yn mynd ati i atal y wlad rhag mynd dros y dibyn yn llwyr; methu â choelio na ddeuai rhywbeth arall i gymryd lle'r gwallgofrwydd newydd. Yn flin hyd yn oed fod hen wlad eu tadau a'u mamau, y wlad a oedd yn rhan annatod ohonynt, a hwythau ohoni hi, yn gallu chwarae castiau mor frwnt â nhw.

"Peth peryg fu bod yn Iddew erioed," meddai ei hewythr. Hiraethai yntau am yr "hen wrth-Semitiaeth annwyl", y syniad bach digri bod pob Iddew yn eistedd ar gwdyn tew o bres. Ond roedd y datblygiadau diweddar yma'n anhygoel; ni chafwyd dim byd fel hyn o'r blaen.

O'r dechrau hefyd bu bri mawr ar y busnes gorymdeithio; rhesi o lanciau a dynion canol oed yn ei ledio hi wrth fartsio, 'Bydd i waed yr Iddew lifo...' – nage, nid jest llifo a wnâi chwaith, ond ffrydio, tasgu, sbrencian a sboncian – 'oddi ar lafnau ein cyllyll... a nyni fydd ar ben ein digon.'

Y Suliau fyddai eu hoff ddiwrnod gorymdeithio.

A'i bywyd yn un rhuthr o ffrindiau a threfniadau cyffrous a gwaith y siop yn llenwi oriau'r dydd i'r ymylon, prin y sylwodd Ilse Meyer ar y pethau hyn ar y dechrau, tan y Sul hwnnw pan glywodd y geiriau iasol yn cael eu bloeddio y tu allan i'r fflat.

Plygu allan o'r ffenest o ran 'myrraeth ydoedd ar ôl clywed y lleisiau yn y pellter. Cododd law gymdogol ar ambell un yn y stryd islaw a hwythau'n gwenu ac yn codi llaw'n ôl arni cyn mynd ati i ffurfio dwy res bob ochr i'r stryd i adael yr hogiau drwodd, breichiau'r rhan fwya'n cyffio mewn saliwt Hitleraidd, eu llygaid yn rhowlio yn eu pennau, chwys eu cyffro'n sgleinio, fel rhyw drawsnewidiad Meffistoffolaidd.

Teimlai Ilse'n rhyfedd am weddill y dydd, ond gyda'r nos aeth i swpera gyda ffrindiau a chiliodd y braw drachefn, ac wrth gerdded adref fraich ym mraich â'i mam, ni allai weld bod yr holl sbloet ar y stryd gynnau mor berthnasol â hynny iddi hi a'i theulu. Onid oedd ei thad yn adnabyddus drwy'r ardal a chwsmeriaid y siop yn deyrngar iawn er gwaethaf yr holl bropaganda? Dalient i ddod atyn nhw i gael eu llyfrau – hyd yn oed y dyn bach doniol a ddeuai i mewn yn ei iwnifform SS. Roedd o'n hoffi chwarae gêm fach, wyrdroëdig, mae'n debyg, yn disgwyl triniaeth arbennig, ffafriaeth, efallai. Siaradai bob amser â thad Ilse fel pe baent yn hen lawiau. Edrychai'r creadur mor drwsgl a doniol rywsut, ei gap ychydig yn rhy fawr iddo nes bod ei lygaid yn gris ymgroes bron wrth sbio allan o dan adlen y pigyn, ei gerddediad cam ceiliog, ei drowsus yn fflapian fel hwyliau am ei ben-ôl tenau a choesau Robin Goch. Chwarddai Ilse bob tro y'i gwelai gan beri i'w thad ei hysio'n flin o'r golwg.

Roedd hi wedi dweud yr hanes wrth Uschi. Uschi Schacht oedd ffrind gorau Ilse ers ei phlentyndod. Roedd ei thad yn feddyg llwyddiannus a phoblogaidd, yn ddyn caredig a'i ofal am ei gleifion yn wybyddus i bawb; yn ddemocrat, meddai Uschi. Roedd Ilse'n eilunaddoli Uschi ac yn dawel bach mewn cariad â'i thad golygus. Er pan oedd hi'n ferch fach, fach, byddai'r Herr Doktor Schacht bob amser yn ei chofleidio fel arth fawr wrth ei chyfarch gan wasgu'r anadl o'i chorff.

"Mae 'nhad yn dweud mai Iddewon o'r math gorau ydych chi," meddai Uschi un tro, yn ddiniwed nawddoglyd i gyd. Ac roedd Ilse wedi teimlo'n falch – yn falch bod tad ei ffrind gorau, a oedd mor olygus a charismataidd, â meddwl mor uchel ohonynt.

Yna, am ryw reswm anesboniadwy, peidiodd tad Uschi â'i chofleidio pan ddeuai i'r tŷ ac aeth ei holl agwedd yn fwy ffurfiol ac anesmwyth. Rhaid ei fod o'n gweld fy mod i'n rhy hen i wneud hynny bellach, meddyliodd Ilse, ac roedd hi'n falch unwaith eto fod Herr Doktor Schacht yn ei thrin fel oedolyn o'r diwedd ac yn gweld ei bod hi'n fenyw gyflawn ac nid yn ferch fach fwyach.

Roedd yr Almaen yn llawn pobl fel Herr Doktor Schacht a'i deulu yr adeg honno. Pawb yn nabod o leiaf un Iddew o'r math gorau. Doedd dim prinder o Iddewon siort orau yr adeg honno.

"Mi wn i fod yr hyn sy'n digwydd yn rong, Herr Meyer, ond yn wir, does gan bobl fel chi ddim byd i boeni yn ei gylch. Dydi o ddim yn golygu dim byd, cofiwch."

Dyna eiriau'r cwsmer ola i adael y siop y noson honno. Ymddangosai fel pe bai pawb yn erbyn y Natsïaid, pawb yn nabod Iddewon iach. Ond doedd neb yn fodlon sefyll ar eu traed – am eu bod yn credu'r propaganda. Pawb â'u cyfaddawd bach oedd hi. Pawb, fesul consesiwn, yn gadael i'r bwystfil gael ei draed dan 'bwrdd a dechrau tyrchu i bob agwedd ar eu bywydau.

Ac fe ddichon, meddyliodd Ilse, y byddai Herr Doktor Schacht yn cytuno mai Iddewon o'r math gorau oedd teulu ei ffrind mynwesol arall, Anna Hahn. Ond gadael yr Almaen fu hanes Anna a'i theulu. Mynd i'r Unol Daleithiau i ymuno â brawd ei thad a aethai draw yn 1933. Roedd Anna yn byw yn Altoner, un o brif gymunedau Iddewig dinas Hamburg. Pan aeth Ilse am dro yno ychydig yn ôl, roedd hi wedi sylwi nad oedd yno fawr o wynebau ifainc i'w gweld ar y strydoedd. Dim ond yr henoed, a chymylau ansicrwydd yn llond eu hwynebau. Doedd neb wedi egluro'n iawn i Ilse pam bod Anna wedi mynd.

Er bod Uschi'n llawn hwyl ac yn hoffi nofio a cherdded, roedd Ilse yn colli swildod diffuant a difrifoldeb cyfriniol yr hen Anna. Roedd Anna'n cadw llyfr lledr cain y tu ôl i weddill y llyfrau yn ei llofft, dan y teitl 'Myfyrdodau a Theimladau', lle nodai'i hargraffiadau am y byd a'i bethau ac ambell gerdd drist, a byddai'n darllen o'r gyfrol arbennig hon yn ei llais cryg, crynedig yn aml pan fyddai Ilse yn dod i'w gweld.

Tynnai Ilse ei choes yn ddidrugaredd am y llyfr hwn, ond, mewn gwironedd, ychydig yn eiddigeddus oedd hi. Er iddi wfftio tueddfryd ei ffrind a roddai'r fath ystyriaeth ddwys i bob dim, fel rhywun yn blasu gwin o hen gostrel, byddai Ilse, ar adegau, wedi dymuno y byddai hi ei hun o anian ychydig yn llai arwynebol – ychydig yn aeddfetach hwyrach.

Bu ymadawiad Anna'n ergyd dromach nag y cyfaddefai ac roedd rhyw geudod o hyd yn ei bywyd ar ôl hynny.

Efallai, meddyliodd, y câi hi gyfle i fynd i America ryw ddydd ac y byddent yn gweld ei gilydd eto. Apeliai America'n fawr at Ilse a darllenai'n frwd bob sgrepyn o wybodaeth am y wlad a'i holl atyniadau – y theatr, y ffilm, y jazz, y llyfrau, y ffasiwn, y partïon. Roedd hi wedi ceisio cael hyd i gyfeiriad newydd Anna, ond doedd neb yn gallu dweud wrthi'n bendant. Diflannu i'r nos ddaru nhw heb ddweud gair wrth fawr o neb. Comiwnydd oedd Otto Hahn, tad Anna, meddid, ond ni allai Ilse gredu hynny achos ei fod o'n ddyn hynod ddymunol a thyner.

Ddydd Mawrth diwetha, roedd tad Ilse wedi cael achlust bod rhywbeth mawr ar droed yn y rhan hon o'r ddinas. Roedd yr SS yn drwch drwy'r ardal ar gyfer rali i'w chynnal y penwythnos canlynol.

"Dydan ni ddim yn aros yma heno," meddai.

A dyna'r tro cyntaf i Ilse deimlo gwir ofn yn cael ei chwistrellu i'w gwythiennau a synhwyro bod rhywbeth mawr o'i le.

"Ddim yn aros gartre? Pam?"

"Maen nhw wedi dechrau cipio pobol o'u cartrefi yng nghanol y nos. Mae ganddyn nhw gwota bob nos... Mae'n well i ni beidio â bod yma."

Felly ar ôl cau'r siop roedden nhw wedi mynd draw at chwaer Ilse, Suzanne, a oedd yn briod â bachgen nad oedd yn Iddew ac yn byw yn y maestrefi.

Ni fyddai ei mam yn dod gyda nhw. Roedd hi am aros hefo ffrind a oedd yn byw ger y Llysgenhadaeth Brydeinig i holi am fisas.

"Fisas?" gofynnodd Ilse, a gofid yn rhuthro o'r newydd drwy'i bol. "I be?"

"Dwi'n meddwl y bydd hi'n saffach i ni adael."

Roedd Ilse yn syfrdan. Ni allai ddal ei gafael yn y byd newydd hyll a oedd yn ymffurfio o'i chwmpas.

"Pam Prydain? Mae Lloegr mor aflednais. Dyna ddywedodd Wncwl Theo ar ôl bod draw yno y llynedd. Dwi isio mynd i America – fel Anna," meddai o'r diwedd.

"Achos mae gynnon ni berthynas yno. Mi fydd yn haws cael aros. Ac mae dy Saesneg di mor dda erbyn hyn, mae'n siŵr y cei di astudio mewn prifysgol rywle ar ôl blwyddyn neu ddwy..."

"Blwyddyn neu ddwy!"

"Ia, wel, mae Lloegr dipyn nes at yr Almaen fel y gallet ti ddod adra'n reit handi pan fydd petha'n gwella!"

Pan gyrhaeddon nhw gartref Suzanne ar gyrion y ddinas, roedd gweddill y teulu yno, yn deidiau ac yn neiniau, yn fodrybedd ac yn ewythredd a rhyw ddychryn yn cyniwair, dychryn a pharlys meddyliol y tu hwnt i ddirnadaeth pawb a oedd yn y fflat y noson honno – rhwng ugain a deg ar hugain o bobl o bob oed yn ceisio swcro'i gilydd, ond roedd y ffaith eu bod yn cael eu hyrddio at ei gilydd fel hyn, yn llochesu mewn ofn yn y tywyllwch, yn tanlinellu difrifoldeb eu sefyllfa a realiti'r perygl.

Cysgent ar fatresi hefo sachau cysgu. Gan nad oedd fawr o Iddewon yn byw yn y cyffiniau nid oedd Chwilod Baw yr SS mor amlwg, ond wrth i'r noswaith fynd rhagddi, gellid clywed, neu tybid y gellid clywed o dro i dro, sŵn yr helyntion mewn rhannau eraill o'r ddinas yn cario ar yr awel gynnes; pyliau o weiddi, gwydr yn malu, lorïau'n gyrru'n wyllt...

Ni chysgodd neb fawr ddim. Gorweddodd Ilse yn y tywyllwch gan wrando ar y sgyrsiau brysiog a'r ochneidio a'r llefain tawel o'i chwmpas a theimlodd oerni'n ymledu drwy'i hymysgaroedd er gwaethaf gwres llethol yr ystafell. Gwyddai fod y seiliau'n simsanu a chyn bo hir y byddai'r cwbl yn dymchwel. Fyddai bywyd fyth yr un fath.

Nid Ilse oedd biau ei dyfodol bellach; roedd ei holl

gynlluniau ynglŷn â theithio ac astudio, ei breuddwydion ifainc am yrfa ar y llwyfan, ar ddistyll. Go brin y câi gyfle i'w gwireddu. Dim ond taith unffordd i Loegr a doedd Lloegr erioed wedi apelio ati. Gormod o niwl ac roedd wedi clywed bod y Saeson yn hoffi bwyta gwiwerod.

Gwasgodd y tywyllwch i lawr arni a llyncodd yn galed am aer. Ysai am awyr iach, am frathiad rhew y bryniau fel y profasai yn y gwanwyn ar ei gwyliau ym München. Ac am y tro cynta ers amser meddyliodd am yr ail lythyr gan Hugh Eldon-Hughes, yn ôl yn ei drôr gartre. Heb ei agor.

Roedd y llythyr cyntaf wedi'i chyffroi'n ofnadwy, a hithau erioed wedi derbyn llythyr caru o'r blaen. Un tudalen ar bymtheg mewn llaw gain, blodyn bach sych yng nghanol y plygion. Roedd hi wedi rhuthro am y geiriadur a threulio drwy'r nos ar ddihun yn ei drosi a'i ddehongli.

Ynddo roedd Hugh wedi ail-fyw'r oriau a dreuliwyd gyda'i gilydd ar ei wyliau yntau ym München. Y cyfarfyddiad ar hap yn y siop lyfrau; coffi a theisen ger y bont ar lan afon Isar; y daith gerdded drwy'r eira; y sgwrs hanner-a-hanner yn Almaeneg a Saesneg; ffeirio cyfeiriadau; trefnu oed; hithau'n cawlio'r trefniant; y nodyn dan ei drws; y cyfarfyddiad ola...

Cusanu a chofleidio ffwndrus, a hithau'n ei annog, yn chwilfrydig, yn hyderus... eisiau darganfod, eisiau gwybod hyd ble roedd y llwybr cudd yma'n arwain ac eisiau ei ddilyn hyd ryw fan, beth bynnag. Bu gosteg. Ac yna Hugh yn troi'n ôl ati a bwrlwm o addewidion yn tasgu ohono fel marblis o gwdyn: fe sgwennai; fe arhosai amdani; ni ddymunai'r un enaid byw arall ond hyhi.

Ni ddeallodd Ilse bopeth ond fe'i gwelai'n ddoniol. Chwarddodd a dechrau cerdded yn ôl tua'r dre. Ar risiau'r gwesty roeddent wedi ysgwyd llaw'n ddwys ddifrifol, Ilse'n gorfod cywasgu'r chwerthin a fyrlymai y tu mewn iddi. Drannoeth fe aeth Hugh adre ac fe aeth hithau i'r amgueddfa hefo'i mam.

Ond er iddi gymryd y cwbl yn ysgafn braidd, gallai ddal i gofio sut olwg oedd arno. Yn dal ac yn dywyll, gwefusau llawn, llygaid blinedig, dwylo mawr a bysedd hirion anfedrus. Gallai ddal ei gofio, er gwaethaf ei chwithdod a'i angerdd bachgennaidd, rhyw ysbryd anarferol amdano, rhywbeth gwahanol, rhywbeth anghonfensiynol. Ond prin ei bod wedi meddwl amdano nes i'r llythyr cyntaf gyrraedd. Yn awr, efallai y byddai hi'n mynd i Loegr...

Am ddeuddydd ar ôl iddi ei dderbyn, y llythyr oedd popeth. Fe'i darllenai a'i ailddarllen bob cyfle a gâi. Roedd peth ohono'n dywyll iawn iddi, ond wrth iddi ddyfalbarhau gyda'r geiriadur, daeth y rhan fwyaf o'i ystyr yn glir. Roedd hi wrth ei bodd gyda'r ffordd y soniai mor ddiffuant ac mor delynegol am harddwch y wlad lle'r oedd ei gartref, am y môr a'r mynydd a sut yr oedd meddwl am yr holl harddwch yn peri iddo feddwl amdani hi. Nid oedd yr holl dir gwastad o gwmpas Rhydychen yn ei lonni o gwbl. Roedd yn codi'r felan arno ac yn lladd pob awydd am waith a chymdeithasu, meddai. Yr unig ffordd y gallai fod yn hapus yn y lle yma, yn ôl Hugh, fyddai pe bai hi yno gydag ef.

Y drydedd noson ar ôl derbyn y llythyr aeth i *soirée* yng nghwmni ffrindiau a chwrddodd ag Johann Bauer ac aeth Hugh yn angof llwyr. Yn yr wythnosau ers hynny, roedd hi wedi cynllunio'i bywyd o gwmpas y posibilrwydd o gwrdd ag Johann eto. Gwyddai ei fod yn gweithio fel meddyg yn ysbyty'r plant a byddai Ilse'n loetran yng nghyffiniau'r ysbyty bob dydd yn ystod ei hawr ginio o'r siop. Cafodd gip arno un tro, benben mewn sgwrs â merch dlos iawn, gwallt cringoch ganddi, mewn côt werdd dywyll. Treuliodd Ilse noson ddi-gwsg yn ceisio dyfeisio rhyw ffordd o dynnu ei sylw oddi ar y bengoch.

Drannoeth cyrhaeddodd ail lythyr Hugh. Roedd y siom yn drech na hi – yn dyheu'n ofer am Johann, ac yn wrthrych serch i rywun nad oedd bellach yn golygu dim iddi. I ddechrau, ystyriodd luchio'r llythyr yn syth i'r tân, ond fe'i hataliodd ei hun, rhag ofn bod eisiau rhywbeth wrth gefn, pe bai ei hymdrechion i dorri gair ag Johann yn gwbl seithug. Felly i'r drôr aeth y llythyr...

Ac yn awr, byddai hi'n ymfudo i Brydain. Ymhle yn Lloegr oedd Cymru, tybed, y soniai Hugh gymaint amdani?

Tua'r bore bu'n pendwmpian am ychydig a breuddwydio ei bod hi ar fwrdd llong llawn plant...

Wrth i bawb godi dechreuodd adroddiadau eu cyrraedd bod yr erledigaeth y noson cynt yn fwy helaeth a milain na dim byd arall a welwyd hyd yn hyn yn y rhan hon o'r ddinas. Roedd siopau a synagogau wedi'u llosgi, degau o Iddewon wedi'u harestio. Penderfynodd Ilse a'i thad gymryd tacsi'n ôl i'r dref a gofynnodd ei thad i'r gyrrwr fynd â nhw drwy rannau o'r dre roedd o'n eu nabod yn dda.

Yn fuan iawn y gwelon nhw ganlyniadau'r noson cynt, y difrod a'r anrhaith. Siop ar ôl siop a'u ffenestri wedi'u malu, rhai ohonynt yn mygu, eiddo wedi'i daenu fel perfedd drwy'r baw a'r hyn a edrychai fel gwaed ar y pafin – er i'w thad fynnu mai paent coch ydoedd.

"Wel," meddai'i thad yn athronyddol, "o leia 'dan ni'n gwbod be fydd yn ein hwynebu ni gartre."

Dyma'r tacsi'n troi i'r stryd lle safai eu siop lyfrau. Caeodd Ilse ei llygaid a gwasgu'n dynn yn erbyn ei thad. Fe'i clywodd yn tynnu'i anadl.

"*Um Gottes Willen...*" ebychodd.

Cilagorodd Ilse ei llygaid. Roedd olion difrod ar bob tu; gwragedd yn llwytho sgidiau i goetsys babi drwy ffenest siop y crydd. O'r diwedd magodd blwc i gyfeirio ei golwg tuag at siop y teulu. Ni allai gredu yr hyn a welai. Roedd yr adeilad heb ei gyffwrdd.

"Cerwch ymlaen i'r bloc nesa," meddai'i thad wrth y gyrrwr.

Pan gyrhaeddon nhw'r bloc nesa, gadawon nhw'r tacsi a thalodd ei thad y gyrrwr. Nid oedd ef wedi dweud yr un gair ar hyd y daith. Ni ellid dweud p'un ai cywilydd ynteu dirmyg oedd yn gyfrifol.

Yn benisel, cerddon nhw am y fflat. Doedd dim cymaint o ddifrod i'w weld yn y stryd hon gan fod llai o fusnesau a chartrefi Iddewig yn yr ardal. Cyfarchwyd ei thad yn ddigywilydd o siriol gan gymydog. Roedd normalrwydd yr awyrgylch yn dwysáu eu dryswch.

Buont yn ôl yn y fflat ers rhyw hanner awr, ac roedd Ilse ar fin codi'r ffôn ar ei mam i ddweud yr hanes wrthi pan glywodd sŵn y tu allan ar y stryd – ffenestri'n malu, gweiddi croch, ergydion trwm...

"Tada..."

Roedd ei thad eisoes yn rhedeg am y grisiau, wedi rhusio'n lân.

"Y gyrrwr tacsi..." gwaeddodd wrth ddwrdio i lawr y grisiau. "Ro'n i'n amau..."

Yn ôl ar y stryd, fe'u cyfarchwyd am yr eildro gan eu cymydog fel pe na bai'n sylwi ar eu brys a'u hofn. Rhedodd y ddau nerth eu traed yn ôl ar hyd y lonydd coblog nes troi congl y stryd lle safai'r siop. Roedd yna dorf o tua hanner cant o ddynion mewn iwnifform ac eraill wrthi'n pledio'r ffenestri ac yn malurio'r drysau derw, y gwaith cerfio cain ar eu paneli yn cael ei larpio gan frathiad y bwyeill. O'r diwedd aeth yr ergydio cyson yn drech na chadernid yr hen ddôr ac yn sydyn roedd un drws yn hongian ar ei golfachau a'r llif budr yn rhuthro i mewn i fonllefau o gymeradwyaeth o'r dorf.

Cyn bo hir dechreuodd y llyfrau hwylio i lawr drwy ffenestri di-wydr y lloriau uchaf, fel ffesantod mewn helfa – ac ni bu raid aros yn hir cyn i rywun eu huddo yn goelcerth ar ochr y stryd...

2

Roedd byd Ceinwen Jones yn troi'n esmwyth iawn ar ei echel wrth iddi chwilota yng ngwres mud a mwll y beudy am wyau'r ieir a glwciai'n ffwdanus o'i chwmpas. Ymhen tridiau byddai Ceinwen yn bymtheg oed ac ymhen y mis byddai wedi gorffen ei hail dymor yn forwyn fach ym Mhlas y Morfa.

Gwyddai Ceinwen nad oedd ganddi fawr o achos achwyn am ei lle presennol o'i chymharu â rhai o'i chyfoedion. Roedd yr oriau'n ddi-ben-draw, wrth gwrs, a gallai Syr David ac ambell un o'r staff fod yn eitha oriog a diamynedd ar adegau, ond, roedd hi'n ddigon dedwydd ei byd ac yn cael llond ei bol o fwyd ar ben hynny.

Ei lwc hi oedd hynny, wrth gwrs. Roedd yna rai'n gorfod byw ar eu cythlwng drwy'r amser. Bu ei brawd druan mewn lle ofnadwy y llynedd. Daeth adref ar ben ei dymor cyntaf yn sgerbwd o denau, yn wylo'n hidl ac yn hallt wrth ei fam am y ffordd y câi ei drin gan yr hwsmon, a'r ffordd nad oedd yr hen ffermwr yn bwydo dim byd amgenach na chibau moch iddynt gan mwyaf.

Llwyddodd Ceinwen i gael hyd i bedwar ŵy brithwyn yn y gwair. Fe'u rhoddodd ym mhoced ei brat a phrysuro o lwydnos llychlyd y beudy yn ôl i heulwen grasboeth y bore.

Safai Plas y Morfa ar ben rhodfa droellog yng nghysgod bryncyn bach creigiog ger glannau deheuol Pen Llŷn. O gwmpas y tŷ tyfai sawl erw o goed ynn, bedw a llwyf gan ei lochesi rhag stormydd-twll-y-glaw a sgubai i fyny o'r môr ar draws yr hen forfa a drowyd yn dir glas ar ddiwedd y ddeunawfed ganrif. Dyddiai sylfeini'r tŷ yn ôl i amser Llywelyn, meddai rhai, ond does wybod faint o goel y gellid ei rhoi i'r stori honno.

Beth bynnag am ddilysrwydd dyddiad ei sefydlu, doedd neb yn amau achau ei berchenogaeth ers hynny. Yr un teulu a fu'n byw o dan ei gronglwyd ers canrifoedd, pob cenhedlaeth yn ymchwyddo ac yn ymaddasu yn ôl gofynion yr oes gyda thiriogaeth y plas yn ymgripian yn raddol dros y plwyfi cyfagos fel cen yn lledu ar garreg.

Teulu'r plasty bychan hwn oedd yn geidwaid gwlad ac yn gynheiliaid y drefn faterol ac ysbrydol yn y broydd hyn, yn dyfarnu ac yn dedfrydu, yn noddi môr-ladron a beirdd, yn erlid sgwatwyr a'r rheini oedd yn dipyn o boendod fel arall. Ond, ers hanner canrif a mwy, y nhw oedd dan warchae; yr esgid fach yn gwasgu go-iawn wrth i stadau'r ardal felynu a dadfeilio yn adladd y Rhyfel Mawr ac wrth i ysfa'r lliaws am ryddid gynyddu.

Tri cham o ddrws y gegin a dyma fore dibryder Ceinwen yn cael ei chwalu'n glatsh. Daliodd sawdl ei chlocsen mewn rhigol rhwng dwy o lechi mawr y rhiniog, a'r peth nesa a wyddai, roedd ar ei hyd ar lawr. Bwriwyd y gwynt o'i chorff a brifodd ei garddwrn a'i phen-gliniau, ond yn waeth na hynny, roedd yr wyau yn ei brat bellach yn ymledu'n staen llachar ar draws ei brest.

"Yli llanast..." dwrdiodd ei hun rhwng ei dannedd gan ymladd am ei hanadl a chan sbio'n hurt ar y melynwy'n diferu oddi arni i'r llechen las wrth ei thraed.

Y tu ôl iddi, clywodd chwerthin sych Selwyn Ifans, y garddwr a'r dirprwy-gipar.

"Mwya'r rhuthr, mwya'r rhwystr, Ceinwen fach."

"Dim 'y mai i oedd o..."

"O 'lly. Bai pwy 'ta?" meddai'n ddifater.

"Baglu wnes i...'Rhen fflagia 'ma...'nghlocsan i..."

Rhythodd Selwyn arni am ennyd, ei lygaid glas babïaidd yn stond yn ei ben, yn celu pob arlliw o fynegiant. Yna rhochiodd yn ddirmygus a sugno'n gry' ar y stwmpyn sigarét a lynai wrth ei wefus.

Arhosodd Ceinwen am y sweipen eiriol. Doedd o ddim yn natur Selwyn i adael llonydd i unrhyw sefyllfa lle y gallai ennill pwyntiau drwy ryw sylw bach clyfar neu wenwynig. Un ffraeth a hirben oedd Selwyn ym marn gweddill y gweision. Hen sinach cas oedd o ym marn Ceinwen a sawl un arall. Roedd codwm y forwyn fach o flaen drws y gegin, heddiw o bob diwrnod, yn cynnig cyfle rhy dda iddo ei fethu.

"Ia, wel, siawns ei bod hi'n well i ti falu dy wyau rŵan cyn i'r tywysog Huwcyn Huws gythru 'i ffordd atyn nhw."

Doedd Ceinwen ddim yn deall yr ergyd yn iawn ond roedd hi'n rhyw amau'i bwrdwn.

"Be 'dach chi'n feddwl, Selwyn Ifans?" tuchiodd yn boenus, ei gwallt dros ei dannedd o hyd.

Ond roedd Selwyn eisoes yn sleifio i gysgod y coed.

Crynodd Ceinwen rhwng dicter ac ofn. I'r diawl ag o, meddyliodd wrth binio'i gwallt yn ôl y tu ôl i'w phen. I'r diawl ag o yn ymyrryd fel hyn. Iesgob! Be pe bai'r hen gythraul yn dweud wrth rywun? Wrth Blodwen... neu'i thad... neu Syr David, hyd yn oed.

A'r dagrau'n pigo'i llygaid, eisteddodd Ceinwen ar y wal isel ger y drws a chael ei gwynt ati go-iawn er mwyn ceisio adennill y cyflwr gwynfydus y bu ynddo'n gynharach. Ers dyddiau, bu ar bigau gan fod Hugh yn dod yn ôl o Rydychen i dreulio'r haf yn y Plas. Roedd Ceinwen heb ei weld ers y Nadolig gan iddo fod yn yr Almaen dros wyliau'r Pasg. O'r cychwyn cyntaf, Hugh Eldon-Hughes fu un o brif atyniadau gweithio ym Mhlas y Morfa i Ceinwen a mawr fu siom yr eneth pan aeth Hugh i'r coleg ar ddiwedd yr haf y llynedd.

Cofiai'n dda, ar ddiwedd ei hwythnos gynta, sut roedd wedi cyhoeddi'n llawn balchder wrth Blodwen Elias, y ddreigian o howsgipar, mai hi bellach oedd athrawes Gymraeg mab y plas.

"Be ti'n hefru, hogan?" wfftiodd y ddynes hŷn yn ei llais crafog, diurddas.

"Fi sy'n dysgu Cymraeg i Hugh..." meddai'n hunan-bwysig wrth droi'n ôl at yr hetar smwddio. "Aw!"

Yn ddirybudd, dyma Blodwen Elias yn dal ymyl ei chlust rhwng bys a bawd gan ei gwasgu a'i thynnu'n filain.

"*Master* Hugh i chdi, mei ledi. A phaid ti â mynd yn hyfach na dy groeso fan hyn, wyt ti'n dallt? Rheitiach o lawer fasa i chdi gael gwell crap ar y Susnag tra wyt ti yma na phoetsian fel 'na," rhuodd yn wyllt, ei dannedd gosod yn clecian, ei llygaid llyffant yn chwyddo mewn ffordd a fuasai, fel arall, yn ddoniol.

"Ond, mae o wedi gofyn imi... Aaawww!!" Tynhaodd gafael Blodwen. "'Dach chi'n brifo. Gadewch lonydd i 'nghlust i."

Un wasgfa arall a gollyngodd y wraig ei gafael. Camp i Ceinwen oedd cadw'r dagrau rhag llifo, ond mewn pryd sylwodd fod yr hetar ar fin deifio lliain gwyn ar gyfer y bwrdd mawr, a bu'n rhaid iddi achub y sefyllfa neu byddai'r howsgipar wedi'i ddarn-ladd yn y fan a'r lle.

Ond beth bynnag am y lliain a myll yr howsgipar, un gyndyn oedd Ceinwen i ddal ei thafod, ac er gwaethaf ei hofn a gwayw'i chlust friw, dyma hi'n ailgydio yn y testun.

"Mae o isio dysgu, wyddoch chi." Gafaelodd yn dynn yn yr hetar, a lwcus i Blodwen Elias na cheisiodd hambygio'r ferch yr eildro achos un fyrbwyll oedd

Ceinwen a'r hetar yn arf barod.

"Hy," meddai'n ddidaro.

"Mae o'n gallu deud ambell beth yn barod. Mi wnaeth ei daid o siarad 'chydig o Gymraeg hefo fo."

"Hen Ddic-Siôn-Dafydd oedd hwnnw 'fyd," mwmiodd Blodwen wrth gyfrif cyllyll a ffyrc yn y drôr.

"Ond mae Hugh…"

"*Master* Hugh," sgyrnygodd Blodwen, ei haeliau'n dawnsio ar ei thalcen. Roedd hi wedi gorffen ei chyfri erbyn hyn a'i meddwl unwaith eto ar ffrwyno ysbryd yr eneth bowld yma. "Faint o weithia sy raid imi ddeud. *Master* Hugh ydi o i chdi a Syr David ydi ei dad o. A rhaid i chdi syrio'r ddau i'w hwynebau, ti'n dallt? Wnei di ddim para'n hir iawn drwy fod mor ddigywilydd â hyn, cofia. A brysia hefo'r smwddio 'na. Mae eisio blacledio'r *range* a thorri priciau cyn cinio. Mae'n bryd i chdi dynnu dy ewinedd o'r blew 'na, 'ngenath i, neu chwilio am le arall fyddi di, a be ddeudith dy dad wedyn, tybad?"

A dyna ddigon i gael Ceinwen yn ôl ar y llwybr cul am sbel. Gwridodd a threuliodd weddill yr wythnos yn poeni rhag ofn y byddai'i thad yn cael clywed ei bod yn hy ac yn ddigywilydd. Wnâi hi ddim byd i siomi'i thad. Yn bwysicach fyth, roedd y bwthyn llawr pridd, llaith yn y pentre lle'r oedd ei theulu yn byw yn rhan o gyflog ei thad a weithiai fel gwas ar un o ffermydd y stad, a gallai gair chwith ar yr adeg anghywir beri i'r stiward gario hanesion at Syr David. Penderfynodd gadw'n dawel o hyn allan am awydd Hugh Eldon-Hughes i ddysgu'r Gymraeg.

Ond, cyn wired â'i phader, dyna oedd dymuniad y gŵr ifanc, ac roedd wedi gofyn yn blwmp ac yn blaen iddi fod yn athrawes iddo. Wel, hi oedd wedi'i awgrymu mewn gwirionedd. Fel hyn y bu. Daethai ar ei draws yn sefyll ar y bont uwchlaw'r ceunant lle rhedai nant y Fantell dros bistyll-cynffon-y-gaseg i borth fechan a fu unwaith yn hafan brysur a bywiog, lle y cludid holl hanfodion bywyd y cylch i mewn ac allan gyda'r llanw, ac o ble'r hwyliai ymfudwyr digalon i America ac i Awstralia yn ystod yr amseroedd caled pan godai'r rhenti. Porth Simsan oedd ei henw a bu sawl cynnig i ddehongli'r enw hwnnw ar hyd y blynyddoedd.

Ar ddiwedd diwrnod hir o waith, rhedeg i weld ei chwaer a weinai yn Nhyddyn Llwyn, fferm a fu unwaith yn rhan o stad Plas y Morfa, oedd Ceinwen. Byddai bob amser ar ruthr, wedi'i geni'n fuan ac ar frys ers hynny, chwedl ei mam.

Arweiniai'r llwybr at Dyddyn Llwyn rhwng coesau praff y rhedyn a dyrrai'n dalach na Cheinwen ei hun wrth iddi weu'i ffordd hyd-ddo, a chafodd y ferch dipyn o sgytwad wrth garlamu o gwmpas tro yn y llwybr a chael ei bod wedi cyrraedd Pont y Fantell yn barod, a hynny'n hollol ddisymwth a'i bod ar fin mynd bendramwnwgl yn erbyn dyn a bwysai ar ei chanllaw.

"O, Arclwy, mae'n ddrwg gen i…" ebychodd yn Gymraeg cyn sylweddoli mai mab y plas ydoedd, cetyn yn ei geg, a gwên llo cors ar ei wep.

"Sori, syr, ei did not sî iw thêr."

"That's quite all right. Pob dim yn iawn."

O glywed y geiriau hynny, roedd Ceinwen mewn penbleth. Saesneg oedd popeth yn y plas. Doedden nhw ddim hyd yn oed i fod i siarad Cymraeg hefo'i gilydd wrth eu gwaith y tu mewn i'w furiau, yn ôl gorchymyn Syr David, ond allan o'i glyw yntau ac ambell un arall, wrth gwrs, ni ddigwyddai hynny. 'Yes a *No* a dyna fo' oedd swm a sylwedd Saesneg y rhan fwyaf o'r Cymry a weithiai yno beth bynnag.

Roedd tad Syr David, Robert ap Huw, wedi priodi â

merch capten llong o Fryste, Harriet Eldon, a thrwy'r uniad hwn peidiodd y Gymraeg fel mamiaith yng ngenau teulu Plas y Morfa am y tro cyntaf yn ei hanes. I Lundain yr aeth Syr David ei hun i chwilio am gymar, a'i chael yn Dorothy Wain, merch i beiriannydd a ddyfeisiodd rywbeth hanfodol bwysig i ddatblygiad y cerbyd modur. Bu farw mam Hugh pan oedd o'n ddwy oed. Yn sicr, nid diwylliant a theyrngarwch i iaith arbennig a boenai perchennog presennol Plas y Morfa. Prif gonsýrn Syr David oedd nad oedd ffortiwn ei ddiweddar wraig yn agos at yr hyn a dybiasai wrth ofyn iddi ei briodi.

"*We haven't met before have we?*"

"No, syr."

"*You're the new parlour maid, aren't you?*"

"Ies indeed, syr."

"*And what is your name?*"

"Ceinwen, syr."

"Ceinwen?"

"Ies, syr."

"Cein-wen. *What does that mean?*" meddai gan dynnu'i getyn o'i geg a'i gnocio yn erbyn canllaw'r bompren.

"Ei dônt no, syr."

Roedd hi'n gwybod yn iawn. Onid oedd ei thad wedi dweud droeon wrth ei dandwn mai 'merch dlos' oedd ystyr Ceinwen a'i bod hi'n haeddu ei henw bob gafael? Ond nid oedd am rannu hyn gyda hwn, er mor glên y swniai.

"*There are so many beautiful Welsh names, don't you think?*" meddai yntau gan gerdded tua chanol y bont ac edrych i lawr y ceunant at y cilgant denau o dywod a sgerbwd yr hen jeti, y cetyn yn ôl yn ei geg ac erbyn hyn yn woblo'n beryglus uwchben y dibyn wrth iddo siarad.

"*Shall we go down to the cove?*"

Doedd Ceinwen ddim yn siŵr beth oedd ystyr '*cove*' ond

dyfalodd mai cyfeirio at Borth Simsan ydoedd.

"No thenciw. Ei am going tŵ si mei sister at Tyddyn Llwyn," meddai heb ystyried ei gais yn un anarferol.

"Trueni," meddai'r dyn.

Syllodd Ceinwen i fyny yn gegrwth arno. Llyncodd a chipiodd o'r naill ochr i'r llall gan chwilio am ddihangfa neu ysbrydoliaeth yn yr eithin a'r rhedyn o'i chwmpas. Gwridodd, ei hwyneb yn teimlo fel pe bai ar dân yng ngwres y machlud.

Ystyriodd Hugh yr hogan fochgoch, iachus a safai o'i flaen, ei hanesmwythyd yn taenu drwy wythiennau ei hwyneb. Dilynodd ei lygaid ei siâp llawn, flonegog, a dyma yntau'n ei dro yn chwilio'n ofer am eiriau. Yn y diwedd, ymwrolodd Ceinwen gan edrych yn syth i'w lygaid:

"Ydach chi'n medru'r Gymraeg... syr?"

Ymlaciodd Hugh a lledodd gwên o'r newydd ar draws ei wyneb hirsgwâr.

"Tipyn bach."

Siriolodd Ceinwen hithau ac edrychodd tua'r nen a chwerthin, chwerthiniad heintus, soniarus yn adleisio bwrlwm y nant islaw.

"Da iawn, wir. Mae fy Saesneg i'n ofnadwy, fel y clywsoch chi gynna."

"Na, na," meddai Hugh gan godi'i ddwylo ac ysgwyd ei ben.

"O ydi, mae."

A bu tawelwch. O'r diwedd dywedodd Hugh:

"Yr wyf eisiau dysgu mwy o Gymraeg."

"Mi wna i ddysgu Cymraeg i chi."

"Yn wir?"

"Gwnaf, siŵr." Edrychodd o'i chwmpas a phwyntio:

"'Rhedyn'... 'Eithin'... 'Blodau'r Neidar', ym... ym..."

"Beth am *a sensation of well-being*'?"

Ciliodd y wên o'i hwyneb.

"Begio'ch pardwn, syr, ond dydw i ddim yn ych dallt."

Roedd Hugh yn syllu arni o hyd ac roedd hi'n dechrau teimlo'n anghyfforddus iawn. Yna, fel pe bai'n deffro o swyn-gwsg, tynnodd y cetyn o'i geg a dechrau ymddiheuro o'r newydd.

"No, it is I who must beg your pardon."

Bu tawelwch eto wrth i Hugh hel ei feddyliau.

"Hugh ydwyf i. Rhaid i chi alw Hugh arnaf ac nid 'syr'."

"Iawn, syr. Hugh, dwi'n feddwl... syr."

Ac roeddent ill dau'n chwerthin eto.

Trodd Hugh yn ôl i edrych ar yr olygfa o'r bont dan ochneidio. Sbiodd Ceinwen o'i chwmpas drachefn, yn cofio'n sydyn nad oedd ganddi ond awr cyn bo raid iddi fod yn ôl yn y Plas.

"Esgusodwch fi... ond fy chwaer... *my sister...*"

"Oh my goodness, yes, of course. Do forgive me."

A safodd Hugh o'r neilltu gan gyflwyno'r ffordd ymlaen iddi â'i law fel pe bai'n dal drws yn agored. Sylwodd Ceinwen ar fysedd hirion, cymalog. Doedd hi ddim yn hoffi eu golwg.

Aeth heibio iddo'n benisel, ei swildod wedi'i hailfeddiannu ar ôl yr eiliadau o agosatrwydd annisgwyl. Feiddiai hi ddim codi'i golygon wrth fynd heibio a phrin iddi ymateb i'w 'Da bo chi' siriol. Cyn gynted ag y cafwyd tro yn y llwybr dechreuodd redeg drachefn, ei chalon yn curo'n wyllt wrth i'r adrenalin ddechrau llifo. Rhedodd i fyny'r llethr tuag at adwy Tyddyn Llwyn. Tua hanner y ffordd i fyny roedd yna lannerch o borfa yng nghanol y rhedyn ac fe'i taflodd ei hun i'r llawr. Gorweddodd yn ôl, ei hanadl yn rhuo yn ei chlustiau, y chwys yn diferu ohoni. Yn raddol dyma awyr eurlas y min nos yn llonyddu'i meddwl.

Ar ôl cael ei gwynt ati cododd ar ei heistedd a sbecian

yn nerfus i weld a allai weld unrhyw olwg o Hugh. Roedd y bont yn wag erbyn hyn – ond ymhell islaw fe'i gwelai'n cerdded ar fin y dŵr ym Mhorth Simsan. Yna trodd i wynebu'r môr a chodi'i freichiau i'r awyr fel pe bai'n addoli'r tonnau.

Cododd bloedd aneglur i'w chlustiau. Be gythral oedd o'n ei weiddi?

"H – i – i – i – r – a – e – th."

Hiraeth? Hiraeth am beth, dwad? Hanner pan oedd hwn. Honco bonco bost. Ych-a-fi. Dda gen i mono fo, penderfynodd Ceinwen gan godi ar ei thraed i ailgydio yn ei thaith.

Ond nid dyna oedd neges ei breuddwydion y noson honno.

Flwyddyn yn ôl oedd hynny ac roedd cymaint wedi digwydd ym mywyd Hugh ers y noson honno yng nghanol mis Mehefin 1934. Heno, oedai yn yr ardd gan ddal yn ôl cyn dychwelyd i'r tŷ. Uwchben y coed roedd yr awyr wedi troi'n wyrddlas a gallai weld malwen denau o leuad rhwng y tŵr petryal a godai ymhen pella'r tŷ a tho'r stablau. Cwafrai ambell dylluan o ganol y coed a chwynai'r hwyaid yn achlysurol wrth ymryson am glwydfan ar lan y llyn.

Bu'n swpera ar ei ben ei hun, cig oen oer gyda photel o Merlot 1931. Yr howsgipar oedd wedi gweini arno, mor surbwch ag erioed. Doedd o ddim wedi gweld dim o Ceinwen eto, ond fe wyddai na chadwai draw am byth. Doedd o ddim yn edrych ymlaen at eu cyfarfyddiad.

Yn ôl y disgwyl bu cyrraedd Pen Llŷn yn lliniaru cryn dipyn ar yr anesmwythyd a deimlodd dros gyfnod ei arholiadau. O'r eiliad y daeth y mynyddoedd i'r golwg roedd y gwaed wedi dechrau symud o'r newydd yn ei wythiennau, a bu bron iddo weiddi ei lawenydd pan glywodd arogl yr heli wrth ddod oddi ar y trên. Roedd wedi ffroeni'r awyr fel helgi gan sugno a fedrai ohoni i'w sgyfaint.

Selwyn a ddaeth yn y *Bullnose Morris* i'w nôl o orsaf Pwllheli. Braidd yn amheus o Selwyn fu Hugh erioed, ers dyddiau'i blentyndod. Un anodd cael ei hyd a'i fesur ydoedd a fyddai byth yn siŵr o'i dwym na'i oer. Bu Sel yn gweithio ym Mhlas y Morfa ers ychydig ar ôl i Hugh gael ei eni. Yn ystod y saith mlynedd y bu Hugh yn byw drwy'r amser yn y Plas, cyn iddo gael ei yrru i'r ysgol fonedd dros y ffin, rhyw rith-bresenoliaeth oedd gan Selwyn, bob amser yn stelcian yn ddistaw ar gyrion ei atgofion.

Ni chofiai iddynt siarad yr adeg honno pan oedd yn hogyn ifanc iawn, ond yn ystod ei ddyddiau ysgol pan ddeuai Hugh adre yn y gwyliau, byddai Selwyn yn sgwrsio yn gyson ac yn helaeth ag o, ac edrychai Hugh ymlaen at gael ei gwmni. Roedd gan y bachgen ddiddordeb byw yn y wlad a'r môr a oedd gymaint wrth fodd y garddwr, ac, i'r graddau y gallai Selwyn glosio at rywun, fe glosiodd, am ychydig beth bynnag, at fab ei feistr gan ddangos diddordeb arbennig yn ei gwrs addysg.

"Be ddysgaist ti y tro 'ma, ta?"

"Am ryfeloedd Cesar."

"A phwy enillodd?"

Ac fe rannai'r garddwr sigarét gyda'r bachgen wrth wrando ar sut y bu i Iwl Cesar oresgyn y Galiaid a sut roedd gwlad Gâl wedi'i rhannu'n dair rhan...

"'*in partes tres divisa est*'," prepiai'r bychan a chwythai Selwyn fwg i'r awyr a sbio arno'n ddigyffro fel pe bai'r Lladin yr un mor gyfarwydd iddo ag yr oedd i ddisgyblion ysgolion bonedd Lloegr.

"...ac enw'r tri llwyth, y Belgae, yr Acwitaniaid a'r Galiaid, yn eu hiaith eu hunain, oedd y Celtiaid... Mae'·

Cymry'n Geltiaid hefyd, wyddoch chi," eglurai Hugh wedyn.

"Taw," meddai Selwyn yn ddigynnwrf wrth bigo baco'n rhydd o'i geg.

Ac fel yr âi'n hŷn cynyddodd diddordeb Hugh yn y Celtiaid a'r Cymry a'r Gymraeg. Roedd llyfrgell y plasty yn llawn trysorau a byddai Hugh yn treulio'i wyliau'n pori drwy gyfrolau megis *Mona Antiqua Restaurata* ac *Archaelogica Britannica*, gwaddol y cyfnod pan ymddangosai enw teulu Plas y Morfa yn rheolaidd ymhlith tanysgrifwyr llyfrau Cymraeg o bob math.

Byddai Hugh wedi dymuno closio'n fwy at Selwyn Ifans, ond cadwai hwnnw ryw bellter bob amser er iddo fod yn ddigon caredig a chymwynasgar wrth yr hogyn. Ond mi oedd yna dro digon anghynnes yn ei gynffon. Erbyn hyn gallai Hugh weld drwy'i goegni a'r ymarweddiad gwatwarus. Roedd Selwyn yntau wedi dod i sylweddoli na allai fanteisio rhagor ar ddiniweidrwydd y bachgen ysgol i sneipio at gamweddau'i feistr, ac ers sawl blwyddyn bu'r gagendor rhyngddyn nhw'n ymledu ac yn anaml iawn y byddent yn siarad bellach. Ond ar y daith o'r orsaf, soniodd Hugh ychydig am ei brofiadau yn Rhydychen a'r Almaen a gwrandawodd Selwyn yn astud, ond heb gynnig fawr ddim am ei hanes ei hun.

Ac yntau heb fod adref ers y Nadolig, ni wyddai Hugh chwaith fod Selwyn yn dyst i ddigwyddiadau'r flwyddyn newydd – digwyddiadau a oedd yn peri cryn embaras iddo.

O'r tŷ daeth sŵn gwydr yn torri ac fe'i dilynwyd gan ribidires o lwon erchyll. Yn yr ardd, caeodd Hugh ei lygaid wrth glywed llais ei dad. Am ba hyd y gallai ohirio'r cyfarfyddiad hwnnw hefyd? Erbyn hyn roedd dibyniaeth ei dad ar ddiod yn ddihareb drwy'r fro ac er bod pob tenant wedi elwa o'i haelioni drwy fod yn y man iawn ar yr adeg iawn, roedd sawl un arall wedi'u hel o'u tai am resymau hollol annigonol neu i wneud lle i'r brid newydd o Saeson cyfoethog o ochrau Lerpwl a oedd yn dechrau prynu tai yn Llŷn.

Yn fwyfwy daeth Hugh i sylweddoli na fedrai ddibynnu ar yr hen foi am ddim. Roedd dyledion y tŷ'n cynyddu o fis i fis. Ym Mharis yng nghwmni ei daid oedd ei frawd, Peter, yn ôl pob sôn a heb rithyn o ddiddordeb yn yr hyn a ddigwyddai yn y Plas, a thueddai gweddill y tylwyth gadw draw, heb fedru dygymod â chwmni Syr David. Codai llanw'r drwgdeimlad a gwyddai na allai'r argae ddal y pwysau am byth.

Cerddodd ymhellach o'r tŷ drwy dwnnel o wyddfid persawrus, ei oglau'n llenwi'i ffroenau fel cyffur, nes cyrraedd darn o dir a fu unwaith yn berllan. Erbyn hyn roedd y coed afalau ac eirin a arferai dyfu yno yn ystod ei blentyndod wedi'u difetha gan bla rhyfedd a oedd wedi troi rhisgl y coed yn sbwng. Dros y blynyddoedd roedd y coed wedi syrthio ac yn awr drain a drysni a orchuddiai bob man. Hoffai Hugh y rhan hon o'r ardd yn fawr a'i holl ogleuon priddlyd, chwerwfelys a grëwyd gan gyfuniad o bydredd a bywyd ir ymwthiol. Ymlwybrodd rhwng y creulysiau a llysiau Mair tuag at giât yn y wal. Yr ochr draw i'r bwlch yma, ymestynnai'r morfa, a oedd bellach yn borfa i'r defaid, gan oleddfu'n raddol tuag at y glannau.

Crynodd Ceinwen yng nghysgod y wal er bod y noson yn fwyn a'r haul wedi crasu'r ddaear drwy'r dydd. A ddylai hi ddilyn Hugh ai peidio? Gwyddai rŵan nad ffrwyth ei dychymyg yn unig fu'r holl ddyheu a breuddwydio. Wrth wylio'r llanc tal yn camu'n osgeiddig drwy'r giât ac allan i'r cae, gallai deimlo o'r newydd yr holl gynnwrf a brofodd adeg y Nadolig yn cyniwair drwyddi. Noson ar ôl noson roedd hi wedi breuddwydio amdano ond heb ei weld yn iawn. Byddai yna bob amser gysgod dros ei wyneb neu deuai ati dan rith, neu weithiau, mi freuddwydiai ei bod hi'n mynd i chwilio amdano yn Rhydychen ac yn holi'r Saeson crand yma amdano ac yn methu cael y geiriau allan yn iawn. Ond nid yn ofer fu'r holl ddisgwyl. Dyma fo'n ôl, yn gig a gwaed ac o fewn ychydig lathenni – dim ond gweiddi oedd yn rhaid iddi ei wneud... "Sut 'dach chi, Hugh?" a rhedai yntau draw ati fel y gwnaeth adeg y Calan, a byddai'n ei chusanu eto fel y gwnaeth yr adeg honno ac fel y gwnaeth yn ei breuddwydion. Ond na. Fe âi hithau ato fo. Roedd hi ar fin gwibio draw pan ddaeth clamp o law gref dros ei cheg ac fe'i daliwyd yn sownd gan fraich gyhyrog a blewog am ei chanol fel na allai ond strancio a swnian yn fud wrth i Hugh ddiflannu drwy'r giât a dechrau cerdded tua'r traeth.

3

Ni welodd Hugh ei dad tan y diwrnod canlynol. Ar ôl cerdded drwy lidiart yr hen berllan roedd wedi brasgamu dros y tir glas tua'r traeth. Wrth groesi'r borfa sgathrodd y defaid o'i ffordd i bob cyfeiriad a chododd taran eu carnau ar y glaswellt ysfa ynddo i ddechrau rhedeg. Wrth garlamu i lawr y llethr teimlai fel pe bai ei goesau'n colli cysylltiad â'r ddaear nes eu bod yn gwbwl ddiangen ac y byddai, yn y man, yn codi oddi ar y cae ac yn esgyn fry dros y môr tywyll i hedfan ar hyd yr arfordir gan ddilyn siâp cyfarwydd y glannau dan lwydolau'r lleuad.

Cyrhaeddodd y traeth a hithau'n benllanw. Daliodd i redeg nes bod ei draed yn sblashio drwy'r feiston, gwreichion y mordan yn tasgu am ei goesau. Yna safodd yn stond, gan adael i'w draed suddo i'r tywod ac i'r heli lenwi'i sgidiau a gwlychu godreon ei drowsus. Roedd yr ymdrech gorfforol wedi'i sionci drwyddo ar ôl syrthni'r daith hir ac effeithiau'r gwin gyda'i swper.

Bu'n eistedd ar y traeth am yn hir gan wrando ar guriad y llanw. Ymhell dros y gorwel fflachiai dreigiau glas, yn darogan stormydd eto i ddod. Teimlai Hugh yn aflonydd. Fel arfer byddai orig ar fin y traeth fel hyn yn dihidlo pob gofid ohono, ond, eleni, roedd ei emosiynau wedi crebachu'n gwlwm tyn nad oedd modd ei ddatod. Roedd Hugh wedi bod yn tynnu ar y cwlwm hwn ers wythnosau heb lwyddiant. Roedd o wedi gobeithio'n arw y byddai dod yn ôl i Ben Llŷn wedi lliniaru'r ansicrwydd cynyddol yn ei galon. Ond y tro hwn, ni allai holl swyn y golygfeydd na hynafiaeth hudol y dirwedd ddisodli'n llwyr fwrlwm afreolus ei deimladau am Ilse Meyer, a'r sibrydion yn ei isymwybod fod yna rywbeth mawr ar droed, fel pe bai wedi cyrraedd rhyw drobwynt tyngedfennol yn ei fywyd, ond heb eto ddeall ei arwyddocâd.

Ni allai ddeall tawedogrwydd yr Almaenes yn sgil ei hanwyldeb dengar a pharodrwydd ei hymateb adeg y Pasg. Roedd hi wedi codi cwr y llen ar bethau na wyddai Hugh bron ddim amdanynt ond ar gyrion ambell freuddwyd. Hyd yn oed ym merw blêr diwallu'i chwantau yn y ffordd a ddaw hawsa i ddyn, nid oedd erioed wedi rhag-weld cymaint y gallai atyniad cnawdol ac ysbrydol at unigolyn arall gyffroi ac ymyrryd â'i synhwyrau.

Yr ail gusan iddo ei blasu erioed oedd honno yn y bryniau uwchben München. Bu'r gynta yng nghysgod y stablau fan hyn hefo Ceinwen Jones, atgof a oedd bellach wedi pylu'n ddim bron. Ond daliai'r llall i lenwi'i feddwl bob munud awr. Cofiai'n dda y teimlad syfrdan, annisgwyl wrth i Ilse ymlacio ac ildio. Ni wyddai beth i'w wneud. Doedd yr un ohonynt yn gwybod ond roedd greddf wedi'u harwain ar hyd y llwybr oesol cyn belled â'r gamfa gyntaf.

Beth ddylai ei wneud? Beth allai ei wneud? A oedd diben ysgrifennu llythyr arall a'r ddau cynta heb eu hateb? Teimlai'n hesb braidd. Cymaint o'i egni wedi'i wasgu a'i grynhoi i'r llithoedd hynny. Arhosai tan ddiwedd ei wyliau cyn rhoi cynnig arall arni, a phe bai hi'n methu ag ateb y llythyr hwnnw chwaith...

Ond roedd un peth arall yn ei blagio; un atgof arall o'i daith i'r Almaen a oedd yn mynnu ei le o hyd. Roedd o wedi mynd i München i wella ei Almaeneg, wedi derbyn gwahoddiad gan un o'i ychydig gyfeillion yn y brifysgol – Almaenwr ifanc o'r enw Kristian Hagelstange a oedd hefyd yn astudio hanes yn Rhydychen. Ar aelwyd rhieni Kristian, fe gafodd groeso tywysogaidd ac roeddent wedi gwneud trefniadau cynhwysfawr a thrylwyr er mwyn cyflwyno holl ogoniant Bafaria iddo.

Yng nghwmni teulu hael a hawddgar ei ffrind prin fod Hugh wedi cael unrhyw awgrym bod grymoedd tywyll yn ymhél yn y wlad o'i gwmpas – hyd at yr wythnos ola pan gafodd ychydig o amser iddo'i hun i grwydro strydoedd y ddinas. Dyna pryd y cyfarfu ag Ilse, a'r atgofion amdani hi, wrth reswm, oedd bennaf yn ei feddwl erbyn hyn. Ond, er bod ei ben yn y cymylau braidd, ni allai beidio â sylwi ar y minteioedd bygythiol, hollbresennol o gadlanciau Natsïaidd a rodiai'r strydoedd gan ddisgwyl i bawb symud o'r neilltu, ac yn ddigon parod i'w symud yn gorfforol os na chaent rwydd hynt i swagro a strytian lle y mynnent. Mewn un stryd, roedd yna gofeb i un o'r Natsïaid a laddwyd yn y *putsch* aflwyddiannus yn y ddinas ddeuddeng mlynedd ynghynt, ac roedd pawb yn ddieithriad, yn Almaenwyr ac yn dramorwyr, i fod i godi eu breichiau mewn saliwt wrth fynd heibio i'r fan. Un prynhawn, wrth i Hugh fynd heibio heb godi'i fraich (fel y gwnâi'r rhan fwyaf o dramorwyr), roedd tewbwl mewn crys brown a stelciai wrth law wedi arthio arno mewn acen Bafaraidd annealladwy bron gan gamu tuag ato â golwg hollol atgas ar ei wyneb. Ni welsai Hugh y ffasiwn atgasedd yn ei ddydd ac er iddo lithro allan o gyrraedd y bwystfil gan ymdoddi i'r dorf, gadawsai'r profiad deimlad oer yng nghrombil ei stumog a fynnai ddod yn ôl drachefn a thrachefn i aflonyddu ar ei freuddwydion neu wrth gerdded yng nghanol tangnefedd Llŷn ac Eifionydd, ac am y tro cynta dechreuodd y dyn ifanc pedair ar bymtheg oed wrando ar y lleisiau yn cyniwair yn y gwynt a sylwi ar hynt y cymylau draw.

Yn llyfrgell anghofiedig y plasty y cafodd tad Hugh hyd iddo yn y diwedd.

"So it's here you've been skulking, is it?"

Roedd Syr David Eldon-Hughes yn gwenu'n braf, ond suddodd calon Hugh wrth weld y gwydraid brandi yn ei law. Diwrnod anodd arall ar y gweill.

Santwar i Hugh oedd llyfrgell Plas y Morfa. Roedd hi ar ail lawr y tŵr bychan a impiwyd wrth y tŷ yn ystod y blynyddoedd cythryblus yn arwain at y Deddfau Uno, a dim ond yn ystod y bore y byddai digon o olau naturiol yn dod i mewn drwy'r ffenestri bach hirgul i rywun bori ar hyd y silffoedd a'r pentyrrau llychlyd o lyfrau. Hugh oedd yr unig un a ddeuai'n agos ati y dyddiau hyn.

Taid Hugh oedd yr un olaf o'r teulu i gymryd unrhyw ddiddordeb ynddi, ond daeth yr arferiad hwnnw i ben ar ôl iddo briodi a chael ei orfodi i lacio'r hen rwymiadau wrth iaith a bro.

Yma, yn ddefodol, bob dydd yn ystod ei wyliau, enciliai ei ŵyr i ddysgu a darllen y Gymraeg. Hwn oedd ei gwest mawr y dyddiau hyn; ailafael yn yr iaith, y diwylliant a'r hanes a ddiosgwyd gan ei gyndeidiau mor ddi-hid a diseremoni genhedlaeth yn ôl. Pe gallai adennill y trysor hwn, gallai ymdoddi i'w gynefin heb deimlo bod rhywbeth ar goll o hyd. Rhoddai iddo ryw bwrpas amgenach na'r hyn a arfaethwyd ar ei gyfer gan fydolwg sais-addolgar, ariangar ei dad.

Yn yr ystafell fawr i lawr grisiau roedd rhesi o gyfrolau, i gyd wedi'u rhwymo'n gain, yn ymestyn o'r llawr i'r nenfwd, cyfrolau megis *Burke's Peerage*, ôl-rifynnau'r *London Illustrated News* a'r *Tatler* – dim byd a awgrymai fod a wnelo teulu Plas y Morfa â Chymru na threftadaeth Pen Llŷn. Ond fan hyn yn yr hen lyfrgell, yn drwch o lwch, yn ogleuon priddlyd a llaith, ac asid yr hen brint yn eu graddol ddifa, yn strim-stram-stellach i gyd, roedd yna gyfrolau a llawysgrifau dirifedi o bob cyfnod a dystiai i deyrngarwch ac ymroddiad y teulu i'w diwylliant brodorol.

Yma hefyd cafodd hyd i eiriaduron a llyfrau gramadeg ac aeth ati i brynu rhai o'r cyhoeddiadau mwy diweddar yn y maes i'w gynorthwyo. Wedi'i arfogi fel hyn, gallodd ddechrau yn ddyfal ddiwyro ar y dasg o ailddysgu iaith ei hynafiaid.

Pella i gyd yr âi ar ei gwest, mwya i gyd y teimlai Hugh ei orwelion yn lledu a'i fyd yn mynd yn fwy, fel pe bai ar gopa rhyw fynydd ac yn gwylio'r niwl yn codi o wlad ledrithiol oddi tano.

"What on earth do you get up to in here?"

Pwysai ei dad ar y drws gan ddal ei wydr a sigarét yn ei law chwith. Edrychai'n ddiddeall o gwmpas yr ystafell fechan fel pe na bai wedi gweld llyfr yn ei ddydd.

"I'm learning Welsh."

Doedd dim pwynt celu'r peth mwyach.

Chwarddodd ei dad yn ddihiwmor.

"You're priceless. Best education in the land, and he still wants to prattle with the plebs."

Daliai'i dad i wenu gan lowcio'n drwsgwl o'i frandi.

Ddywedodd Hugh yr un gair. Roedd o eisiau i'w dad fynd, i adael llonydd iddo ymgolli yn ei gwest, ond, na, simsanai yn y drws gan dremio'n fyr ei olwg ar hyd y silffoedd. Pan siaradodd nesa roedd y wên wedi diflannu a chywair ei lais yn fwy anniddig a hunandosturiol.

"So, twenty four hours after his arrival, a father finally gets to see the prodigal son."

"I was tired after my journey."

"He was tired," gwatwarodd ei dad, a chamodd i mewn i'r gell gan adael i'r drws glepian ar ei ôl. Trodd Hugh ei

ben ymhellach oddi wrtho a'i gysgodi â'i law, ei benelin yn pwyso ar y bwrdd bach lle gweithiai.

"Not tired enough to spend half the night howling at the moon on the beach or to go paddling with your shoes and socks on."

Blodwen yn dal i gario clecs ato. Dim byd wedi newid fan'na. Tynnodd Syr David gyfrol o'r silff a bodio'r tudalennau heb sylwi ei fod yn ei dal ben ucha isa. Fe'i caeodd a'i rhoi'n ôl ar y silff.

"What's the matter with Ceinwen this morning, by the way?"

"I don't know. I've hardly seen her since I got back."

Blodwen oedd wedi gweini ar Hugh amser brecwast eto, croen ei thin ar ei thalcen, pob ystum yn cyfleu rhyw anghymeradwyaeth sarrug.

"She was very skittish at breakfast. Spilt coffee all over the place. You haven't been trying to seduce her again have you?"

Ar adegau fel hyn byddai Hugh yn troi'n gatatonig bron. Dyna'r unig amddiffynfa rhag y pryfocio a'r herio parhaus yma. Dweud dim, mynd i'w gragen, codi wal.

Nid oedd pethau mor wael rhyngddynt yn y gorffennol. Yn hogyn bach, roedd Hugh yn eithaf agos at ei dad, ac wedi'i efelychu a'i ddilyn o ran gwisg ac arferion. Pan ddaeth hi'n adeg i yrru'r bychan i'r ysgol fonedd, roedd y tad wedi dangos cryn anesmwythyd ynghylch y trefniant er mai dyna'r unig ddewis wrth gwrs i deulu o'u statws.

Symudodd Syr David yn nes ato'n awr. Gallai Hugh glywed oglau'r brandi. Yna baglodd ei dad dros bentwr o'r *Gwyddoniadur*.

"Hell's bells! I'll break my bloody neck here. I'm going to clear this place. Burn the bloody lot. A complete waste of space!"

Anelodd gic at y llyfrau ond collodd ei gydbwysedd a hanner ei frandi.

"Little bugger! I'll have to go and fill this again. God, you're even more of a waste of space than these!" meddai gan gyfeirio at y llyfrau.

Ffwndrodd am y drws a bustachu drwyddo. Gallai Hugh ei glywed yn stablan i lawr y grisiau pren, cyn slamio'r drws wrth waelod y tŵr a mynd yn ôl i brif ran y tŷ. Ar ôl i bob adlais o'r ymweliad dawelu, cododd Hugh ei ben yn ara o'i lyfrau gan ochneidio. Ni allai ddygymod â hyn lawer iawn yn fwy. Un o'r ychydig fendithion ynghylch bod yn Rhydychen oedd osgoi hwyliau drwg ei dad; dyna hefyd oedd y rheswm arall pam ei fod wedi penderfynu mynd i'r Almaen dros y Pasg, ar ôl cyfnod go anodd adeg y Nadolig.

Cododd Hugh o'r gadair a mynd at un o'r ffenestri. Drwyddi gallai weld dros y weirglodd tua'r traeth. Ar y gorwel roedd stemar fach ar ei ffordd i Ynys Môn yn gadael olion smwclyd ar awyr welw'r bore. I lawr yn yr ardd roedd Selwyn yn codi tatws i'r ferfa.

Daeth y newid mawr ym mhersonoliaeth ei dad ar ôl cwymp Wall Street ym 1929. Wrth i grychddwr y dirwasgiad ymestyn ar draws yr Iwerydd, fe drawyd y cwmni y bu Syr David yn gyfarwyddwr arno a'i suddo. Collwyd llawer o arian ac fe'i gwasgwyd o'r farchnad gan gystadleuydd.

Un a boenai fyth a beunydd am arian oedd Syr David ond ni wyddai sut i'w drin yn iawn. Yn fuan iawn aeth pethau o ddrwg i waeth a gofynnwyd iddo ymddiswyddo o fwrdd y cyfarwyddwyr. Daeth o fewn dim i golli popeth. Da y cofiai Hugh y diwrnod y daeth yr asiant a rhyw ddynion mewn siwtiau duon i siarad hefo'i dad. Deuai sŵn gweiddi mawr o'r ystafell lle y cynhaliwyd y cyfarfod ac roedd awyrgylch digalon iawn ymhlith y staff, a golwg bryderus ar wyneb pawb. Ond daeth haul ar fryn o rywle ac ni chollodd neb ei swydd yn y plas. Fodd bynnag, bu'n rhaid gwerthu sawl ffarm a chodi rhenti'r gweddill, ac un digon blêr a wynebgaled oedd Hammond, yr asiant, wrth weithredu'r mesurau hyn, ac erbyn heddiw ffrwtiai cryn ddrwgdeimlad tuag at y Plas yn yr ardal ymysg teuluoedd y rheini a ddioddefodd waetha, yn enwedig pan welent y ffordd afradus y daliai Syr David i wario, y partïon a'r ceir crand, yr iot ym Mhwllheli a'r gwragedd trwynsur a arhosai yno o bryd i'w gilydd…

Doedd hyd yn oed ffortiwn ei ddiweddar wraig ddim yn ddigon i gynnal yr holl sbloet, yn enwedig gan fod rhan helaethaf yr arian mewn ymddiriedolaeth i'r ddau fachgen, a hynny i ddod i'w rhan pan ddoent i'w hoed yn un ar hugain. Roedd Peter eisoes wedi cael ei gyfran ef o'r arian. Ni châi Hugh ei arian am flwyddyn neu ddwy arall. Dyn siomedig ac unig oedd Syr David, a'i unig ffrind bellach oedd y botel.

Sylweddolodd Hugh iddo fod yn gwylio Selwyn wrth ei waith am amser go hir. Aeth i droi'n ôl at ei lyfrau pan welodd Ceinwen yn dod drwodd i'r ardd o'r gegin, ond pan welodd hi Selwyn yn ei gwrcwd wrth y tatws, dyma hi'n troi ar ei sawdl a sgathru'n ôl i gysgod y beudy lle bu'n loetran fel pe bai mewn cyfyng-gyngor. Yn y diwedd, dyma hi'n cripian yn ôl i'r giât er mwyn gweld a oedd Selwyn yn dal i fod yno. Am ychydig, gadawodd Selwyn ei waith i nôl rhywbeth o'r tu ôl i'r cwt yng nghwr isa'r ardd. A dyma Ceinwen yn achub ei chyfle ac yn rhuthro i mewn i dorri pwysi o bersli o un o'r borderi cyn sleifio oddi yno ac yn ôl i'r gegin.

Gwyliodd Hugh yr olygfa mewn penbleth. Pam bod Ceinwen yn ymddwyn fel 'na? Roedd o'n gwybod ei bod hi'n ofni Selwyn braidd, ond dim i'r graddau nes ei bod yn gorfod cuddio rhagddo. Tybed beth oedd wedi digwydd ers iddo fod adre dros y Nadolig? Byddai'n rhaid iddo gael gair hefo hi. Doedd o ddim yn edrych ymlaen at hynny, ond doedd o ddim yn hoffi meddwl bod y ferch wedi cael cam neu fraw gan neb.

Trodd o'r ffenest a mynd yn ôl at ei waith astudio, ond gwyddai fod y diwrnod wedi chwythu'i blwc o ran dysgu. Roedd ymweliad ei dad wedi tramgwyddo gormod. Fallai yr âi i weld Hywel Wmffra am sgwrs fach. Trefnodd ei bapurau ar y bwrdd gan fwrw un cip arall o gwmpas y llyfrgell cyn mynd. Roedd ei dad wedi bygwth llosgi'r cynnwys droeon dros y blynyddoedd ond heb wneud. Beth oedd yn ei nadu rhag gwneud, tybed? Rhy feddw i gofio ei fygythiad? Rhy ddifater i weithredu arno? Neu ryw fagïen o ymlyniad wrth gynhysgaeth a threftadaeth ddiwylliannol? Go brin. Anallu i drefnu dim byd oedd y rheswm fwy na thebyg a rhyw ofn hwyrach ynglŷn ag ymateb ei fab pe bai'n tanio'r cwbl. Ni allai Hugh ddychmygu be wnâi yntau pe bai hynny'n digwydd, mwy nag y gwyddai'n wir be wnâi pe gelwid arno i ymladd mewn rhyfel yn erbyn yr Almaen.

4

Roedd Ceinwen wedi gadael y sgwrio'n syth pan welodd y ffigwr hirgoes, cyfarwydd yn dechrau allan o'r Plas toc ar ôl cinio. Gwyddai y byddai Blodwen Elias yn mynd o'i cho pan welai fod y ferch yn esgeuluso'i dyletswyddau ac roedd hi eisoes wedi derbyn sawl rhybudd a phregeth ar gownt ei diffyg diwydrwydd a disgyblaeth yn y gorffennol, ond roedd rhaid iddi siarad ag ef; byddai ar ei ffordd i Ddinbych oni bai iddi ddweud rhywbeth wrtho. Roedd Selwyn wedi mynd i Bwllheli ar ôl gorffen yn yr ardd a doedd neb yn ei ddisgwyl yn ei ôl tan yn hwyr yn y prynhawn.

Pan ddaeth llaw Selwyn dros ei cheg neithiwr a'i chipio i gysgodion y stablau, meddyliodd fod ei bywyd ar ben. Ceisiodd stryffaglio ond roedd gafael y garddwr yn gwbl gadarn. Ceisiodd gicio ei hymosodwr ond er i sawdl ei chlocsen daro'r nod ryw unwaith, fe'i sgubwyd fel gafren o ŷd i mewn i'r beudy a'i thaflu'n ddiseremoni ar y gwair.

"Paid â sgegian rŵan. Does dim byd yn mynd i ddigwydd i chdi, ond os wyt ti'n gall, fyddi di ddim yn creu helynt," meddai Selwyn yn dawel digynnwrf.

Roedd ofn wedi disodli'i hyfdra a'i hanian beiddgar arferol. Gorweddodd yn y gwair, ei phen yn troi, ei hanadl yn chwyddo'i mynwes, ei llygaid led y pen...

"Be...? Be 'dach chi am neud?"

"Dwi ddim am wneud dim byd i ti, 'ngenath i. Gair i gall – dyna i gyd."

Llyncodd Ceinwen ei phoer wrth geisio cael ei gwynt ati.

"Be 'dach chi'n feddwl? Pa fath o gêm wirion 'di hon?"

"Dim mor wirion â dy gêm fach di, Ceinwen." Daeth y llais yn ôl o'r tywyllwch.

"Be 'dach chi'n feddwl?" meddai Ceinwen eilwaith gan godi ar ei thraed a brwshio'r gwair oddi ar ei dillad.

"Yn caru hefo mab y plas."

"Dwi ddim yn…"

"Dim ots gen i be ti'n 'i alw fo, 'merch i. Mae'n gêm beryg ac mae'n rhaid iddi hi stopio rŵan hyn."

"Pa fusnes ydi o i chi, ga i ofyn?"

"Wel, na chei. Ond mi ddeuda i wrthach di'r un fath. Dagrau fydd ei diwedd hi, a chditha fydd yn cael ail – babi bach i ddandwn a dim gwaith… llond trol o strach i bawb arall ohonan ni. Gofidiau fil a ch'wilydd mawr i dy fam a dy dad a phawb yn cilwgu arnach di ac yn chwerthin y tu ôl dy gefn di tra byddi."

"Dysgu Cymraeg iddo fo, dyna i gyd dwi'n 'i neud…" ymbalfalodd.

"Ceinwen fach," meddai Selwyn heb fod yn angharedig. "Ella fod pob dim yn hwyl ddiniwed ar hyn o bryd. Ond dwi wedi gweld hyn o'r blaen, coelia di fi."

"Ond mae o'n glên hefo mi, ac yn fonheddig bob amser."

"Doedd yr hyn a welish i Nos Galan ddim yn edrych yn ymddygiad bonheddig iawn i mi. Dwi ddim yn amau ei fod o'n siarad yn barchus ac yn glên hefo chdi. Mae manars gan yr hogyn 'na, mi wn. Gwell manars na sawl un o'i dylwyth i ti. Ond pan eith petha o'r chwith, fel yr ân nhw yn y pen draw, dim y byddigions sy'n diodda, cofia. Dim nhw sy'n talu. Dy siort di sy'n 'i chael hi wastad."

"Be 'dach chi'n feddwl? Fy siort i?! Pa siort 'dach chi'n

meddwl ydw i?"

Sibrwd yn gras roedd hi, ond gorffennodd y frawddeg ar nodyn gwyllt a gwichlyd.

"Ein siort ni. Pobol gyffredin – sydd heb bres na dylanwad. Y siort sy'n cadw diawliaid fatha Syr David mewn jin a phuteiniaid."

"Ond nid Syr David dwi'n 'i... dwi'n 'i leicio, naci?"

"Cyw o frid," meddai Selwyn yn ddiamynedd.

"Pam 'dach chi'n ddyn mor eiddigeddus, Selwyn Ifans?" gofynnodd Ceinwen ar ei draws. Aeth Selwyn i ateb ond petrusodd. Roedd y cwestiwn yn annisgwyl ac, am ennyd, cilagorodd rhyw agen o amheuaeth neu ansicrwydd yn ei feddwl. Fe'i caeodd yn syth ond roedd yr hogan ifanc wedi sylwi ar y mymryn oedi, y man gwan hwyrach, a phwysodd drachefn.

"'Dach chi ddim yn poeni amdana i, Selwyn Ifans. Poeni am Selwyn Ifans 'dach chi, yntê?" Cofiodd Ceinwen eiriau rhai o'r gweision amdano. "Poeni am nad oes gennych chi neb yn y byd. Poeni achos 'dach chi'n methu â chael gwraig a bydd neb yn ych caru chi byth... heblaw ych mam," ychwanegodd yn ymddiheurol.

Roedd ei llais, wedi meddwi ar ei hyder newydd, yn codi fel ffenics o ludw'i braw. Llamodd Selwyn yn ei flaen a gafael yn ei hysgwyddau a'i sgrytian yn frwnt.

"Awww!"

"Taw â dy lol! Tyd di lawr o' ar dy geffyl, 'mechan i, a gwranda arna i'n ofalus iawn. Paid ti â chyboli rhagor hefo'r Huwcyn bach 'na, wyt ti'n dallt? O fory nesa 'mlaen mi fyddi di'n cofio lle wyt ti a phwy wyt ti..."

"Fedrwch chi ddim deud wrtha i be i'w wneud fel 'na. Dwi ddim yn mynd i neud hynna. Mi fydda i'n deud wrth Hugh 'fory, ac wedyn gawn ni weld pwy geith ail."

Llaciodd gafael Selwyn ynddi, a meddyliodd ei bod wedi

ennill y dydd. Pan siaradodd Selwyn nesa roedd ei lais yn oer ac yn ddiamwys.

"Fyddi di ddim yn siarad hefo neb, Ceinwen fach – oni bai dy fod ti eisiau gweld dy dad o flaen ei well yn yr wythnosa nesa."

"Pa well?" Doedd neb gwell na'i thad.

"O flaen y Fainc – lle mae'i feistr tir a dy feistr di, Syr David Eldon-Hughes, yn gadeirydd."

"Pam? Tydi 'nhad i ddim wedi gneud dim byd o'i le. Dyn da a duwiol ydi o."

"Dwi ddim yn amau, Ceinwen. Ond yn llygad y Gyfraith, dydi potsio ddim yn dda nac yn dduwiol."

"Diwadd! 'Mond ambell gwningen. Tydan nhw'n bla ym mhobman ym Mhen Llŷn 'ma? Mae pawb wrthi. Dydi o byth yn rhoi blaen ei fys ar yr adar."

"Ia, mae'n siŵr. Ond 'i air o yn erbyn y cipar?"

Edrychodd Ceinwen o'i chwmpas yn gynddeiriog. Gwyddai fod cipar y Plas a Selwyn yn hen lawiau.

"A'r hen dro yn y stori 'ma, Ceinwen, ydi nad yr ychydig ddirwy a gâi dy dad ydi'r broblem, ond y ffaith fod pawb sy'n cael 'u dal, ac sy'n denant i Syr David, yn cael eu troi o'u tai fel y gwyddost ti. Felly, mi faswn i'n awgrymu'n gynnil ac yn garedig, Ceinwen, i chdi ailystyried lle wyt ti'n sefyll ynghylch yr hogyn 'na. Wyt ti'n dallt be dwi'n ddeud wrthoch di?"

Ddywedodd Ceinwen yr un gair.

"Wyt ti'n clywad?"

"Yndw."

"Wyt ti'n dallt?"

"Yndw."

"Reit. Dos yn ôl i dy wely ac mi wnawn ni anghofio popeth am hyn."

Ac allan ag o i'r tywyllwch. Suddodd Ceinwen yn ôl i'r

gwair, ei meddwl yn fwrlwm afreolus, dicter ac ofn yn ymladd am y lle blaenaf. Ei hymateb cynta oedd i rybuddio'i thad i gymryd gofal arbennig wrth fentro ar ôl cwningod y plas, ond byddai ei thad eisiau gwybod rhagor ac yn pwyso arni i ddatgelu popeth; fiw iddi geisio cuddio dim byd rhagddo.

Arclwy, hen ddiawl oedd Selwyn Ifas. Eisiau difetha pob dim oedd gan bobl eraill. Pam na allai hi redeg at Hugh rŵan, gollwng y gath o'r cwd am Selwyn a dweud wrtho faint roedd hi'n ei garu? Gwnâi Hugh yn siŵr na fyddai ei thad yn cael cam, yn gwnâi? Doedd Hugh ddim fel yr oedd Selwyn yn ei honni. Hen golbar afiach oedd y dyn 'na, yn palu clwyddau drwy'r adeg i gadw pawb yn anesmwyth, fel bod pawb yn amau'i gilydd. Ac eto doedd hi ddim wedi siarad hefo Hugh ers Nos Galan. Doedd o ddim wedi ysgrifennu ati. Doedd o ddim wedi trafferthu cael hyd iddi eto ac yntau'n ôl yn y Plas ers prynhawn ddoe. Efallai fod Selwyn yn llygad ei le nad oedd modd ymddiried yn y bobl fawr.

Roedd llofft Ceinwen uwchben y bwyler ac yn ystod yr haf fel hyn roedd y gwres yn annioddefol. Treuliodd noson hollol ddi-gwsg a phan ganodd y cloc larwm am hanner awr wedi pump y bore roedd ei digofaint wedi troi'n ddigalondid, a'i hyder yn iselder. Gorweddai'n noeth ar ben y gwely cul a phantiog, y canfasau a'i choban wedi'u diosg ym merw'r nos. Yn sydyn, teimlodd yn hollol ddiamddiffyn ac yn swil o'i chorff ei hun, a chythrodd yn y llieiniau i guddio'i noethni, a dechreuodd y dagrau lifo o'r newydd, yn fawr, yn gynnes ac yn hallt.

Erbyn canol y bore roedd hi wedi'i pherswadio'i hun mai'r peth doethaf oedd ildio i gynllwyn Selwyn. Fo oedd yn iawn, siŵr o fod, er mor ddichellgar ydoedd. I be oedd hi'n cyboli hefo'r dyn 'ma? Roedd yn rhy hen o lawer iddi... siaradai am bethau nad oedd hi'n eu deall a doedd y gusan ddim wedi bod mor ddymunol â hynny chwaith. Roedd hi wedi mwynhau cryfder ei freichiau amdani, a chyffro'r weithred annisgwyl. Cofiai wefr oglau'r chwys ac oglau'r brandi'n gymysg, ond roedd ei wefusau'n oer a heb angerdd go-iawn rywsut, ac roedd wedi gwasgu'n rhy galed nes ei bod yn ymladd am ei hanadl. Yna, diflannu fel 'na fel cath i gythraul...

Ond pan welodd Ceinwen ef y bore 'ma ar ei ffordd i weld Hywel Wmffra, aeth unigrwydd ei sefyllfa'n drech na hi. Rhaid, rhaid, rhaid iddi siarad ag ef. Dweud popeth wrtho... Ond ar ôl ei ddilyn bob cam am ugain munud a hithau ar fin mynd yn nes a galw'i enw, dyma fo'n troi am y bwthyn. Roedd hi wedi gweld yr hen hanner pan Hywel Wmffra'n peintio llun dan y dderwen. Gwyddai ei bod wedi colli'i chyfle. Fe'i gwyliodd am ychydig tra gwyliai yntau'r llall wrthi'n peintio, ac yna, pan symudodd yn nes at y bwthyn, trodd Ceinwen ar ei sawdl a cherdded dan sniffian crio'r holl ffordd yn ôl i'r tŷ.

5

Yn ôl ei gyfri ei hun oddeutu hanner cant a phump oed oedd Hywel Wmffra, ond roedd golwg dyn hŷn o lawer arno. Roedd ei locsyn drain a drysni llwydwyn, llygaid llymarch, a'i weflau helgi â staen y frech wen yn batrwm dicllon drostynt, wedi'i heneiddio'n gynt na'i bryd.

Digon niwlog oedd tras Hywel. Roedd wedi treulio'i flynyddoedd cynnar ar y môr ond, ar ôl y Rhyfel Mawr, cefnodd ar fyd y llongwr gan gymryd tenantiaeth bwthyn-to-sinc ar stad Plas y Morfa. Bu'n denant da, gan dalu'n brydlon ac yn ddiddyled bob chwe mis. Cadwai ardd y bwthyn yn gymen ac yn gynhyrchiol gan werthu peth o'r cynnyrch. Ond go brin bod cynnyrch yr ardd yn ddigon i dalu'r rhent. Ni wyddai neb sut y llwyddai i gadw deupen ynghyd mor ddiymdrech er bod sïon, wrth gwrs, yn dew hyd y fro.

Treuliai'i amser yn darllen ac yn peintio. Ni fyddai'n tywyllu rhiniog na chapel nac eglwys ond, erbyn hyn, roedd pawb wedi ymgyfarwyddo ag ef a châi lonydd i fyw ei fywyd fel a fynnai.

Tua saith oed oedd Hugh pan welodd Hywel Wmffra gynta, ac roedd y darlun wedi aros yn ei gof byth ers hynny. Sefyll wrth y giât i'r berllan yn sbienna drwy'r rhwyllau yn y pren dros y ddôl tua'r môr oedd Hugh, pan ddaeth y dyn, a edrychai fel pe bai wedi camu o dudalennau chwedl tylwyth teg, ar draws y gorwel. Gwisgai gôt hir agored dros ei ysgwyddau a chwythai y tu ôl iddo fel clogyn yn y gwynt. Roedd yr un gwynt yn rhannu'r farf laes i lawr y canol fel pe bai'n llifo'n ddwy ffrwd frochus o'i wyneb. Er bod rhyw fymryn o herc yn ei gerddediad, symudai'n gyflym dros ael y ddôl cyn diflannu ar hyd y llwybr draw am Borth Simsan.

Aeth blynyddoedd maith heibio cyn i lwybrau'r ddau groesi go-iawn. Darllen ar y creigiau ger Porth Simsan oedd Hugh y dwthwn hwnnw, ac yntau eisoes yn fyfyriwr ym Mhrifysgol Rhydychen. Gallai weld bod Hywel yn creinca yn y pyllau pen pella'r traeth, wedi'i grymu fel cranc mawr ei hun wrth symud yn llafurus o bwll i bwll. Yn y diwedd dyma Hywel yn rhoi'r gorau i'w dasg am y prynhawn ac yn dychwelyd yn union o dan y man lle'r eisteddai. Wrth weld Hugh, stopiodd a'i gyfarch:

"Hei! Be wyt ti'n 'i ddarllen?"

Aeth hi'n sgwrs frwd am lenyddiaeth ac yn y man aeth Hugh yng nghwmni Dyn y Gôt Hir, fel yr arferai feddwl amdano, i'r bwthyn-to-sinc lle dotiodd at y drysorfa odiaeth o lyfrau, mapiau, papurau a thrugareddau mawr a mân o bedwar ban byd a lenwai bob twll a chongl o'r annedd. Doedd yr un fodfedd yn rhydd ond, serch hynny, roedd yna le i bopeth a phopeth yn ei le – disgyblaeth y morwr profiadol yn gorfod cadw'i holl eiddo mewn mannau cyfyng.

Unwaith iddynt gyrraedd y bwthyn dechreuodd Hywel chwilota am wahanol gyfrolau i'w dangos. Roedd y gwaith chwilio'n cymryd amser a dechreuodd y tawelwch aflonyddu ar Hugh.

"Hugh Eldon-Hughes ydwyf fi," meddai yn ei Gymraeg ffurfiol, newydd sbon gan ymestyn ei law yn foesgar wrth i Hywel symud tuag ato.

"Mi wn i pwy wyt ti," meddai Hywel heb swnio'n angharedig gan godi i sbio o dan bentwr o bapurau ar sedd cadair siglo sigledig iawn ei golwg, ond heb gymryd sylw o'r llaw estynedig.

"Pwy ydach chi?" holodd Hugh yn betrus. "Eich enw chi, *I mean*."

"Rwan ta, Thomas Gwynn... Thomas Gwynn... A dyma fo... Dyma ddyn oedd yn 'i dallt hi am Iwerddon..."

Estynnodd gyfrol o ganol silff a blygai dan bwysau'r holl lyfrau arni, ond cyn ei hagor, trodd ac edrych yn syn ar Hugh. Yna, yn ara, rhoes y llyfr o'r neilltu.

"Wyt ti'n clywed y lleisiau?"

"Lleisiau?"

"Lleisiau. *Voices*. Wyt ti'n 'u clywed nhw?"

Gwrandawodd Hugh yn astud. Oedd rhywun y tu allan efallai? Moelodd ei glustiau i'r eithaf ond ni chlywai ddim byd ond murmur y tân ac ambell gric o'r to. Ysgydwodd ei ben. Am ennyd, edrychai Hywel fel pe bai wedi'i fwrw oddi ar ei echel. Ac aeth yn ei flaen i ddangos iddo y llyfryn bach glas am Iwerddon gan ddarllen yn uchel ohono yn ôl ei fympwy. Wedi'i gynhyrfu fwyfwy, dechreuodd dynnu'r naill gyfrol ar ôl y llall oddi ar y silffoedd ac o focsys a chypyrddau ym mhob cwr o'r tŷ. Siaradai gymysgfa o Saesneg coeth a Chymraeg cyhyrog, a dyfynnai yr un mor rhwydd o waith awduron yn y ddwy iaith. Wrth ychwanegu at y pentwr o lyfrau yng nghôl y dyn ifanc, traethai'n hir ac yn huawdl, os mewn damhegion braidd, am bopeth dan haul.

Teimlai Hugh fel pe bai'n cael ei sgubo ymhellach ac ymhellach o'r lan gan lif y geiriau. Ni ddeallai hanner yr hyn a geisiai Hywel ddweud wrtho yn y Saesneg na'r Gymraeg, ond ymhyfrydai yn nerth y llifeiriant a'r angerdd, ac yn nrama symudiadau'i gorff a'i ddwylo.

O'r diwedd dyma Hugh yn penderfynu ei bod yn bryd iddo ei throi hi. Ar ôl gloddesta ar eiriau am oriau ofnai, pe bai'n dal ati, y byddai'n ffrwydro. Edrychodd Hywel yn hynod siomedig wrth iddo gyhoeddi'i fwriad. Eisteddai yn y gadair siglo gan edrych yn anghyfforddus o'i gwmpas, ei law chwith yn tynnu'n filain wrth ei locsyn yn barhaus.

"Wel... da bo chi..." meddai Hugh yn lletchwith wrth ymyl y drws.

Nid atebodd Hywel a throdd Hugh i'w adael.

"Mae 'na storom yn dod, wsti."

Roedd y cywair wedi newid yn llwyr; tinc rhusiog yn y llais a'r llygaid yn llawn rhywbeth tebyg i ofn.

Edrychodd Hugh allan ar y prynhawn llonydd, addfwyn, yr awyr yn hollol ddigynnwrf a heb arwydd o dywydd mawr ar y ffordd.

"Mae hi'n braf..."

"Naci... nid yr hin, washi... nid yr hin... sôn am stormydd Armageddon ydw i ... *'not time-bombs but all time...'* Meddylia amdano fo. Ella, ella... pwy a ŵyr?"

Yna cododd un o'r cyfrolau a lwythwyd i gôl Hugh gynnau a dechrau darllen heb ddweud yr un gair ymhellach.

Roedd Hugh wrth ei fodd â Hywel. Wedi'i fagu mewn byd o fyddigions snobyddlyd, gweision cynffonnog a thenantiaid ufudd lle y cedwid popeth o dan reolaeth lem, bu anghydffurfiaeth meddwl Hywel fel chwa o awel iach. Dyma ddyn hysbys, gwiddon, seryddwr, cyfarwyddyd, artist, proffwyd, tiwtor i gyd o dan yr unto, ac, yn sicr dyma'r unigolyn a gollai fwya yn Rhydychen – lle y daethai Hugh yn fwyfwy ymwybodol o fod allan o'i gynefin yng nghanol holl gydymffurfiaeth sefydliadol y coleg.

Yn sicr, doedd o ddim yn hapus ymysg bregliach y dosbarth uwch Seisnig, er iddo gael ei drwytho yn ei sŵn o oedran ddigon tyner pan y'i danfonwyd i'r ysgol fonedd yn saith oed; a byddai rhywun yn tybio mewn sawl ffordd y byddai'n fwy cynefin wrth gymysgu â'r breintiedig ar lawntiau'r colegau ac yn eu clybiau dethol a llethol, nag y byddai yng Nghymanfa Ganu Llŷn ac Eifionydd, dyweder. Ond gwelai a chlywai fwy i'w ysbrydoli o fewn ei filltir sgwâr yn Llŷn nag yn undonedd-mefus-a-hufen y porfeydd llyfn, tra oedd atyniadau dinas a chymdeithas Llundain yn hollol tu hwnt i'w ddirnadaeth.

Serch hynny, gwyddai'n iawn na fyddai byth yn cael ei dderbyn gan bobol gwlad Llŷn, ac mai mab y plas y byddai bob amser yn eu golwg ac o'r herwydd roedd yn cynrychioli'r holl ormes, annhegwch, bradwriaeth a dieithrwch a gysylltid â hynny. Olew a dŵr oedd hi bellach.

Ryw ddydd, yn ogystal â holl ddyledion ei dad, byddai Hugh yn etifeddu'r plas a'i diroedd a'i denantiaid, gan fod Peter, y brawd hŷn, yn byw i ffwrdd a'r plas yn cael ei drosglwyddo i ymddiriedolaeth y ddau frawd ar ôl marwolaeth Syr David. Yn ôl amodau'r cyfryw, ni châi'r naill frawd na'r llall ei werthu dros ben y llall tra oedd y ddau'n fyw.

Pwysai'r cyfrifoldeb yn drwm arno. Fel y deuai'r diwrnod hwnnw'n agosach teimlai'n llai hyderus y gallai fyth ddal y pwysau. Cloffai'n drychinebus rhwng stolion ei gydwybod.

Cofiai Nos Galan ddiwetha pan gusanodd Ceinwen druan cyn rhuthro oddi yno mewn braw. Am ychydig oriau penysgafn yn sgil y digwyddiad anffodus hwnnw, roedd wedi coleddu'r syniad gwirion a gwallgo y gallai briodi Ceinwen a byddent yn byw'n ddedwydd iach mewn bwthyn bach uwch tonnau gwyllt y môr gan fagu teulu o bedwar o blant, dau fachgen a dwy ferch a lefarai'r Gymraeg o'r crud, yn epiliaid teilwng o'i dras Cymreig... yn bendefigion Celtaidd o'r iawn ryw. Byddai'n trosglwyddo'i etifeddiaeth i ddwylo'r tenantiaid a byddai'n byw'n gyfradd gytûn yn eu plith. Buan iawn y pylodd y ffantasi hwn... Ni allai holl atyniadau toeslyd Ceinwen Jones gyda'i cheg fwa a'i llygaid pefriol a chwerthin heintus guddio'r ffaith eu bod yn gwbl anghymarus yn gymdeithasol. Roedd y gagendor rhwng uchelwr a'r gwreng yn ddiadlam, yn derfynol, yn ffaith hanesyddol, ddiymwad, ddi-droi'n-ôl, na fyddai dysgu iaith yn ei ddileu. Ni allai yntau ymwerineiddio'n fwy nag y gallai Ceinwen hithau droi'n bendefiges Geltaidd.

Mwya i gyd y dysgai am Gymru, am ei hanes, ei hiaith a'i diwylliant, mwya yn y byd y deuai i sylweddoli fod teuluoedd fel llinach Plas y Morfa wedi cyflawni rhyw fath o hunanladdiad cymdeithasol. Wrth efelychu pendefigaeth estron, roeddynt wedi colli eu swyddogaeth yn eu gwlad eu hunain a thestun gwawd a difyrrwch fyddent am byth i'w cymheiriaid Seisnig.

Bonheddwr heb fôn; unigolyn heb dras – dyna sut yr edrychai Hugh ar ei safle, yn wrthodedig ac yn atgas yng Nghymru; dan amheuaeth ffroenuchel barhaus yn Lloegr.

Cerddodd Hugh i lawr y llwybr tuag at y man lle safai Hywel o flaen yr îsl.

"Su 'dach chi, Hywel Wmffra?" galwodd yn siriol. I ddechrau nid oedd Hywel fel pe bai wedi clywed ac edrychai fel pe bai wedi ymgolli'n llwyr yn y gwaith. Llun anesmwyth oedd ar yr îsl, yr olew ffres yn sgleinio. I Hugh, edrychai fel pe bai Hywel wedi peintio haid o adar duon haniaethol a oedd yn graddol guddio tirlun melynwyrdd braf.

Daliai Hywel i sefyll yn ei unfan, ei gefn at Hugh. Yna'n ara deg trodd i'w wynebu, a dyna pryd y gwelodd Hugh yr ing a'r pryder.

"Hywel, 'dach chi'n iawn? Mae golwg ddiawledig arnoch chi."

Rhoes Hywel ei law at ei dalcen fel pe bai'n cysgodi'i lygaid rhag yr haul.

"Maen nhw'n dŵad, wsti. Does dim 'Efallai' amdani. Maen nhw'n dŵad."

"Pwy sy'n dŵad?" gofynnodd Hugh gan gipio dros ei ysgwydd rhag ofn eu bod yn dod i lawr y llwybr y tu ôl iddo.

"*Perhaps it is the ghosts above the plain who grow. Not time bombs but all time, monstrous with silence yonder Alpine range...*"

"Am be 'dach chi'n sôn? *Whose words are those?*"

"Maen nhw'n dŵad yma... i'n plith ni. Dyna ddeudodd y lleisia, a dyna sy'n digwydd."

"Pwy sy'n dŵad?" mynnodd Hugh.

"Dwi newydd glywad gan ddyn Rhos Isa... Mae lluoedd y Fall ar eu ffordd i Borth Neigwl."

"'Dach chi'n siarad mewn damhegion..."

"Maen nhw'n mynd i godi ysgol fomio yma."

"Ysgol fomio?" meddai'n ddiddeall, a golwg hollol hurt ar ei wyneb. Ofnai fod Hywel yn dechrau croesi'r ffin anweledig rhwng bod yn ecsentrig a bod yn wallgo.

"*A bombing school! A bombing school!*"

Cydiodd yn llun yr adar sglyfaethus yr oedd newydd ei beintio a'i hyrddio i'r llawr a'i luchio â'i holl nerth yn erbyn wal y tŷ. Yna sathrodd arno yn nhraed ei sanau, y paent gwlyb yn stricio'r gwlân coch.

Y noson honno cafodd Hugh fwy o'r hanes gan Selwyn. Roedd swyddogion y llywodraeth eisoes ar waith yn gwneud arolwg yn ardal Llanengan.

"Be mae pobol yn ei feddwl?"

Cododd Selwyn ei ysgwyddau.

"Bydd y post yn gwella, meddan nhw. Bydd hynna'n plesio."

"Ond... ond... fedran nhw ddim neud o. *It's sacrilege!*"

"Ti'n swnio fatha pobol y capal rŵan."

"Maen nhw'n iawn. Rhaid stopio hyn." Gwibiodd meddwl Hugh fel gwennol, yn ôl ac ymlaen dros holl oblygiadau'r newydd. Byddai ei santwar yn cael ei sarnu a chadarnle ei enaid yn cael ei dreisio. Roedd y cyhudd yn ymestyn, yn llyncu popeth. Cofiodd yn sydyn am wyneb y cadlanc Natsïaidd ar strydoedd München, y darogan gwae yn y papurau.

Chwarddodd Selwyn yn dawel wrth grafu'i ewinedd yn lân â chyllell boced.

"Sut?" meddai ar ôl ychydig. "Unwaith maen nhw'n penderfynu, codi pais ydi pob dim wedyn."

"*Protest meetings... writing to the papers... petitions.* Rhaid i ni wneud rhywbeth."

"Mi ddaw â gwaith – ac mae gwaith yn brin ffor' 'ma," meddai Selwyn gan edrych ar Hugh â'i lygaid gleision syn.

Erbyn hyn roedd Hugh dan ormod o deimlad i ddadlau. Trodd ar ei sawdl a mynd am y traeth. Gwyliodd Selwyn ef wrth iddo ddiflannu tua'r gorwel.

"Mi ddaw, washi."

Sathrodd ar ei sigarét, chwibanu ar y ci a mynd tua Gallt yr Onnen i edrych ar y maglau.

6

"Mae o wedi mynd yn ôl i'r coleg eto."

"Gwynt teg ar ei ôl o, medda fi."

Cymerodd Edward Jones, tad Ceinwen, lwnc o'i beint, yr ewyn yn trimio'i fwstás sinsir trwchus. Sychodd ei weflau â chefn ei law.

"A tydi hi ddim wedi bod ar 'i gyfyl o drwy'r ha, wyt ti'n ddeud?"

"Naddo," meddai Selwyn wrthi'n glanhau'i ewinedd hefo twca. Caeodd y gyllell gyda chlec a'i rhoi'n ôl yn ei boced.

"A beth bynnag, mae Huwcyn Bach Ni wedi bod yn rhy brysur hefo busnes yr erodrôm 'ma i boeni amdani hi."

Amneidiodd Edward Jones ei ben.

"Mae hi wedi bod yn sobor o dawel bob tro mae hi wedi bod acw hefyd. Druan bach. Mae'n torri 'nghalon i i'w gweld hi fel 'na 'fyd ond er 'i lles hi mae o, yntê?"

"Ddeuai'r un daioni ohoni. Mi wn i o brofiad. Wyt ti'n cofio helynt Elin Braich Tudno?"

"Cofio'n iawn."

Am ychydig bu tawelwch heblaw am sŵn y cloc mawr y tu ôl i'r bar. Roedd y dafarn yn wag ac eithrio nhw ill dau. Edward a dorrodd y distawrwydd yn y diwedd.

"Dwi wedi bod yn meddwl mynd i'r Sowth, wsti."

"I be 'lly?" meddai Selwyn yn ddidaro.

"Wel, gwaith siŵr Dduw. Be arall? Os ydi Plas y Morfa'n tocio ar eu gweithiwrs eto, mi fydd yn o fain arna i i gadw deupen ynghyd a tho uwch ein penna, yn bydd? Ac mae Eldon-Hughes yn gyndyn iawn i roi help at drwsio a gwella petha."

"Does dim byd hefo Carreg Adlam?"

"Colli jobsys ydi'r hanes fan'na fel ym mhobman arall. O'n i'n meddwl bod y boi newydd 'na'n mynd i dorchi llawes a gneud sioe go-iawn ohoni. Mae'r graig yn dda am ganrif a mwy, meddan nhw. Ond mae fel 'sa hwn wedi chwythu'i blwc rŵan, tydi? Gynno fo haearn mwy gwerthfawr yn y tân yn rhywle arall, ddyliwn i. 'Na fo i chdi. Dyna be weli di hefo pobol ddŵad."

"Be am yr erodrôm 'ma? Maen nhw'n deud y daw twr o waith hefo hwnnw."

"Mae rhyw ordors wedi dŵad drwodd 'u bod nhw ddim yn ca'l cym'yd neb ymlaen sydd mewn gwaith yn barod. Rhaid i bob dim fynd drwy'r *Labour Exchange*."

Ddywedodd Selwyn yr un gair a thiciodd y cloc rhagddo ar y wal. Doedd dim sôn am Meurig, y tafarnwr. Allan yn y cefn rywle fyddai o – ddim yn disgwyl rhyw lawer o gwsmeriaid yr adeg hon o'r dydd ddechrau mis Hydref.

"Felly, y Sowth neu'r Armi amdani," meddai Edward Jones o'r diwedd gan orffen ei beint a sychu'i fwstás drachefn.

Tic-toc… tic-toc…

"Be ddeudith y mysus, Edward Jones?" gofynnodd Selwyn o'r diwedd. "Yn ei gadael hi a'r plant fel 'na a mynd yr holl ffordd i'r Sowth. Neu os ei di i'r Armi ella mai yn yr India neu rywle fyddi di – neu yng nghanol rhyw ryfel ym mhen draw'r byd, ella."

"Lle mae rhaid, mae rhaid, yn does? Fydd hi ddim am byth, cofia. Er lles Nans a'r plant faswn i'n mynd beth bynnag. Ac os daw hi'n rhyfel, mi fyddan ni i gyd ynddo fo, boi."

Tic-toc... tic-toc...

"Mi ddôth 'na ryw Sowthyn acw noson o'r blaen," meddai Selwyn gan orffen ei beint yntau. "Yn hel enwa yn erbyn yr erodrôm."

"Duw, ia?"

"Pwtyn bach clên o foi."

"Gweinidog o ryw fath, mae'n siŵr. Chafodd o mo dy enw di, siawns?" holodd Edward dan wenu'n goeglyd.

"Mae mab y plas wedi'i gynhyrfu'n lân ynghylch yr holl fusnes. Mae o riâl Welsh Nat wedi mynd."

Cododd Edward ei wydryn gan edrych yn hiraethus ar olion yr ewyn yn ei waelod.

"Waeth imi beidio â chael ail un neu mi fydd 'na ddwrdio nes ymlaen."

Ddywedodd Selwyn yr un gair. Tynnai batrwm â'i fys bach yn ôl ac ymlaen ar hyd pen y bwrdd simsan.

Cododd Edward ar ei draed.

"Wel, diolch iti am ofalu am Ceinwen imi. Ddim eisio iddi hi gael cam... Hen dacla di-ddal ydi'r byddigions 'ma ar y gora." Tynnodd ddarn o hen sachliain am ei ben a'i ysgwyddau rhag y glaw ac agorodd y drws. Rhuthrodd yr awyr oer i mewn a fflamiodd y tân swrth ym mhen draw'r bar. Oedodd Edward cyn mynd allan i'r nos.

"Tasa gen i 'bach mwy o bres i'w sbario mi godwn i beint iti. Dwi yn dy ddyled, Selwyn Ifans. Ti siŵr o fod wedi sbario lot o strach i ni fel teulu. Tro nesa, efallai?"

Daliai Selwyn i ddilyn yr un patrwm â'i fys ar y bwrdd. Edrychai Edward Jones yn ansicr braidd. Roedd ei gynnig yn un diffuant. Gobeithio nad oedd Sel wedi'i gymryd o chwith.

"Wyt ti'n iawn, Sel? Golwg anesmwyth arnat ti."

"Yndw," atebodd hwnnw'n ddigynnwrf.

"O... wel, mi a' i, 'te. Da bo chdi."

"Da bo."

A gadawyd Selwyn ar ei ben ei hun.

Tic-toc... tic-toc...

Ochneidiodd, gan edrych yn ddigalon ar y gwydrau gweigion o'i flaen. Doedd Selwyn ddim yn iawn. Hon oedd noson waetha'r flwyddyn iddo. Hon oedd y noson pryd y byddai'i holl ofnau a phob ansicrwydd dan haul yn crynhoi yn ei feddwl. Doedd dim eisiau craffu'n agos i weld yr anesmwythyd a'r pryder.

Daeth tad Selwyn yn ôl o'r Rhyfel Mawr yn gysgod o'r dyn a wirfoddolodd i fynd i'r gad ym 1916. Ac ar ôl iddo ddod yn ôl dechreuodd gau amdano'i hun fel draenog, yn bigog ac yn anhygyrch. Roedd fel pe bai wedi colli pob diddordeb yn y tyddyn a fu gynt yn gymaint testun balchder iddo. Ni allod Selwyn erioed ddeall beth yn union oedd cymhelliad ei dad dros wirfoddoli i'r rhyfel, y dyn lleia rhyfelgar a welsai yn ei ddydd. Am yn hir bu'r hen foi'n ddigon condemniol o'r brwydro a'r jingoistiaeth. Efallai mai clywed am hwn a'r llall o blith cymydog a cheraint yn ei chael hi fu'r sbardun i'r talpyn hwn o gydwybod listio. Dyn poenus o gydwybodol oedd Arthur Ifans a ymroddai i bob tasg fel pe bai'i fywyd yn dibynnu arni. Roedd dyletswydd yn air mawr iddo ac ymhlyg ym mhopeth a wnâi.

Dychwelodd o'r ffosydd yn ddianaf o ran corff, ond roedd ei feddwl a'i enaid wedi'u creithio i'r byw, ac wrth i'r misoedd fynd heibio daeth y briw i'r wyneb fel draenen yn crawni dan y croen.

Bymtheng mlynedd yn ôl i heno, roedd ei dad wedi mynd ag ef am dro i ben y gelltydd. Roedd hi'n noson eitha brochus ond roedd Selwyn wedi croesawu'r gwahoddiad. Dyma'r tro cyntaf i'w dad gynnig dim o'r fath ers dod yn ôl o Ffrainc. Tybiodd Selwyn ei fod yn ceisio adfer y drefn a fu ganddynt cyn y rhyfel pryd y byddent yn cerdded yn aml hefo'i gilydd – yn fodlon yng nghwmni'i gilydd heb fod yn arbennig o agos.

Dechreusant mewn tawelwch ond yn ddigon sionc eu cerddediad ac roedd Selwyn yn eithaf mwynhau ac yn synhwyro bod ei dad yntau'n ymlacio, yn torsythu'i gefn ar ôl bod yn ei hanner cwman ers misoedd, ac yn camu'n fras ac yn fuan fel y byddai yn y dyddiau cyn bedydd y gynnau mawr.

Ond, yn ddisymwth, wrth i'r gwyll ruthro amdanynt ar y llwybr cul uwchben y môr, a sŵn y gwynt ddechrau ymdebygu i danio magnelau mawr yn eu clustiau, roedd Arthur Ifans wedi aros yn stond a throi at ei fab a dechrau sôn wrtho am erchyllterau'r ffosydd, am ddynion yn boddi yn y llaid, am y cyd-filwyr a gollwyd fesul cant a fesul mil, a'u cyrff yn chwilfriw ysgyrion yn y mwd; am hylltod y nwy a'r braw yn llygaid y gelyn pan wyddai nad oedd dianc rhag dy fidog.

Suai ei lais yn gymysg â sŵn y tonnau ar y draethell islaw, ei eiriau'n cael eu cipio gan y gwynt cryf o bryd i'w gilydd. Yna roedd wedi dechrau cynhyrfu fwyfwy nes ei fod yn gweiddi'n groch dros bob man. Dechreusai Selwyn anesmwytho. Doedd o ddim eisiau clywed mwy o'r pethau hyn. Doedd o erioed wedi gweld ei dad mewn cyflwr mor orffwyll. Roedd o eisiau rhoi taw ar y llifeiriant geiriau, eisiau eu tagu'n fud yn ei wddf, fel atal gwaedlif – ond roedd yn ddiymadferth, fel pe bai mewn breuddwyd. Pwniasai'r gwynt yn erbyn ei glustiau nes ei fod yn crefu am osteg.

"Peidiwch, 'nhad. Peidiwch..." mwmiodd yn llywaeth gan ostwng ei ben mewn dryswch ac ofn.

Ond daliodd ei dad i hefru a chynyddu wnaeth y pryder

yng nghalon ei fab nes yn y diwedd, wedi'i ddychryn i'r byw, cymerodd y goes gan ruthro'n ôl ar hyd y llwybr cul, yr eithin yn chwipio yn ei erbyn, ei draed yn llithro yn y pridd a'r gro. Cadwodd ei ddwylo dros ei glustiau, gan adael ei dad ar ei ben ei hun i gynnal ymson rhyngddo a'r gwynt a'r gwylanod.

Ar ôl iddo gyrraedd adre a'i hanes yn un chwdfa garbwl gerbron ei fam, aeth ei frawd hŷn a hogiau Pensarn allan i chwilio am ei dad. Ond ni chafwyd hyd iddo y noson honno. Dridiau'n ddiweddarach golchwyd ei gorff i'r lan ar draeth Aberdaron.

Ar y noson hon bob blwyddyn, teimlai Selwyn ryw oerni'n cripian yn ddistaw bach drwy'i gorff nes y byddai'r byd o'i gwmpas yn pylu a chlywai eto sŵn y môr yn rhuo ar gyrion ei ymwybod a'r gwynt yn hyrddio a llais ei dad yn gymysg â'r lli.

Fel arfer roedd Selwyn yn giamster ar reoli'i deimladau ac ar gadw'r caead yn dynn ar bopeth. Un felly oedd ei dad hefyd. Cofiai pan oedd yn hogyn bach na fyddai'i dad byth yn colli limpyn yn lân fel y gwnâi tadau rhai o'r plant eraill. Mi gâi Selwyn a'i frawd ambell gelpan haeddiannol ganddo, wrth reswm, ond ni fyddai byth yn colli rheolaeth. Tan y noson honno ar ben y gelltydd. Y geiriau a'r dagrau'n chwyrlïo yn y gwynt; y dyrnau yng nghau; y llygaid tawel wedi lloerigo, poer ar draws ei weflau, strimyn o waed yn dod o'i drwyn... Ac ar y noson hon bob blwyddyn, teimlai Selwyn eigion o euogrwydd ac ofn yn dechrau chwyrndroi o'i gwmpas.

A doedd busnes yr ysgol fomio yma yn fawr o gysur chwaith. O'r eiliad y clywodd amdani, aeth ias trwyddo a theimlai'n anesmwyth, ar bigau drwy'r adeg.

Fore heddiw roedd o wedi cael cipolwg ar y papur yn y Plas a gweld bod y gair rhyfel yn britho holl golofnau'r tudalen blaen – nid hefo'r Jyrmans y tro 'ma ond hefo'r Eidalwyr – byddinoedd Mussolini yn defnyddio nwy ac yn bomio plant bach duon mewn ysbytai ac yn y trefi draw yn Abysinia bell.

Roedd rhywbeth mawr o'i le. Fel pe bai rhyw fom anferth wedi'i osod yn rhywle yn ymysgaroedd y ddaear a phawb yn sôn amdano heb drafferthu i chwilio amdano i'w ddirymu cyn iddo chwythu dynoliaeth yn chwilfriw.

Tic-toc... tic-toc.

Am y rhesymau hyn, felly, pan ddaeth y Sowthyn bach clên at y drws y noson o'r blaen, torrodd Selwyn ei enw ar y ddeiseb a theimlo ychydig yn well.

7

Yn ei breuddwyd roedd Ilse Meyer yn aros am drên mewn gorsaf yng nghanol y wlad. Roedd yr orsaf yn wag a gallai glywed yr adar yn trydar yn y distiau uwch ei phen. Cerddodd ar hyd y platfform gan wybod bod ganddi saith munud union cyn i'r trên gyrraedd. Roedd hi'n oer iawn ac, wrth sefyll ar flaenau'i thraed, gallai weld drwy ffenest fechan fod yna stôf ynghynn yn yr hyn a dybiai oedd yn ystafell aros. Pan aeth drwy'r drws, cafodd fod yr ystafell yn orlawn â phobl o bob oed, i gyd yn ceisio closio at y stôf yng nghanol y llawr.

Wrth ei hymyl roedd yna gwpwrdd mawr ac o'r cwpwrdd deuai sŵn crafu aflonyddus. Wrth i'r sŵn gynyddu gallai Ilse deimlo ofn yn dechrau egino yn ei bol. Rhaid iddi weld beth oedd yn y cwpwrdd. Estynnodd ei braich ac wrth iddi wneud canodd y gloch a dechreuodd pawb wthio am y drws ac fe'i bwriwyd i'r llawr ac ni fedrai godi...

Yna roedd hi'n effro. Wrth ei hymyl canai'r cloc larwm coch yn wanllyd. Roedd ei braich eisoes wedi ymestyn i'w ddiffodd. Cafodd ei bysedd hyd i'r plynjar bach rhwng y clychau a thawodd y sŵn. Gorweddai fel baban yn y groth, ei phennau gliniau wedi'u tynnu'n dynn at ei gên, yn crynu rhwng ofn ac oerni. Bu'n effro drwy'r nos tan tua hanner wedi tri, ei meddwl yn palu dros yr un tir drachefn a thrachefn, ei chalon yn rasio, yr igian dirdynnol yn troi'n gwyno diymadferth, y rhwystredigaeth yn gafael yn ei hymysgaroedd, a phan ddaeth cwsg o'r diwedd bu ei breuddwydion naill ai'n llawn drychiolaethau erlidgar neu'n cynnig rhyw normalrwydd ffug lle'r oedd hi'n gorfod ail-fyw ei thrawma bob tro yr agorai ei llygaid o'r newydd.

Dyheai'i chorff am blymio'n ôl i eigion o gwsg diwaelod, difreuddwyd. Gallai deimlo'r llanw'n llepian wrth lannau ei hymwybod. Yn sydyn, roedd ar ei heistedd yn y gwely, ei chlustiau wedi moeli, ei chalon ar wib unwaith eto. Gallai glywed y sŵn a oedd wedi'i dychryn gymaint yn ei breuddwyd. Sŵn crafu gwyllt. Llygod mawr dan styllod y llawr, efallai. Synnai hi ddim gan mor hen a diraen oedd y tŷ. Ond, na. Deuai'r sŵn oddi fry, o'r atig uwch ei phen. Ymrithiodd drychfeddyliau drwy'i hymennydd o ferch debyg iddi hi'n cael ei chaethiwo yn yr atig gan yr hen Mrs Ledbury, yn garpiau i gyd gyda'r llygod mawr yn rhedeg drosti yn y tywyllwch.

Gwrandawodd yn astud ac ymlaciodd. Gwyddai'n sydyn beth oedd yn gyfrifol am y sŵn. Colomennod yn llochesu dan y bondo ac yn mynd drwodd i ofod y groglofft. Gorweddodd yn ôl yn y gwely gan wrando ar siffrwd yr adenydd yn y tywyllwch a daeth rhyw lonyddwch annisgwyl drosti.

Ochneidiodd a throi'r lamp fach ymlaen wrth ochr y gwely. Chwarter wedi pump. Rhaid iddi godi a mynd ati i dorri priciau a hel glo ar gyfer y tri thân y byddai'n rhaid iddi eu cynnau yn ystod yr awr nesaf. Un yn y gegin, un yn y parlwr ac un yn stydi'r Athro.

Dyma ddechrau ei hail wythnos yn gweini ar yr Athro Ledbury a'i wraig yn eu cartref yng nghanol y wlad i'r gogledd o ddinas Rhydychen. Dyma ddechrau'i thrydedd wythnos yn Lloegr, gwta mis er pan adawodd hi'r Almaen.

Roedd haenen o rew dros y dŵr yn y stên wrth ymyl y

basn. Wrth ei hollti, cofiodd am sŵn y gwydr yn malurio yn ffenestri'r siop y bore hwnnw, gan raeadru i'r stryd i gael ei grensian dan draed y dorf.

Wrth i Ilse slempian o dan ei cheseiliau a thros ei bronnau a'i hwyneb, gwyddai na fyddai'n cynhesu am o leiaf awr. Craffodd ar yr wyneb yn y drych bach hirsgwar a hongiai uwch y basn. Prin ei bod yn ei nabod ei hun. Y cylchoedd duon o dan ei llygaid; y straen wedi tynhau'r croen lle gynt bu gruddiau crynion. Gwelai fod ei holl wyneb wedi meinio'n ofnadwy ers yr haf pan oedd hi'n poeni braidd ei bod yn cario gormod o floneg. Glanhaodd ei dannedd a gwisgo mor gyflym ag yr oedd ei bysedd rhynllyd yn gadael iddi. Teimlai ryw gnoadau yn ei bol. Daria – nid y misglwyf eto'n barod? Roedd calendr ei chorff wedi troi ben-i-waered ers yr haf ac erbyn hyn doedd dim dal pryd y deuai'i chyfnod. Ochneidiodd – yn flin ac yn flinedig yr un pryd.

Bythefnos yn ôl prin y gallasai gredu y byddai'n llwyddo i gael llety a gwaith mor ddiffwdan o gymharu â rhai o'i chyd-ffoaduriaid. Aethai popeth o chwith o'r cychwyn cyntaf gan fod hen fodryb ei mam, a oedd yn byw yn Hendon yng ngogledd Llundain ac a oedd i fod i'w chymryd i mewn a'i gwystlo, wedi marw'n ddisymwth tra oedd Ilse'n croesi draw. Pan gyrhaeddodd Harwich roedd hi'n hollol amddifad, a'r wlad a oedd i fod i'w llochesu'n teimlo'n fygythiol ac yn ddigroeso. Yn ffodus fe'i hachubwyd o dynged ansicr gan wirfoddolwraig a oedd yn aelod o un o'r cymdeithasau er helpu'r ffoaduriaid. Rhyw Fuddug o Fethodus a oedd yn hen law ar osgoi drain a drysni biwrocratiaeth a chael pethau i symud yn union fel roedd hi yn dymuno.

Mawr fu siom Ilse, er mor ddiolchgar yr oedd hi i'r ddynes hon am ei holl ymdrechion ar ei rhan, pan gafodd wybod na châi merched ar ffo ond gweithio fel morynion domestig, a hithau wedi gobeithio y gallai hi gael swydd fwy gwerthchweil na hynny – rhywbeth yn ymwneud â llyfrau neu addysg efallai. Roedd hi'n bwysig iddi ymsefydlu'n fuan a dechrau ennill ei bara menyn. Dim ond fel hyn y medrai helpu gweddill y teulu i ddianc. Ond eisoes, ar ôl pythefnos o waith, teimlai nad oedd ganddi unrhyw nerth ar ôl i wneud dim. Nid oedd yn gyfarwydd â gweini, na gosod tanau oer, na choginio ar *range* anferthol, anhydrin, na'r unigrwydd.

Roedd yr Athro James Ledbury yn ddyn annwyl iawn ac ymatebodd yn syth i alwad y ddynes yn y porthladd a eglurodd sefyllfa Ilse. Wrth gwrs y câi ddod acw.

Roedd ei groeso yntau i'r tŷ wedi bod yn gynnes ac yn waredigaeth ar ôl helbulon yr haf a'r hydref, yr ansicrwydd a'r rhwyg o adael gwlad a theulu. Ar ddiwedd taith afreal, ofidus a blinedig, credai Ilse ei bod o'r diwedd wedi cyrraedd hafan ddiogel pan agorwyd drws *Holywell House* iddi:

"Fy mhlentyn bach annwyl i," meddai'r tedi bêr mawr o ddyn wrth ymestyn llaw ryfeddol o fechan i gydio yn ei phawen fach iasoer hithau, gan ei thynnu hi'n dyner dros y rhiniog o'r glaw.

"Dowch i mewn. Dowch i mewn." Roedd ei lais yn ddwfn ac yn soniarus ac roedd rhyw dinc melfedaidd iddo nad oedd Ilse wedi clywed gan y Saeson eraill y daethai ar eu traws o'r blaen. Deuai'r Athro'n wreiddiol o Wicklow yn Iwerddon, ei dad yn berson gydag Eglwys Brotestannaidd Iwerddon.

Doedd dim sôn am Mrs Ledbury pan gyrhaeddodd Ilse. Roedd hi allan yn ymweld â ffrindiau yn y pentref, yn ôl yr Athro. Ond peidied â phoeni achos ei fod yntau yn hen law ar hulio te. Roedd ei fam wedi marw pan nad oedd o'n fawr o beth, meddai, ac yntau a'i dad yn gorfod dygymod orau y medrent ar hyd y blynyddoedd.

"'Dan ni heb gael merch yn gweini 'ma ers i'r hogia adael y nyth. Dim angen fawr neb i ofalu amdanon ni. Wel, yn fy marn i, yntê? Dydi Kitty ddim yn gweld pethau'r un fath mae arna i ofn. Dydi hi erioed wedi hoffi gwaith tŷ, 'chi'n gweld. Dydi hi ddim yn gwbod eich bod chi'n dod, a dweud y gwir. Mi fydd yn syrpreis bach neis iddi. Mm... bydd," ceisiodd ei argyhoeddi ei hun wrth gymryd llwnc o'i de lemwn.

Tybed, meddyliodd Ilse.

"Nawr 'te," meddai gan dywallt rhagor o de lliw pwll mawn i'w chwpan, er prin ei bod hi wedi llwyddo i lyncu dim o'r hylif a oedd yno'n barod. "Dywedwch ychydig o'ch hanes wrtha i..."

Ar ôl iddi gyfarfod â'i wraig ddi-ffeind, anhynaws yn nes ymlaen yn y dydd, ni allai Ilse ddychmygu sut roedd y ddau wedi dod at ei gilydd yn y lle cynta. Sut y gallai dau unigolyn mor wahanol i'w gilydd o ran anian ac ymarweddiad wedi ymserchu ac ymbriodi? Arth fawr o ddyn oedd James Ledbury, a wisgai wên barhaus ac a ddaliai'i ben ar dro bob amser wrth wrando arni'n siarad. Ac mi oedd yn wrandawr tan gamp. Cofiai'n awr wrth iddi osod y sbliciau yn barod ar gyfer y tân yn yr ystafell fawr, sut y tasgai ei hanes ohoni wrth sipian y te tincar o flaen fflamau'r tân wrth i'r cysgodion llwydion ymledu o bob congl o'u cwmpas. Prin ei bod yn ymwybodol o gryfder y ddiod anghyfarwydd. Y cwbwl a wyddai oedd ei bod yn ddiogel am y tro, ac roedd yn ddiolchgar am gael cynhesu a chael cyfle i fwrw'i bol.

Soniodd wrtho am y siop yn cael ei llosgi ac am gael eu cuddio gan ffrindiau dros yr haf a pha mor od y teimlai hynny, byw mewn ofn rhag cael eich arestio er eich bod heb gyflawni'r un drosedd. Soniodd am sut roedd Johann Bauer wedi'i gipio yn y nos a'i roi mewn gwersyll cyn iddi gael cyfle i ddatgelu'i theimladau wrtho; soniodd am Uschi yn ei hanwybyddu ar y stryd; soniodd am y ddeddfwriaeth erchyll a ddaeth i rym tua diwedd mis Medi y llynedd, pan gollodd holl Iddewon yr Almaen yr hawl i fod yn ddinasyddion Almaenig. Nid oedd ganddynt hawl bellach i eiddo na dim. Gallai'r Natsïaid eu trin fel y mynnent. Yn y parc lle'r âi am dro bob dydd, roedd yna feinciau ar wahân i'r Iddewon, ac un tro roedd ei thad wedi cael cweir gan griw o Natsïaid am feiddio eistedd ar y sedd anghywir. Roeddent wedi'i alw'n fradwr. Cogiau ifainc heb eu geni pan oedd ei thad yn ymladd dros yr Almaen yn ffosydd ardal y Volges yn ystod y Rhyfel Mawr.

Pan wylodd roedd gan James hances boced burwen yn barod ar ei chyfer.

"Fy mhlentyn bach annwyl," meddai drosodd a thro gan braidd gyffwrdd â'i hysgwydd â'i law fach. Cydiodd Ilse yn llawes ei siaced a thynnu'r fraich yn ôl amdani gan gladdu ei phen yn ogleuon anghyfarwydd y brethyn.

8

Roedd porthladd Hamburg dan ei sang â ffoaduriaid tebyg i Ilse; degau ohonynt; y lli a droai'n rhyferthwy dros y blynyddoedd nesa yn dechrau cynyddu, wrth i fwyafrif Iddewon yr Almaen gefnu ar y wlad a ystyrient fel gwlad eu tadau. Llawer iawn ohonynt yn mynd i America neu Balesteina gan basio drwy Brydain ar eu taith. Eraill, fel Ilse, er mawr siom iddi, yn mynd i aros yno, ei rhieni'n teimlo nad oedd Prydain yn rhy bell ac y gallai ddod yn ôl pe bai amgylchiadau'n caniatáu.

Roedd y rhai oedd yn ffoi ar bigau, yn llawn anobaith, yn ddagreuol, yn ansicr. Roedd popeth mor afreal. Yn y sgarmes am le, roedd Ilse wedi colli golwg ar ei rhieni. Roeddent wedi dod i lawr i'r porthladd i ffarwelio â'u merch gan obeithio na fyddent ar wahân am fwy nag ychydig fisoedd efallai ac y deuent hwythau draw mor fuan ag y gallent.

Buont yn sefyll yn dynn wrth ei gilydd yng nghanol y *mêlée* cyffredinol wrth i Ilse aros yn y sièd islaw'r gangwê. Roedd ei bagiau wedi mynd i'r llong a dim ond *rucksack* oedd ganddi ar ei chefn. Gadawodd y man lle safai'i mam a'i thad er mwyn gweld a oedd unrhyw arwydd bod pobl ar fin byrddio'r llong. Yn sydyn symudodd y dorf yn ei blaen mewn cyfres o hyrddiau digymell ac fe'i cariwyd yn gorfforol, ei breichiau wedi'u dal yn dynn wrth ei hochr, ar hyd sièd y tollau. Gallai glywed llais ei mam yn gweiddi:

"Ilse! Ilse! Paid â mynd fel 'na..."

Ceisiodd droi i ymladd yn erbyn y llanw dynol o'i chwmpas ond yn ofer.

Ar fwrdd y llong, brwydrodd am le wrth y rêl i weld a fedrai gael cip ar ei mam a'i thad ar y cei islaw. Roedd y golau'n wael ac roedd hi'n tywallt y glaw. Tremiodd ar hyd y dyrfa ar y cei. Meddyliodd am ennyd iddi weld ei thad.

"Tada! Tada!"

Ond toddodd yr holl wynebau i'w gilydd drachefn ac ni allai fod yn siŵr mai dyna pwy a welodd. Gollyngwyd y rhaffau. Canodd y corn deirgwaith, rhyw frefu tor-calonnus yn atseinio dros y ddinas, a dechreuodd y llong ddrifftio o'r cei. Roedd fel pe bai ei holl fywyd yn llithro o'i gafael, ei gwlad, ei theulu, popeth cynefin yn mynd yn llai ac yn llai y tu ôl iddi, yn diflannu am byth heb fodd i'w hadennill, wrth i'r llong godi stêm am y Baltig. Roedd yr awyr o'i chwmpas yn llawn sŵn wylofain llafurus ac och a gwae ar bob min wrth i'r rhai eraill yn yr un sefyllfa foddi yn yr ymchwydd emosiynol a godai ar bob tu. Prin y byddai ots gan y rhan fwyaf pe bai'r llong wedi suddo yn y fan a'r lle gan eu difa un ac oll yn hytrach na'u bod yn gorfod wynebu'r rhwyg a'r golled yma.

"What on e arth is going on here? Up to your sad little tricks again, I see."

Gallai Kitty Ledbury symud mor ddi-stŵr â slywen pan ddymunai. Ni chlywsai na'r Athro nac Ilse yr hen sarffes yn sleifio'n ôl i'r tŷ ar ôl dychwelyd o'i hymweliadau yn y pentref, a dyna lle'r oeddent wrth waelod y grisiau bach, serth a chul a arweiniai at lofft arfaethedig Ilse, yn dynn ym mreichiau ei gilydd a dagrau'n staenio gruddiau'r ddau.

"Oh, hello, Kitty. Do come and meet Ilse," meddai'r tedi

bêr gan geisio gwthio Ilse o'i freichiau, hithau yn ei braw yn tynhau'i gafael.

Cerddodd Katherine Ledbury draw atynt gan dynnu Ilse o afael lac ei gŵr.

"What is the meaning of this?"

"It means nothing..." dechreuodd Ilse. *"Today I arrive. Your man is very kind for me."*

"I forgot to mention, dear..."

Rhochiodd Kitty Ledbury yn anghrediniol.

"Get out!" coethodd gan slaesio wyneb Ilse.

"Steady on, Kitty. The poor girl's had a hell of a time... She's our new maid... Temporary, of course... Refugee from the Fascists..."

Gafaelodd Kitty ym mraich Ilse a'i thynnu tuag at ben y grisiau. Roedd cynnwys rhai o fagiau Ilse wedi'u sbydu ar draws y llawr. A'i thraed yn llithro ar styllod sgleiniog y landin, llwyddodd i gofleidio postyn canllaw'r grisiau a phenderfynodd nad oedd hi'n mynd i gael ei symud o'r fangre honno faint bynnag o rym a ddefnyddiai'r wenci fach wallgo 'ma. Rhaid iddi wneud safiad. Teimlodd law esgyrnog yn cydio yn ei gwallt ac yn dechrau tynnu.

"Laß mich frei, du Hexe...!"

"Get out of my house, you foreign slut."

Ac wedyn roedd yr arth fawr yn eu dal ar wahân fel dwy hogan fach, ddrwg, a'i lais yn bwm-bwmian uwchben eu sgrechfeydd...

Digon bregus fu'r berthynas rhwng y ddwy oddi ar hynny, wrth gwrs, er gwaetha'r holl waith egluro gan James. Fe gafodd Ilse ryw lun ar ymddiheuriad gan Kitty ond nid oedd calonnau'r un o'r ddwy ynddi – o ran y rhoi na'r derbyn. O'r adeg honno, roedd Ilse yn benderfynol o symud o *Holywell House* gynted ag y medrai, tra oedd

Kitty yr un mor benderfynol i wneud ei harhosiad yno mor anghysurus, digroeso a byrhoedlog ag oedd modd.

Roedd ei gwaith yn eithaf trwm ond heb fod ŷn affwysol. Anghyfarwydd oedd hi yn y bôn. Byddai Kitty Ledbury allan yn aml yn ystod y dydd ac roedd sefyllfa Ilse yn un bur ynysig. Ei hunig ddihangfa oedd cerdded y ci bob dydd – daeargi bach yr un mor anhylaw a phiwis â'i feistres, o'r enw Willy. Er mor styfnig ac anhydrin oedd yr anifail hwn, o leiaf fe roddai gyfle i Ilse grwydro'r wlad a dianc rhag y tŷ a'i holl gysgodion prudd. Yn fuan iawn daeth i sylweddoli bod y gwaith cerdded yn lleddfu ei hiselder yn well na dim, ac er na fyddai hi byth yn gallu cael gwared â'r pryderon cordeddog a rwymai ei chalon, roedd cael y gwaed i symud o amgylch ei chorff yn help garw i grisialu'r meddwl ac ailgodi ac atgyfnerthu ei hamddiffynfeydd.

Roedd yna ddicter hefyd. Un hen a ffwndrus oedd Willy, ac yn aml pan ddaliai ati i synhwyro o gwmpas rhyw dwll cwningen ar y ffordd, byddai Ilse'n tynnu'n filain ar ei dennyn, nes iddo gwyno'n sgrechlyd. Roedd yn gas ganddi pan ddigwyddai hynny a chan amlaf ceisiai wneud yn iawn am ei diffyg amynedd ar ôl dychwelyd i'r tŷ drwy ryw faldod neu'i gilydd. Roedd y ci druan wedi'i ddrysu'n lân ac erbyn y diwedd prin y gadawai i Ilse fynd ar ei gyfyl heb sôn am fynd ag ef am dro.

Ni welai fawr neb ar y teithiau cerdded hyn heblaw am ambell ffermwr, labrwr neu ferch fferm wrth eu gwaith neu'n mynd ar neges. Er y byddai ambell un yn ei chyfarch yn siriol, prin fu ei chyfathrach â phobl eraill yn ystod ei hamser yno. Weithiau, os oedd yna griw o fechgyn gyda'i gilydd byddent yn chwibanu ac yn gweiddi arni, eu lleisiau'n atseinio ar hyd y lonydd cul. Fe'i teimlai ei hun yn gwrido, ond o leiaf roedd y sylw bachgennaidd hwn yn ei hatgoffa ei bod yn fyw a'i bod yn fenyw.

Droeon eraill ar ddiwrnodau gwlyb yn y tŷ, eisteddai yn y lolfa fawr – ystafell a oedd yn waharddedig iddi yn ôl Kitty Ledbury (heblaw pan fyddai'n cynnau tân), yn gwylio'r llwydolau yn ymhél dros y caeau llwm y tu hwnt i waelod yr ardd drwy'r drysau Ffrengig; ac wrth i'r nos grynhoi felly hefyd y byddai'r atgofion am ei theulu a'i chartref yn dechrau ymhél yn ei meddwl. Yn raddol, sylweddolodd mai du-a-gwyn neu sepia oedd ei hatgofion i gyd bellach, y lliw wedi dihidlo ohonynt yn llwyr a'u bod wedi'u trwytho yn llwydni llaith y caeau o'i chwmpas.

Câi ddau brynhawn yn rhydd bob wythnos a byddai'n dal y bws, pan gofiai Kitty dalu'i chyflog iddi, i Rydychen. Dyma uchafbwynt ei hwythnos yn ddi-os a'r unig beth a oedd yn helpu iddi goleddu unrhyw obeithion ynglŷn â'r dyfodol.

Crwydrai i ganol y dre gan geisio gwthio'i holl helbul i gefn ei meddwl a meddwi ar gadernid oesol y bensaernïaeth a naws academia. Llithrai i mewn i Blackwell's a rhedeg ei bysedd hyd meingefnau'r cyfrolau, yn eu hogleuo gan fyseddu eu tudalennau. Byddai bywyd cymaint yn haws pe gallai adael yr hen le diflas 'na a chael dod i'r dre – lle roedd yna sinemâu, a theatrau, a cherddoriaeth, a dawnsio a phobl… a dynion ifanc. Fe'i teimlodd ei hun yn gwenu am y tro cyntaf ers hydoedd ar ôl i fachgen ifanc mewn panama llydan gyffwrdd â'i gantel wrth fynd heibio iddi un prynhawn.

"*Good afternoon, miss,*" meddai.

Wrth iddo fynd i'r pellter stampiodd Ilse ei throed. Yn sydyn roedd yr holl euogrwydd a gofid ynghylch ei sefyllfa wedi'u disodli gan ysfa hollol hunanol. Roedd hi eisiau mwynhau ei hun, cael hwyl, bod yn ddynes ifanc. Pa degwch oedd yn y byd ei bod hi'n gorfod treulio blynyddoedd pwysicaf ei bywyd o dan y fath am-gylchiadau – yn unig ac yn ofnus, a'r dyfodol yn ymagor fel pydew o'i blaen, yn lle ymestyn i'r goleuni?

Fe wnâi rywbeth i weld Hugh yr adeg honno. Doedd ei gyfeiriad ddim ganddi. Yng nghanol yr holl frys a chythrwfl, roedd hi wedi hen anghofio am eu cyf-arfyddiadau a'r llythyrau caru. Dim ond pan glywodd fod y wirfoddolwraig yn Harwich wedi dweud wrthi ei bod wedi cael lle iddi yn Rhydychen y cofiodd am Hugh. Ond sut oedd cael hyd iddo fo? Ym München roeddent wedi cyfarfod ar hap mewn siop lyfrau. Hwyrach y gallai'r un peth ddigwydd yma yn Rhydychen.

Ymwelai â phob siop lyfrau y deuai ar ei thraws ond ni welodd Hugh yn unman.

9

Doedd dim modd camgymryd anfonwr y parsel. Pecyn afrosgo wedi'i glymu â llinyn byrnau gwair, yr inc wedi rhedeg i bob cyfeiriad ar yr hen bapur llwyd a'i lapiai a hwnnw wedi'i staenio a'i grychu a'i dreulio'n denau. Roedd Hugh wedi'i gasglu o fwth y porthor ar ei ffordd i'r llyfrgell lle'r oedd o i fod wrthi'n paratoi traethawd ar bolisi tramor Bismarck. Roedd yr amser pryd y dylai'r traethawd gael ei gyflwyno'n rhuthro tuag ato fel injan stêm ac nid oedd wedi cael cyfle i edrych arno eto.

Bu'r haf yn drobwynt i Hugh. Pwysai'r newydd am y datblygiadau ysgeler ym Mhenyberth arno drwy'r adeg fel hiraeth am gariad coll, ond ar yr un pryd llosgai rhyw egni newydd ynddo fel pe bai wedi deffro o gwsg hirfaith ac yn barod i weithredu.

Roedd wedi dychwelyd i Rydychen eleni ar ôl y Nadolig â'i galon fel y plwm. Bu cyfnod yr Ŵyl yn fwy o hunlle nag erioed. Roedd problem yfed ei dad yn gwaethygu ac roeddent wedi cael ffrae fawr ynghylch Penyberth y noswyl Nadolig a heb dorri gair ers hynny. Roedd wedi treulio'r rhan fwya o'i amser gyda'i lyfrau yn y llyfrgell. Ni châi'r un cysur o gerdded y wlad ag arfer. Roedd y si ar led mai'r safle milwrol mwyaf ym Mhrydain fyddai hwn, gyda'r awdurdodau'n meddiannu erwau di-rif ar hyd a lled yr arfordir. Profiad rhy boenus iddo felly oedd crwydro gwlad a oedd dan y ffasiwn ddedfryd.

Disgwyliai Hugh y byddai'r wlad gyfan wedi'i gweddnewid erbyn y tro nesaf iddo weld ei gartref, a'i throi'n un maes awyr anferthol heb ddim i'w glywed ond dwndwr peiriannau ac ergydion y ffrwydron. Llenwid ei freuddwydion â'r gweledigaethau erchyll hyn a phan ddaeth oddi ar y trên yn Rhydychen ar ddechrau'r tymor newydd, ei ymateb cyntaf oedd troi ar ei sawdl a dal y trên nesa yn ôl i'r gorllewin. Roedd cefnu ar yr ardal yn awr ei hangen yn teimlo'n weithred fradwrus iawn. Ond llwyddodd i ffrwyno'r ysfa i ddychwelyd ac i roi rhyw gynnig ar gymryd ei astudiaethau o ddifri.

Wrth ruthro ar hyd Stryd San Ioan ar ei ffordd i'r llyfrgell heddiw, bu bron iddo fwrw i mewn i'w diwtor, yr Athro Ledbury. Yn ei ddryswch gollyngodd y Gwyddel cawraidd lwyth o bapurau i'r llawr a bu'r ddau'n cropian ar eu pedwar ar y pafin yn hel yr amryfal bapurau.

"Ar frys braidd, Hughes?" meddai Ledbury yn ddiamynedd. "Anarferol i chi, yntê?"

"Mynd at eich traethawd chi o'n i, syr," meddai Hugh.

"Hmm. Mae eisiau gair hefo chi hefyd. Dowch draw i 'ngweld i prynhawn yma. Hanner awr wedi dau."

Cododd Hugh y swp ola o bapurau o'r palmant a'u cyflwyno i'r Athro.

"Iawn. Does dim byd yn bod, nag oes, syr?"

"Ddylai 'na fod?"

"Na… jest…"

"Dyna fo, 'ta. Hanner wedi dau amdani. A pheidiwch â bod yn hwyr."

Gwyliodd Ledbury ef yn mynd. Roedd o wedi cymryd at yr hogyn breuddwydiol, rhyfedd hwn yn arw iawn. Doedd ei waith ddim yn arbennig o ddisglair ond meddai ar ryw ddeallusrwydd treiddgar a allai faglu'r neb a dybiai mai rhyw ddiniweityn-pen-clawdd ydoedd gyda'i obsesiwn am Gymru a'r Gymraeg. Amheus oedd Ledbury ei hun am werth ieithoedd fel y Gymraeg a'r Wyddeleg. Iaith cenedlaetholdeb fu'r Wyddeleg yn Iwerddon a'r cenedlaetholdeb hwnnw wedi dadwreiddio Ledbury a'i deulu o'r wlad a'u magodd ers cenedlaethau.

Ar ôl ei dymor cynta, roedd Hugh wedi rhyw feddwl newid ei bwnc o hanes i Astudiaethau Celtaidd ond roedd Ledbury wedi dwyn cryn berswâd arno i aros lle'r oedd, ac yn wir i droi'i sylw at brif ffrwd hanes Ewrop a pheidio â phoitsian â'r ymylol.

"Nid ar lethrau Eryri fydd tynged Ewrop yn cael ei phenderfynu," meddai Ledbury un tro. Serch hynny, roedd brwdfrydedd diffuant y bachgen yn apelio at natur oddefgar yr Athro, ac fe'i câi ei hun yn holi am hynt a helynt ei astudiaethau i'r Gymraeg a'i phethau. Ers haf y llynedd, bu Hugh yn llawn hanes yr ysgol fomio ac yn flin fod yr Athro Trevelyan o Gaergrawnt, un o hoelion wyth sefydliad hanesyddiaeth Lloegr, wedi taflu'i bwysau y tu ôl i'r ymgyrch yn erbyn sefydlu ysgol gyffelyb ar Ynys Iona, a bod yr ymgyrch honno wedi llwyddo i ddwyn y maen i'r wal a rhwystro pob datblygiad a hynny ar sail yr apêl at hanes. Pam na allai rhywun dylanwadol fel 'na weld y perygl i sylfeini treftadaeth Cymru yn achos Pen Llŷn?

Gwrandawodd Ledbury ar brotestiadau Hugh cyn gofyn y cwestiwn:

"'Dach chi ddim yn meddwl bod angen y pethau 'ma, er mor ddichwaeth ac anwaraidd ydyn nhw – i beri i bobol fel Herr Hitler feddwl ddwywaith cyn gwneud rhywbeth ffôl? Maen nhw'n sôn bod llu awyr yr Almaen bron cyn gryfed os nad yn gryfach na'r RAF erbyn hyn."

"Nid Herr Hitler sy'n 'u poeni nhw yn achos Llŷn. Beth bynnag, mae Herr Hitler wedi cynnig gwahardd bomio o'r awyr. Dydi o ddim eisiau gweld plant a gwragedd diniwed yn cael eu lladd. Mae o wedi dweud cymaint â hynny ar goedd. Na, eisiau codi braw ar y Gwyddelod maen nhw ym Mhen Llŷn..."

Chwarddodd Ledbury yn uchel a gallai Hugh glywed oglau'r wisgi ar ei anadl o'r ochr draw i'w ddesg lle eisteddai.

"'Dach chi'n meddwl hynny o ddifri?"

"Ydw."

"Wel, mae 'na ambell un fyddai ddim ots gen i weld bom yn glanio arno fo draw fan'na erbyn hyn. Yr hen de Valera 'na i ddechrau."

"De Valera yw un o arweinwyr disgleiria'r Gorllewin..." Gwgodd Ledbury.

"Arweinydd da o ddiawl! *That stuck-up little bollicks!*"

"Mae o'n helpu dod ag Eire allan o'r twll a grëwyd gan y Saeson..."

"Cau'r wlad i ffwrdd o weddill y byd mae o," torrodd Ledbury ar ei draws yn ffrom. "Yn troi cefn ar y byd – yn wleidyddol, yn economaidd, yn ddiwylliannol. Hugh bach, nid dyna'r ffordd ymlaen..."

Ysgydwodd Ledbury ei ben yn awr wrth weld y llanc yn troi'r gongl o'r golwg. Ofer fyddai dadlau ag ef. Traha'r to ifanc. Be wnaech chi? Yn ifanc maen nhw'n frwd ac yn barod a'r egni ganddynt i newid y byd beth bynnag fo'r gost, ond ddim o'r pwyll i weld y llwyd rhwng y du a'r gwyn. Hogyn dymunol iawn yn ei ffordd oedd Eldon-Hughes, ond bod eisiau tynnu'r cen Celtaidd 'ma o'i lygaid. Nawr 'te, meddyliodd, bydd yr Ilse fach 'na'n gneud andros o les iddo – iddo gael gweld beth sy'n bwysig yn y byd yma, a beth yw gwir ystyr erledigaeth a dadfreinio.

Roedd Ilse wedi dod ato y noson o'r blaen ac egluro iddo ei bod am geisio cysylltu â bachgen roedd wedi ymgyfeillachu ag ef y Pasg blaenorol ar ei gwyliau ym

München. Roedd yr Athro wrth ei fodd o glywed mai Hugh oedd yr hogyn dan sylw. Yn rhamantydd i'r carn, fel y mynnai, roedd y syniad y gallai ddod â'r ddau at ei gilydd yn ei gyffroi'n fawr. Un ddeallus oedd Ilse hefyd. Roedd ei Saesneg eisoes wedi gwella'n aruthrol ers y noson gynta. Mae'n siŵr pe bai hi'n mynd ati o ddifri fe allai gael hyd i ryw waith iddi yn y coleg, a phe bai'n briod â Hugh, wel fasa 'na ddim problemau hefo'r hen bapurau a fisas a ballu. Doedd Rhydychen yn llawn ffoaduriaid o Awstria a'r Almaen? Academwyr a gwyddonwyr o fri... bron nad oedd rhywun yn amau mai polisi bwriadol oedd hwn gan Lywodraeth Prydain i fanteisio ar eu cyfyngder er mwyn dwyn holl ddoniau Ewrop i Loegr fach. A, go daria, roedd o'n mynd yr un fath ag Eldon-Hughes rŵan a'i holl ddamcaniaethau am gynllwyn y Saeson. Ond roedd eisiau eu gwylio nhw hefyd.

Yn y llyfrgell, dadlapiodd Hugh y pecyn blêr. Er ceisio creu cyn lleied o sŵn ag y gallai, mynnai'r hen bapur llwyd gadw cymaint o stŵr nes bod sawl pen yn troi tuag ato a chafwyd ambell "Ust!" anniddig a olygai na allai fynd at gynnwys y parsel mor gyflym ag y dymunai. Yn y diwedd digon siomedig oedd y cynnwys hwnnw hefyd. Llawer iawn o hen bapur newydd budr wedi'u sgrwtsio'n beli mân. Yn ei siom bu bron i Hugh golli'r hyn y dymunai Hywel Wmffra iddo ei weld – copi o'r *Ddraig Goch* gyfredol. Roedd y papuryn eisoes wedi'i fyseddu a'i blygu droeon ac ni edrychai'n wahanol iawn i weddill y papurach o'i gwmpas. Roedd Hywel wedi marcio erthygl mewn inc gyda chroesau mawr, anghelfydd.

Erbyn hyn gallai Hugh ddarllen y Gymraeg yn ddigon rhwydd fel y gallai fynd ati'n syth i edrych ar yr erthygl a farciwyd yn y papur, anerchiad gan ddyn o'r enw Saunders

Lewis ar yr ysgol fomio. Roedd Hugh wedi clywed amdano ac wedi pori yn ei gyfrol *A School of Welsh Augustans*, ac roedd wedi clywed yr enw'n cael ei grybwyll ar fwy nag un achlysur gan rai o'r bobl a oedd ynghlwm â'r ymgyrch yn erbyn y safle.

Bu'r cyffro bron yn drech nag o. Dyma un o brif ladmeryddion diwylliannol Cymru'n adleisio popeth a deimlai yntau am yr ysgol felltith... *'Bydd sŵn bomiau'n ffrwydro a magnelau yn tanio a pheiriannau uffern yn rhuo yn ein clustiau fore a nos... Nid i ymosod ar fyddinoedd a llyngesoedd gelynion y paratoir yn bennaf yno. Prif nod yr awyr blaniau bomio yn y rhyfel nesa fydd dinasoedd mawr gwledydd y gelyn... gollwng i lawr allan o ddiogelwch yr awyr yr angau creulonaf ar wragedd a gwŷr diarf... Paham na chroesawyd awgrym Herr Hitler?... mae difodi cenedl y trychineb nesaf i ddifodi dynol-ryw...'* Oedodd wrth ddarllen y geiriau hynny ac aeth ysgryd drwyddo fel pe bai wedi'u darllen neu eu clywed o'r blaen rywle, neu ei fod wedi cael cipolwg ar bethau arswydus a oedd eto i ddod.

Darllenodd ac ailddarllenodd yr erthygl. Cynyddodd y cynnwrf y tu mewn iddo. O'r diwedd ni allai aros yn llonydd. Cododd ar ei draed gan fwrw'i gadair drosodd, pob pen wedi troi erbyn hyn, un o'r llyfrgellwyr yn anelu ato o gongl bellaf yr ystafell ddarllen. Stwffiodd Hugh y papur i'w boced gan gydio yn y ces lledr a orweddai heb ei agor wrth goes y bwrdd.

"Excuse me, sir..." dechreuodd y llyfrgellydd ar ei berorasiwn cystwyol ond roedd Hugh eisoes wedi cyrraedd y drws mawr trwm. Ar y drws roedd hysbysiad yn rhybuddio myfyrwyr i beidio â gadael iddo glepian. Rhy hwyr y cofiodd Hugh am hyn a dyma ergyd y drws yn cau gan ddiasbedain drwy'r adeilad – fel bom,

meddyliodd Hugh. Ai dyma sut sŵn sydd gan fom? Yn byddaru, yn dychryn, yn atalnod llawn, terfynol.

Rhaid oedd iddo fynd oddi yno rŵan hyn. Gadael Rhydychen; gadael Lloegr. Âi'n ôl i Blas y Morfa i wrthsefyll yr ymosodiad yma ar sancteiddrwydd ei gynefin. Roedd Ledbury yn anghywir. Roedd y frwydr am wareiddiad i'w hymladd a'i hennill ar gyrion Eryri, a thrwy aros lle'r oedd o, roedd yn cynorthwyo lluoedd y Fall. Tuthiodd ar hyd y strydoedd ac yn ôl i'w ystafelloedd a dechrau pacio.

10

"Pum munud yn rhagor. Mae'n siŵr y daw o…"

Symudodd James Ledbury yn anghyffordddus yn ei gadair, heb wybod beth i'w ddweud nesaf. Edrychai Ilse fry i gongl bella'i ystafell hirgul, hynafol ar glôb mawr ar ei ochr ar ben y cwpwrdd llyfrau. Gallai weld siâp cyfarwydd America'n lliw gwyrdd a Chanada'n binc tywyll ar ei phen hi. Cymaint well fyddai bod draw yno rŵan. Gallai gweddill y teulu ddod draw a dechrau bywyd newydd go-iawn yn hytrach na gorfod dioddef y limbo gwirion, llethol y câi ei hun ynddo ar hyn o bryd.

"Ydach chi wedi meddwl mwy am yrfa academaidd?" holodd Ledbury gan bori'n ddiamcan drwy lyfr trwchus yn Ffrangeg ar hanes Napoleon III ar y ddesg o'i flaen.

"Sut alla i ddod allan o'r sefyllfa dwi ynddi ar hyn o bryd? Dwi'n gorfod fy nghynnal fy hun a dwi ddim yn gallu chwilio am ddim byd amgenach na bod yn… yn… gaethforwyn, maddeued imi am ddweud, ond felly dwi'n teimlo. Dylwn i fod yn fwy diolchgar, mi wn…"

"Na, dim o gwbl," meddai Ledbury gan gau'r gyfrol ac edrych arni'n dosturiol.

"Mae 'na ffyrdd, 'dach chi'n gwbod." Pwysodd ymlaen. "Mi fedra i gael gair bach fan hyn a fan draw…"

"Eisiau mynd adra ydw i," meddai – neu i America, meddyliodd.

"Wrth gwrs, wrth gwrs," prysurodd Ledbury. "Ond mae'n edrych yn o ddu heddiw, on' tydi?"

"Pam?"

"Chlywsoch chi mo'r newydd?"

"Pa newydd?"

"Mae Herr Hitler wedi ailfeddiannu'r Rheinland. Mae rhai'n meddwl y gallai hi droi'n rhyfel cyn pen wythnos."

Trodd ymysgaroedd Ilse'n ddŵr.

Daeth cnoc wrth y drws. Llonnodd wyneb Ledbury yn syth.

"A! O'r diwedd. Dewch i mewn. Dewch i mewn."

Agorwyd y drws a throdd Ilse ei phen i weld porthor oedrannus, unllygeidiog yn tuchan ar y trothwy.

Ciliodd y wên o wyneb yr Athro.

"Mr Ansell! Ro'n i'n disgwyl..."

"Y *gentleman* ifanc o Gymru, syr. Dwi'n gwbod. Mae o wedi gadael neges."

Herciodd Ansell at y ddesg, gan giledrych drwy'i lygad iach ar Ilse a eisteddai gyferbyn â'r Athro gan fwmian rhyw air o ymddiheuriad wrthi.

Darllenodd Ledbury y nodyn gan hisian yn ddiamynedd rhwng ei ddannedd.

"Does dim ateb, Ansell. Diolch yn fawr i chi."

Trodd Ansell ar ei sawdl a chan ymgrymu'i ben ryw fymryn i gyfeiriad Ilse, aeth o'r ystafell.

"Wel," meddai Ledbury gan godi ar ei draed. "Fydd o ddim yn dod."

"Pwy?" Cododd Ilse ar ei thraed hithau, ei hamynedd wedi pallu'n llwyr. "Athro Ledbury. Beth yw ystyr y gêm yma?" Er bod ei meistrolaeth ar y Saesneg yn gwella bob dydd, daliai i fynegi'i hun yn blwmp ac yn blaen braidd – ac ar brydiau roedd hynny'n gaffaeliad.

"O, dwi ddim yn chwarae gêmau... wel, dim rhai dichellgar beth bynnag. Y gwir amdani, Ilse, yw pan oeddet ti'n fy holi'r noson o'r blaen am Hugh Eldon-

Hughes, wnes i ymatal rhag sôn fy mod i'n diwtor iddo er mwyn imi drefnu syrpreis bach i chi fan hyn prynhawn yma."

"Chi… yn diwtor i Hugh?"

"Er fy mhechodau, ie."

"Wel, lle mae o? Dywedwch wrtha i lle mae o'n byw fel y galla i fynd ato yn hytrach na gwastraffu mwy o'r unig brynhawn rhydd sydd gen i." Roedd braw y newydd am y Rheinland a'i rhwystredigaeth wrth gael ei thrin fel plentyn wedi rhoi min digamsyniol i'w llais.

Gwelodd Ledbury fod y ferch wedi'i chynhyrfu. Roedd ei llais yn groch ac ofnai y byddai rhywun yn clywed o'r coridor y tu allan. Doedd Ledbury ddim yn hoffi pobl a droai at weiddi'n syth – fel y gwnâi Kitty pan na châi ei ffordd ei hun.

"Yn ôl y nodyn bach yr wyf newydd 'i gael ganddo, mae o ar ei ffordd yn ôl i Gymru."

"Cymru? Sut mae mynd i'r Gymru yma?"

"Wel, ym… ar y trên mae Hugh yn bwriadu mynd."

"O Rydychen?"

"O Rydychen."

"Dwi'n mynd i'r orsaf, 'te."

Ac allan â hi drwy'r drws cyn bod Ledbury yn gallu dweud dim i'w rhwystro, gan ddal Ansell fel chwilen yn sythu o'i gwrcwd ger y drws.

Ysgydwodd yr Athro ei ben ac aileistedd y tu ôl i'w ddesg. Agorodd ddrôr a thynnu potel o Bushmils a gwydryn bach crisial ohoni. Tywalltodd fesur nobl o'r hylif ambr i'r crisial; dychwelodd y botel i'r ddrôr. Daliodd y ddiod yn uchel yn erbyn golau'r lamp ar ei ddesg cyn llowcio'i hanner. Caeodd ei lygaid wrth i ias y wisgi frathu'i lwnc a'i fol, a gosod y gwydryn ar y ddesg. Cododd nodyn Hugh a'i ailddarllen.

Annwyl Athro,

Maddeued imi am beidio â dod i'ch gweld y prynhawn yma. Ni fwriedir unrhyw amharch ac ymddiheuraf am unrhyw anghyfleustra y mae fy ngweithredoedd yn eu hachosi.

Ni chredaf fy mod wedi fy ngeni i fod yn fyfyriwr yn Rhydychen. Er fe ddichon y bydd hyn yn destun cryn ddifyrrwch ichwi, mi wn i bellach mai yng Nghymru dwi eisiau bod. Y fan honno yw santwar fy enaid ac yn awr ei hangen ni ddylwn i fod yn gogordroi ym mhrifddinas dysg y genedl sy'n achosi ei gwae.

Mi ysgrifennaf atoch mor fuan ag y caf gyfle.

Yr eiddoch

Hugh Eldon-Hughes

Ar gyfandir Ewrop roedd milwyr gleision Ffrainc a milwyr llwydion y *Reichswehr* yn wynebu'i gilydd dros rannau ucha afon Rhein am y tro cyntaf er 1871. Roedd Cytundeb Locarno'n ddeilchion. Rhyfel biau hi rŵan, meddai'r pesimistiaid. Ond doedd dim sôn am y Ffrancwyr yn rhuthro i'r gad. Dim eto, beth bynnag. Ymddangosai fod Herr Hitler yn mynd â hi unwaith eto.

Ochneidiodd Ledbury a gwagio'i wydryn.

Pan adawodd Ilse ystafell yr Athro Ledbury, teimlai fel pe bai'r gors anobaith y bu'n ymlafnio drwyddi ers canol yr haf diwethaf, yn dechrau ymestyn i bob cyfeiriad o'i chwmpas nes bod pob nod cyfarwydd wedi cilio o'r golwg. Wrth iddi hanner rhedeg i lawr Stryd Siôr tuag at y bont dros afon Tafwys, teimlodd am y tro cynta ers hydoedd donnen o ddagrau'n dechrau gorlifo, wedi'u dal yn ôl a'u cronni o ddydd i ddydd ac o wythnos i wythnos, ac erbyn iddi gyrraedd yr ochr draw i'r bont roedd hi'n igian wylo, yn methu â rheoli'r beichiadau torcalonnus rhag brigo. Arafodd ei cherddediad a chamodd i lwybr bach a arweiniai oddi ar y stryd a gadael i'r dagrau redeg yn ddirwystr dros ei hwyneb nes diferu oddi ar ei gên, ei phen yn erbyn plastr anwastad hen adeilad du-a-gwyn. Llosgai'r dŵr hallt y craciau yn ei gwefusau a achoswyd gan yr oerni. Roedd croen ei dwylo a'i gwddf wedi mynd yn llidiog ofnadwy dros yr wythnosau diwethaf gan hagru cynhesrwydd arferol ei phryd a'i gwedd.

Roedd y ffaith fod yr Athro Ledbury wedi swnio'n obeithiol y byddai'n llwyddo i gael hyd i Hugh wedi codi'i chalon yn aruthrol; rhyw lygedyn o gyffro yng nghanol llwydni dienaid ei hamgylchiadau. Ond roedd y siom na fyddai'n gweld Hugh ynghyd â'r ffordd roedd James Ledbury heb fod yn gwbwl eirwir hefo hi, yn peri loes mawr iddi, er nad oedd unrhyw ddichell amlwg yn ei gymhellion wrth wneud.

Ond bu ysbryd Ilse yn gwanio ers tipyn. Er iddi ysgrifennu adref yn syth ar ôl cyrraedd Lloegr, nid oedd hi eto wedi clywed yr un gair o'r Almaen. Roedd hi'n dechrau amau bod gwraig Ledbury yn cuddiad llythyrau rhagddi, yn eu hagor ac yn eu darllen. Cadarnhau'r amheuon hyn wnaeth y gêm wirion roedd Ledbury wedi'i chwarae y prynhawn 'ma. Doedd ganddi yr un iot o ffydd yn y naill na'r llall erbyn hyn. Roedd Kitty yn hen jadan ddauwynebog; ac, yn raddol, daeth i sylweddoli mai hen lysh eitha didoreth oedd yr Athro ei hun, er, yn ôl pob golwg, cymaint yn fwy hynaws na'i wraig. Pe bai ond wedi cysylltu â Hugh yn syth...

Ond erbyn hyn roedd yn ymddangos fod hwnnw hefyd yn cefnu arni ac yn ei gadael hi'n llwyr amddifad yn awr ei hangen, a hithau ar fin boddi mewn eigion o unigrwydd.

Yn sydyn, teimlodd gyffyrddiad bach ysgafn ar ei braich.

"Wyt ti'n iawn, cariad?"

Saesnes fechan mewn côt werdd a het fach gron yn ei phum degau oedd yn siarad.

Ymsadiodd yn syth.

"O, *ja, ja*. Dwi'n hollol iawn. Ychydig dan deimlad. Dim byd mawr. Diolch yn fawr i chi."

"'Chi ddim o ffor' hyn, nag ydach?"

"Na. Dwi'n dod o'r Almaen."

"Ydach chi yn y Brifysgol?"

"Ydw," meddai Ilse cyn sylweddoli. Roedd pawb arall yn chwarae gêmau. Gallai hi eu chwarae cystal â neb.

"Druan bach. Chi'n 'u colli nhw gartre, siŵr o fod."

"*Ja...*" Sgubodd pwl arall o grio drosti.

"Cariad bach," meddai'r ddynes ddiarth gan roi'i braich amdani'n syth. "Ylwch, dwi'n mynd yn ôl i'r tŷ rŵan, pam na ddewch chi hefo fi am baned fach?"

Ni allai Ilse ateb. Gafaelodd yn y ddynes fel pe bai ei bywyd yn dibynnu arni ac yn ara deg gadawodd i'w chamre gael ei dywys ganddi yn ôl i gyfeiriad y bont roedd hi newydd ei chroesi.

Wrth iddi ddechrau symud, llwyddodd unwaith yn rhagor i'w rheoli ei hun ac atal y dagrau. Rhoes ei braich ar ysgwydd y llall i'w rhwystro rhag mynd â hi ymhellach.

"Diolch o galon... Diolch... ond..."

Ac yna fe'i gwelodd yn cerdded yn benderfynol yr ochr draw i'r ffordd yn anelu am yr orsaf fel trên stêm ei hun.

"Hugh!" gwaeddodd, ond cipiwyd ei geiriau gan fws yn rhuo heibio.

"Peidiwch â chroesi rŵan! Peidiwch..."

Clywodd Hugh sgrech y teiars a chipiodd dros ei ysgwydd mewn pryd i weld y Model T yn sglefrio a stopio'n stond, ond dim cyn bwrw menyw ifanc oddi ar ei thraed ar yr ochr draw i'r ffordd. Oedodd ac edrych ar ei wats. Roedd ganddo ddeng munud go lew o hyd. Hwyrach y gallai helpu. Croesodd y ffordd a mynd draw at y fan lle'r ymgasglai torf fechan o bobl.

11

'...*the speakers were unable to obtain a hearing and "God
Save the King" and "Britons never shall be Slaves" were
sung while the leaders were vainly trying to make themselves
heard...*'

Brithai heulwen diwedd Mai dudalennau'r *Sunday
Times*. Roedd Hugh wedi taenu'r papur dros gefn noeth
Ilse. Roedd y tamprwydd ar ôl ei throchiad yn yr afon yn
treiddio drwyddo yma a thraw fel briwiau'n gwaedu.
Gorweddai ar y glaswellt, ei breichiau'n clustogi'i phen a
oedd wedi troi oddi wrth Hugh, ei gwallt yn ysgub wleb a
ffrydiai'n dduloyw dros ei chroen mêl tywyll.

Cododd y geiriau, a ddisgrifiai gyfarfod protest mawr
ym Mhwllheli yn erbyn yr ysgol fomio, bwys sydyn arno;
pigiad annisgwyl rhywle rhwng euogrwydd ac ofn. Diferai
dŵr oddi ar ei dalcen ar draws y print a gwthiodd ei wallt
yn ôl gan droi'i wyneb tuag at yr haul. Caeodd ei lygaid a
gadael i'w wres olchi drosto. Am y tro cyntaf ers
wythnosau, daliodd yn llun ei feddwl gip ar arfordir Llŷn
– llesmair asur y môr, aur melog yr eithin, y clytwaith
caeau'n ymrolio o orwel i orwel, blas yr heli yn gymysg
â'r pridd...

Ailagorodd ei lygaid ac edrych o'i gwmpas. Roedd y wlad
hon hefyd yn ei lifrai harddaf y dyddiau hyn. Ffurfiai afon
Cherwell bwll dwfn mewn dolen yng nghysgod y coed
fan hyn. Roedd Ilse a Hugh wedi dod allan o'r dre yn
gynnar gyda'r bwriad o gerdded o Kidlington cyn belled

â hen eglwys Hampton Gay ger prif lein y GWR, ond nid oeddent wedi mynd ymhellach na'r fangre wynfydus hon.

Ymestynnai canghennau derwen afrosgo dros y pwll yn yr afon ac roedd rhywun wedi gweld yn dda i glymu rhaff am y gangen braffaf fel y gellid ymhyrddio i'r awyr uwchlaw'r dyfroedd gwyrdd-winau gan ddisgyn i'w man dyfnaf.

Roeddent wedi ymdrochi a chyd-orwedd ac ymdrochi drachefn, ac erbyn hyn cysgai Ilse yn yr haul tra darllenai Hugh y papur.

Syllai ar y golau llachar chwilfriw ar y dŵr. Bu'n byw y ddeufis diwethaf yn hapus braf mewn ffordd ddigon afreal, yn ddall ac yn fyddar i'r byd mawr o'i gwmpas – cwmni Ilse'n diwallu ei holl anghenion. Ac eto y bore yma, yn huddyg i'r botes, wrth ddarllen am y datblygiadau yn Llŷn, roedd fel pe bai rhyw gloc larwm wedi canu yn ei ben i'w ddeffro o'i swyn-gwsg a pheri iddo sylweddoli na allai fyw fel hyn am byth. Yn sydyn, teimlai'n swrth ac yn annifyr.

Rywle uwch ei ben gallai glywed sŵn awyren yn codi o'r maes awyr gerllaw. Edrychodd i fyny a gweld yr haul yn sgleinio ar y trychfil bach arian wrth iddo dreiddio'r glesni diderfyn. Teimlodd bigiad arall; cenfigen y tro hwn. Dyna lle y dymunai yntau fod, yn uchel, yn rhydd o'r ddaear a'i helbulon, yn rhydd i lywio'i lwybr drwy'r awyr fel y mynnai, yn rhydd hyd yn oed o Ilse...

Dychrynodd. Y fath ryfyg? Sut allai'i deimladau bendilio mor sydyn? Edrychodd ar y ferch ar ei hyd yn y glaswellt. Beth fyddai pen draw hyn oll? Glân briodas? Byw yn Rhydychen neu ryw bentref bach cyfagos? Neu Ilse yn dod yn ôl i Lŷn? Ilse yn dygymod â'i dad... a Selwyn... neu Blodwen Elias... neu Hywel Wmffra hyd yn oed! Ni allai weld yr Almaenes yn ymgartrefu'n dwt yng nghanol pobol a phethau Llŷn. Rhuthrai meddyliau Hugh driphlith-draphlith fel teilchion y golau ar y dŵr, gyda phob cwestiwn a godai yn ei ben yn dwysáu'i ansicrwydd am ei sefyllfa bresennol.

Tybiodd am ennyd iddo glywed lleisiau'n chwerthin yn y pellter ac edrychodd yn bryderus ar hyd y llwybr. Ni allai weld neb, ond erbyn hyn roedd wedi mynd yn ymwybodol iawn o'u noethni. Cododd ar ei draed ac ymestyn am ei ddillad.

Torrodd ei symudiad ar hepian Ilse a throdd ei phen i edrych arno drwy gil ei llygad. Pan welodd ei fod yn gwisgo amdano, cododd ei hun ar ei phenelin.

"Wyt ti'n oer?"

"Na. Ond mi allai rhywun ein gweld ni, hwyrach. Mae tipyn o bobl yn cerdded ffordd hyn ddydd Sul."

Cododd Ilse ar ei heistedd a throi i wynebu'r afon. Roedd cael y gwres tanbaid ar ei chorff ar ôl fferru drwy'r gaeaf yn adferol iawn, pelydrau'r haul yn tylino'r cyhyrau a ddaliwyd yn dynn gyhyd dan bwysau'i gofid. Dros yr wythnosau diwethaf, roedd hi'n ymwybodol bod ei phryderon yn llacio ryw ychydig a'i gobeithion yn cael eu hatgyfnerthu. Chwaraeai â bys bawd ei throed chwith gan geisio cael gwared â'r gro a'r llaid o waelod yr afon a oedd wedi ymgasglu rhyngddo a'r bys nesaf ato. Mor anodd oedd cysoni'r lleoliad a'r tywydd gogoneddus â'r cysgodion parhaol yn ei chalon.

Bu cyfarfod â Hugh yn ollyngdod mawr iddi. Pan welodd ei wyneb yn sbio drwy'r dorf a ymgasglai o'i chwmpas ar ôl iddi gael ei bwrw gan y car, dyna oedd yr wyneb harddaf a mwyaf derbyniol a welsai erioed, ac roedd hi wrth ei bodd â'r olwg o ryfeddod a'r pleser amlwg a lifodd drosto pan sylweddolodd Hugh pwy yn union oedd yn gorwedd ar y stryd.

Doedd hi ddim wedi brifo. Prin bod y car wedi cyffwrdd â'i phenelin, a baglu ddaru hi yn hytrach na chael ei bwrw i lawr fel y cyfryw. Roedd gyrrwr y car yn flin ac yn ddiamynedd; y ddynes ddiarth yn twt-twtian a chôr o leisiau yn gofyn "pwy ydi hi?" a chwestiynau cyffelyb. Roedd Ilse wedi gallu teimlo'r awydd i sgrechian a sgrechian a sgrechian yn chwyddo y tu mewn iddi. Yna, gwelodd Hugh a chiliodd y panig.

"Mi ofala i amdani hi," meddai Hugh.

"Ydach chi'n ei nabod hi?" gofynnodd y ddynes garedig yn wyliadwrus.

"O ydi, ydi," gwaeddodd Ilse, a oedd wedi codi ar ei thraed erbyn hyn, yn methu â chuddio'i llawenydd gan wthio ei ffordd drwy'r dorf at Hugh a thaflu'i breichiau amdano. Tawelodd murmur y lleisiau a dechreuodd y dorf ymdoddi i'r gwyll. O weld bod Ilse bellach yng nghhwmni dyn, rhoes y dreifar y gorau i'w holl edliw a dwrdio a gyrrodd ymaith dros y bont. Edrychodd Hugh tua'r orsaf ac yna rhoes ei gês i lawr gan gofleidio Ilse'n dynn ac yn frawdol.

Aethant i barlwr te gerllaw, lle bach cyfyng ag oglau cathod yn drwm drwyddo. Archebodd Hugh de a *teacake* yr un – heb ofyn i Ilse beth roedd hi ei eisiau. Ond doedd hynny ddim yn ei phoeni heddiw. Braf oedd cael rhywun arall i wneud penderfyniadau, pa mor ddibwys bynnag, ar ôl yr holl amser o orfod dal y pwysau i gyd.

"Ond be ydach chi'n 'i neud yma?"

"Mi ddywedais i wrthoch chi. Ffoi ydw i."

"Ffoi? Rhag pwy? Gawsoch chi fy llythyrau?"

"Dwi'n poeni'n arw am fy nheulu ac mae Hitler wedi mynd i mewn i'r Rheinland."

Am funud neu ddau bu'n ddryswch llwyr rhyngddynt, ond yn raddol cliriodd y dyfroedd, cyrhaeddodd y te a dechreusant ill dau ymlacio. Ond daliai Hugh i gipio ar y cloc ar y wal a'i gymharu â'r amser a ddangosai ei wats.

"Be sy'n bod? Pam ydach chi'n edrych ar yr amser o hyd?"

"O – dim rheswm," meddai Hugh yn anghyfforddus. Yna, cydiodd yn ei dwylo, ei fysedd hirion yn gorchuddio ei rhai hi'n llwyr.

"Ilse. Dewch hefo fi."

"Dod? I ble? Ble 'dach chi'n mynd?"

"I Ben Llŷn. I Gymru. Mi fyddech wrth eich bodd yno."

"Dwi ddim yn gwbod am ryw Gymru. Beth yw'r Gymru yma?"

"Y wlad hardda yn y byd… ac mae'n rhaid i ni ei hachub hi."

"Ei hachub? Dwi ddim yn eich deall. Rhag pwy?"

Doedd dim amser iddo egluro, meddai. Byddai'r trên ola heno'n gadael ymhen hanner awr. Pe baent yn mynd yn awr, erbyn hanner nos byddent yn gallu cerdded yn sŵn y tonnau ar y traeth dan olau lleuad Llŷn.

Suddodd calon Ilse. Doedd hwn ddim yn deall ei sefyllfa. Eisiau rhyw sefydlogrwydd roedd hi, rhywun i fod yn gefn ac yn gyfaill iddi, dim dechrau ar ryw antur newydd ar drywydd rhyw freuddwydiwr hanner pan. Yn sydyn, teimlai *Holywell House* â'i holl reolau pitw a'i naws lwydaidd, gaethiwus, yn gartrefol braf, o'i gymharu â'r cynlluniau-glöyn-byw yma.

"Dwi'n gadael y coleg. Dwi'n mynd yn ôl i amddiffyn fy ngwlad a'm hetifeddiaeth."

"Wel, dwi ddim yn mynd i unman," meddai Ilse'n swta derfynol, gan lowcio'i *teacake*, ei gruddiau'n gwrido ychydig.

Am rai eiliadau bu Hugh yn edrych ar y lliain *gingham*. Yna, cododd ei ben a gwenu go-iawn arni am y tro cyntaf ers iddynt gyfarfod y prynhawn hwnnw. Gwên hardd a hapus.

"Na fi chwaith, cofiwch."

12

Ond nid dyma ddechrau'r garwriaeth a ddychmygwyd gan Hugh yn ystod y misoedd hynny pan oedd wedi hiraethu mor arw am aduno ag Ilse. Wrth iddynt ysgwyd llaw'n ffurfiol ac yn ddidaro bron y noson honno gan ymbaratoi i fynd eu ffyrdd gwahanol, roedd y ddau mewn cryn benbleth ynglŷn ag union natur eu teimladau.

Rhyddhad oedd teimlad pennaf Ilse, ei bod wedi darganfod o leiaf un cysylltiad â'i bywyd cyn glanio yn Lloegr, pa mor denau bynnag oedd y cysylltiad hwnnw. O leia gallai fod yn weddol sicr y byddai Hugh yn gefn iddi yn hirlwm ei halltudiaeth. Ymhellach na hynny, doedd ganddi mo'r nerth i ddyfalu beth allai ddigwydd. Yn sicr, doedd o ddim byd yn debyg i ryw arwr rhamantus ar gefn ceffyl gwyn; rhywbeth tebyg i oleudy ar noson stormus efallai – yn gyson ac yn sefydlog. Ond a oedd y golau yn y man cywir, neu a fyddai'n cael ei hudo i ddifancoll ar y creigiau? Yn awr, wrth aros am y bws yn ôl i *Holywell House*, ofnai na allai'r llanc trwsgwl, breuddwydiol hwn gynnig fawr o waredigaeth iddi mewn gwirionedd.

Sleifiodd Hugh yn ôl i'w dŷ lodjin yn Stryd Sant Ioan, gan geisio osgoi tynnu sylw'r lletywraig, actores gyfoethog o dras Eidalaidd a dueddai i greu drama o'r gyfathrach symlaf â'i lletywyr.

Roedd ei feddwl fel crochan berw. Nid oedd y ferch ifanc, estron ei gwedd yng ngwyll y prynhawn ar ei hyd ar ochr y ffordd, yn ei gynhyrfu fel y gwnaeth y fenyw ifanc soffistigedig, siriol a'i hudodd ar hyd strydoedd München y llynedd. Yn y fan honno, roedd hi wedi llwyddo i danio'i holl synhwyrau a'i gyffroi fel na fedrodd gysgu na chanolbwyntio'n iawn am fisoedd. Ac er iddo brofi rhyw wefr o wybod ei bod bellach o fewn ei gyrraedd, ac yntau, er mawr cywilydd iddo erbyn hyn, wedi gofyn iddi ddod i Gymru hefo fo, nid oedd ei deimladau am Ilse Meyer mor ddiamwys ag y tybiai gynt.

Roeddent wedi trefnu cyfarfod yn yr un lle, yr un pryd yr wythnos ganlynol, ond eisoes doedd Hugh ddim yn siŵr a fyddai'n cadw'r oed.

Nid ar Ilse yn unig y troellai ei feddyliau'r noson honno. Gorweddai ar ei wely, gan edrych ar y cês canfas a baciwyd ganddo mor frysiog ar ddechrau'r prynhawn. Beth ddywedai wrth Ledbury rŵan? A allai ailgydio yn ei fwriad i ddychwelyd i Gymru? Erbyn hyn, roedd o'n dechrau poeni ychydig am ymateb ei dad pe bai'n glanio ar riniog Plas y Morfa gan ddatgan ei fod wedi rhoi'r gorau i astudio ac yn bwriadu ymuno â rhengoedd y Cenedlaetholwyr i ddiogelu harddwch a threftadaeth Pen Llŷn a'r genedl Gymreig. Roeddent eisoes wedi ffraeo'n arw ynglŷn â'r mater ac yn wir heb siarad ers y Nadolig.

Tybed a oedd Ledbury wedi bod mewn cysylltiad â'i dad eto? Pethau felly oedd yn ei boeni fwya wrth iddo lithro i gwsg difreuddwyd.

Erbyn cyrraedd yr honglad digroeso a oedd yn gartref iddi, roedd pwys mawr wedi codi ar stumog Ilse eto. Doedd ganddi ddim awydd baglu drwy'r tywyllwch at y drws cefn fel yr oedd i fod i'w wneud – un o fyrdd reolau Kitty – a phenderfynodd fentro drwy'r drws ffrynt. Diolch i'r drefn roedd y drws hwnnw'n agored a llithrodd drwyddo'n ddi-stŵr. Caeodd ef yn ofalus ar ei hôl, yr oglau annosbarthus, hynafol a lenwai'r tŷ bob amser yn rhuthro i gwrdd â hi wrth iddi ddechrau ar ei ffordd i lawr y cyntedd hir.

O'r ystafell fyw i'r chwith, gallai glywed lleisiau wedi'u codi mewn ffrae – *basso profundo* James Ledbury a chywair cras, undonog Kitty yn ymryson â'i gilydd. Ceisiodd Ilse gau'i chlustiau i'r dwrdio. Roedd yr ymgecru parhaus yn ei haflonyddu. Doedd hi ddim yn gyfarwydd â'r math yna o ffraeo rhwng gŵr a gwraig. Byddai ei mam a'i thad bob amser yn siarad yn barchus ac yn gariadlon â'i gilydd ac â'u plant; yr aelwyd bob amser yn lle diogel a digyffro. Yn naturiol, gallai hyn fod yn glawstroffobig weithiau i ysbryd gwrthryfelgar Ilse, ond heno dyheai am y sicrwydd amhrisiadwy a nodweddai'i bywyd tan yn ddiweddar.

Roedd hi bron wedi cyrraedd y drws drwodd i'r gegin ar ddiwedd y cyntedd pan glywodd ddrws yr ystafell fyw'n agor, a daeth Kitty fel storom drwyddo.

"Basach. Mi wn y basach, y llipryn da-i-ddim!" ergydiodd i gyfeiriad ei gŵr anweladwy. Yna, gwelodd Ilse.

"A be wyt ti isio? Wyt ti wedi dod drwy'r drws ffrynt ar ôl yr holl dwi wedi'i bregethu?"

Brasgamodd tuag at Ilse, yn fawr ac yn ffrom.

"Mi oedd hi'n rhy dywyll i fynd rownd y cefn, Mrs Ledbury," dechreuodd Ilse, wedi'i dychryn gan yr olwg fileinig ar wyneb y Saesnes.

"Does dim taten o ots gen i am hynna, fy merch fach i. Y drws cefn ydi dy le di. A thra dy fod ti'n cardota dan do fy nhŷ i, mi fyddi di'n cadw at yr hyn dwi'n 'i ddeud wrthat ti. Wyt ti'n dallt?" Edrychodd ar y cloc mawr a safai hanner y ffordd i lawr y cyntedd.

"A pha amser ydi hwn i ddod yn ôl beth bynnag? Lle

wyt ti wedi bod hyd rŵan? Yn hudo dynion yn y dre, mwn. Dyna briod waith merched Iddewig, meddan nhw wrtha i."

Ni ddywedodd Ilse yr un gair. Doedd y sen am ei thras yn ddim byd o'i gymharu â'r ofn a deimlai rhag i hon ddechrau ei bwrw. Ond erbyn hyn roedd yr Athro Ledbury ar ei draed ac wedi ymddangos yn nrws yr ystafell fyw, a golwg go simsan arno.

"Cau dy geg, ddynes! Does gen ti ddim hawl i liwied fel 'na!"

Doedd Ilse erioed wedi gweld Ledbury mor feddw, ei wallt cringoch yn flêr, coler ei grys yn agored a'i fresys yn fflapian yn rhydd am ei goesau. Dwysaodd ei dychryn a chiliodd tuag at ddrws y gegin.

"Paid ti â deud wrtha i be ga i ei ddeud a be na cha i, y Padi bach pathetig!"

"Nid Padi ydi fy enw i, y ffiflen ddiawl!"

Ac wrth i'r ffrae ymboethi o'r newydd, llwyddodd Ilse i fynd drwy'r drws i'r gegin a'i gau ar ei hôl. Pwysodd arno yn y tywyllwch, ond ni ddaeth neb ato. Dal i ddifenwi ac edliw tras ei gilydd a wnâi James a Kitty, heb fawr o ddiddordeb ynddi hi. Clywodd lais Kitty yn dringo'r grisiau a James yn gweiddi ar ei hôl.

"Paid â gwastraffu fy amser, yr harpi diserch!"

Yna caeodd drws yr ystafell fyw yn glep. Am ychydig clywai gamau anniddig Kitty ar y grisiau ac wedyn drws ei llofft yn clepian cyn i ddistawrwydd deyrnasu o'r diwedd.

Gollyngodd Ilse ochenaid hir a chau'i llygaid. Nofiai'i phen ac roedd swigod ar ei sodlau ar ôl y daith gerdded o'r pentre agosa gan na ddeuai'r bws heibio i'r tŷ ar ôl iddi dywyllu yn y gaeaf. Symudodd at y swits trydan. Ar ôl ymgyfarwyddo â'r golau pŵl o'r bylb isel a hongiai yn ddigysgod uwchben bwrdd y gegin, gwelodd fod yna lythyr yn ei haros.

Llamodd ei chalon wrth adnabod llawysgrifen ddestlus ei chwaer, Suzanne, ac fe'i cododd oddi ar y bwrdd, tonnau o ryddhad a chyffro'n ffrwtian yn ei bol. Roedd yr amlen wedi'i chrychu'n arw fel pe bai wedi'i sgrwtsian yn belen a'i thaflu ymaith. Hefyd, roedd rhywun wedi'i hagor a'i hailselio. I ddechrau, ar Kitty y syrthiodd y bai ym meddwl Ilse, ond wedyn gwelodd stamp yr eryr a'r swastica rhwng ei grafangau ac fe wyddai fod sensoriaid y gwasanaethau cudd Natsïaidd siŵr o fod wedi bod wrthi'n poitsian yn ei gynnwys. Ni fyddai'n syndod beth bynnag os nad Kitty fu'n gyfrifol am ei sgrwtsian mor ddiseremoni a synnai hi ddim chwaith nad James fyddai wedi'i achub o ryw fin sbwriel rhag cael ei ddistrywio.

Penderfynodd fynd yn syth i'r gwely i'w ddarllen gan adael y tasgau a oedd yn weddill iddi tan y bore.

Rhyw gymysgfa o newyddion drwg a llai drwg oedd yn y llythyr. Bu Ilse yn falch o ddarllen fod ei llythyrau hithau wedi cyrraedd, a bod pawb o hyd ar dir y byw ac yn holliach. Yn ôl Suzanne, dal i ffoi a wnâi fwyfwy o'u hen gymuned ac roedd eu rhieni wedi gadael Hamburg a mynd i Fiena lle'r oedd ganddynt sawl perthynas. Dylai Ilse glywed ganddynt cyn bo hir. Bu pethau'n anodd iawn am sbel ac ambell noson bu'n rhaid iddynt deithio ar dramiau'r ddinas drwy'r nos er mwyn osgoi cael eu dal pan fyddai'r Natsïaid yn mynd drwy'u campau'n lleol. Yn ffodus caent eu rhybuddio yn amlach na heb gan hen gwsmer a oedd yn aelod selog o'r Blaid.

Roedd Suzanne yn falch eu bod wedi penderfynu gadael yr Almaen ond ofnai fod gwrth-Iddewiaeth yr un mor rhemp yn Awstria ag yr oedd yn yr Almaen a gwlad Pwyl a rhannau o Ffrainc. Hen ffrindiau i'w tad, y teulu Wolzow, oedd yn gofalu am y fflat iddynt. Doedden nhw ddim yn Iddewon, wrth gwrs.

Disgrifiodd ei chwaer sut y gwaethygai sefyllfa'r Iddewon o ddydd i ddydd, a'r problemau a wynebai ei phlant er nad Iddew oedd eu tad. Yn ôl y Gyfraith i Ddiogelu Gwaed Almaenig ac Anrhydedd Almaenig a basiwyd ar ddiwedd 1935, roedd priodas rhwng Iddewon a dinasyddion Almaenig neu'r rheini o waed cytras yn waharddedig. Roedd hyd yn oed priodasau a wnaethpwyd dramor yn anghyfreithlon.

Felly, meddyliodd Ilse, hyd yn oed taswn i'n priodi â Sais, allwn i fyth fynd ag ef adref i'r Almaen. Eisoes, bu mab hynaf Suzanne yn dioddef yn ei ysgol lle'r oedd y plant hŷn wedi ymosod arno gan dynnu'i drowsus i weld a oedd wedi'i enwaedu ai peidio. Yn ôl y gyfraith roedd yn rhaid i blant Iddewig adael ysgolion y wladwriaeth a mynd i'w hysgolion eu hunain. Erbyn hyn, roeddent yn ystyried o ddifri y posibilrwydd o yrru'r plant dramor. A oedd yna ysgolion neis yn Lloegr, gofynnai?

"... Dwi'n deffro yn y bore gan ofyn yr un cwestiwn. A yw'r byd wedi mynd yn wallgof? O ble daeth hyn i gyd mor sydyn? Wyt ti'n cofio unrhyw fath o elyniaeth yn yr ysgol erioed? Dwi ddim. Ambell sylw, efallai. Ond dim fel arall. A phwy oedd ein ffrindiau? Roedd gynnon ni lawn cymaint o ffrindia ymysg pobol nad oedd yn Iddewon â phobol oedd yn Iddewon – ac mae ein hen ffrindia nad ydynt yn Iddewon i gyd yn gweld hyn yn wallgof. Ac eithrio Herr Doktor Schacht. Ti'n cofio hwnnw? Tad Uschi. Oedd gen ti grysh go hegar arno fo os cofia i'n iawn? Wel, mae hwnnw wedi mynd dros ben llestri. Ti'n

cofio'i fab, Gerd? Wel, torrodd ei ddyweddïad â Sara Steinmann ryw fis yn ôl – oherwydd ei bod yn Iddewes. Mae'n gwbwl ddisynnwyr. Yr Almaen yw ein mamwlad; yr Almaeneg yw ein hiaith. Nyni, yr Iddewon, fu'n cynnal diwylliant a gwyddoniaeth yr Almaen ers cenedlaethau. Wsti be? Dim ond yn awr dwi'n dechrau sylweddoli fy mod i'n Iddewes go-iawn; rŵan ein bod ni'n gorfod closio at ein gilydd mae rhywun yn cael cysur o'r hen ganeuon..."

Diweddai ei llythyr drwy fynegi'i harswyd ac anobaith llwyr ynglŷn â'r dyfodol, a diffoddodd Ilse y golau â'i hysbryd ar chwâl, yn ei chysuro ei hun bod ei theulu'n iawn ond yn gresynu wrth feddwl am ofnadwyaeth yr hyn a ddigwyddai.

Rhaid ei bod wedi cysgu o'r diwedd a bu'n breuddwydio am sbel – rhywbeth am fabi newydd o eiddo ei chwaer, yn hedfan drwy'r ffenest a phawb o'i theulu'n ei wylio'n codi i'r entrychion. A daeth milwyr i'w saethu o'r awyr. Powns! Powns!... a dyna hi yn effro a rhywun yn tapio ar ddrws ei hystafell.

"*Wer ist da?*"

"Dim ond fi... James."

"O... beth ydach chi ei eisiau, *Herr Professor*?"

"Jest gair bach... cyn noswylio," meddai'r Athro'n dew ei dafod gan atalnodi'i eiriau drwy dorri gwynt yn dawel.

"Dwi wedi mynd i'r gwely. Mi wnaethoch chi fy neffro."

"O, fy mechan i. Mae'n ddrwg gen i... ond ga i ddod i mewn?"

"Na chewch."

A dyna'r drws yn clecian yn agored a gwyliodd Ilse â'i llygaid fel soseri yn y tywyllwch wrth i gil y drws ymledu'n raddol a siâp arthaidd Ledbury'n llenwi'r ddôr. Fel arfer byddai Ilse'n cloi'r drws yn ddefodol bob nos, ond mor awyddus oedd hi i ddarllen ei llythyr nes ei bod wedi anghofio'n llwyr.

Roedd hi wedi rhag-weld rhywbeth fel hyn. Er gwaethaf tynerwch a charedigrwydd amlwg a diffuant James Ledbury, ni allai lai na sylwi ar y ffordd amheus y byddai'n ei gwylio pan na thybiai ei bod yn sylwi; y modd y daliai ei llaw eiliad yn rhy hir weithiau...

"*Herr Professor!* Ni ddylech chi fod yn fy ystafell. Ewch o 'ma ar unwaith, os gwelwch yn dda."

Roedd Ilse bellach ar ei heistedd a'r blancedi wedi'u tynnu'n dynn at ei gilydd wrth ei mynwes.

"Ilse, mae hi fel oergell yn yr ystafell yma. Sut wyt ti'n gallu diodde, 'y merch fach i? Mi ga i air hefo Kitty fory."

"Ewch rŵan, *Herr* Ledbury... cyn imi sgrechian."

"Paid â chynhyrfu, yr un fach annwyl. Dwi ddim yn mynd i dy frifo di. Ro'n i jest yn meddwl amdanat ti'n oer... ac yn unig... ac o'n i'n meddwl, mi bicia i i fyny i weld sut hwyl sydd arni, graduras... O, *Christ Almighty!*"

Roedd James Ledbury wedi symud yn ei flaen a baglu dros y gadair lle'r oedd Ilse wedi gadael ei dillad. Aeth y cwbl drosodd gan ddiasbedain drwy'r tŷ.

"Ydach chi'n iawn?" gofynnodd Ilse er ei gwaetha.

"Dwi'n iawn, Ilse fach. Sdim eisio iti boeni am James Ledbury. Nawr 'te, gad i ni neud ein hunain yn gyfforddus."

Teimlodd Ilse ei holl gorff yn tynhau wrth i Ledbury eistedd ar erchwyn y gwely a gosod ei law yn y man lle y byddai pen ei chlun pe na bai'r canfasau yn ei orchuddio.

"Plîs, Athro Ledbury..."

"Paid â dychryn, *meine liebe Schmetterling*. Wyddet ti ddim fy mod i'n siarad Almaeneg, na wyddet? Nawr 'te, 'y mhlentyn bach i, y cwbwl sydd yn rhaid iti neud yw ymlacio. Mi fydda i'n dyner iawn hefo ti, ti'n gweld. Ymlacia ac mi a' i â chdi am dro i'r nefoedd."

Cripiodd ei law dan y blancedi a dyma Ilse'n gorfod gollwng yr amddiffyn o gwmpas ei mynwes i rwystro pawen fechan yr Athro rhag cyrchu rhwng ei choesau.

Sgrechiodd, ac yn syth daeth llaw dde'r Athro'n glep dros ei cheg tra daliai'r llall yn llac llipa am ei gwddf.

"Dim sgrechian. Dyna hogan dda. Dwi ddim am dy frifo. Pwy fyddai eisio brifo craduras mor hardd â chdi? Dydi Kitty ddim eisio fi mwy, ti'n gweld. Mae hi wedi sychu'n grimp. Ond dim ond fy ngwallt i sy'n wyn... i lawr fan 'na..." Ceisiodd lusgo un o ddwylo Ilse at ei afl. "I lawr fan 'na dwi mor heini â hydd yn y gwanwyn."

Yn ofer ymladdodd Ilse yn erbyn y pwysau cynyddol a'i gwthiai'n ei hôl wrth i'r Athro ei lusgo ei hun ar y gwely. Golchodd oglau'r wisgi sur a mwg sigâr ar ei anadl dros ei hwyneb nes ei bod am chwydu. Teimlai ei hun yn ildio fesul modfedd i'w gorffoledd anferthol fel pe bai hi'n boddi oddi tano.

"Dwi'n gaddo i ti, mi fyddi di wrth dy fodd..."

Roedd o wedi ceisio codi ei choban at ei chanol, ond roedd Ilse'n gwisgo sawl haenen o ddillad rhag yr oerni a bu'r holl ddefnydd yn drech nag o. Rhoes y gorau i'r ymdrechion a cheisio strategaeth newydd gan ymbalfalu i agor ei drowsus tra oedd yn dal Ilse yn sownd ac yn ddi-sŵn ar yr un pryd.

Ac yn sydyn daeth sŵn fel cloch yn canu... unwaith, dwywaith. Gwaeddodd yr Athro mewn poen a chododd y pwysau oddi ar fol Ilse wrth iddo rolio i'r llawr.

"Iesgob! Iesgob!" oedd i gyd a ddeuai o enau'i threisiwr ac yntau o'i golwg rŵan ar y llawr wrth ymyl y gwely.

Neidiodd Ilse ar ei thraed a dechrau sgrechian nerth

esgyrn ei phen. Teimlodd rywun yn gafael yn ei hysgwyddau a sgrechiodd yn uwch fyth.

"Taw! Ti'n iawn rŵan. Taw!"

Llais Kitty Ledbury oedd yno.

"Llai o'r sŵn 'na. Wneith o ddim byd i ti rŵan nes bydd ei ben o wedi mendio."

Dechreuodd Ilse wylo'n hidl a cheisio claddu'i phen ar ysgwydd y ddynes arall.

"O. Gott sei Dank. O, danke, Frau Ledbury Vielen, vielen Dank."

"'Nôl i'r gwely. Mi a' i â James hefo fi. Cysidra dy hun yn lwcus. Mae gefeilliaid i'w dandwn gan yr un ddiwetha fu yma – er cof am ei phrofiad."

Erbyn hyn roedd yr Athro Ledbury wedi ymlusgo o'r ystafell, y badell dwymo gopr hirgoes a ddefnyddiwyd gan Kitty fel arf yn clindarddach wrth iddo roi rhyw gic i'w chyfeiriad wrth fynd heibio.

"Paid ti â rhythu arna i fel 'na, ferch. Dos 'nôl i'r gwely. Mae gen ti ddigon i'w wneud bore fory."

Ac allan â hi gan adael Ilse yn igian crio ar erchwyn y gwely.

Ni chynheuwyd yr un tân yn *Holywell House* fore trannoeth. Wrth i'r wawr ariannu'r gorwel roedd Ilse Meyer eisoes ar ei ffordd; ei bwndel yn llai na phan gyrhaeddodd – yn alltud ar ffo unwaith eto.

13

Ar fin gadael am y coleg oedd Hugh. Gobeithiai wrth fynd i mewn mor gynnar â hyn y daliai'r Athro Ledbury ar ei ffordd i'w stafelloedd er mwyn ymddiheuro am ei ymadawiad annhymig brynhawn ddoe. Doedd o ddim eto'n siŵr mai aros ymlaen yn y brifysgol oedd ei wir ddymuniad ond, am y tro, teimlai y peth lleiaf y medrai ei wneud oedd peidio â chefnu ar Ilse yn awr ei chyfyngder, beth bynnag oedd ei deimladau amdani erbyn hyn. Yn wir, roedd y busnes caru a bod mewn cariad yn dechrau ei flino.

Wrth iddo ddod o'r tŷ dyma Ilse hithau'n croesi'r ffordd fawr ac yn troi'r gongl i mewn i'r stryd lle safai'r tŷ a oedd yn gartref i Hugh yn ei ail flwyddyn yn y coleg.

Y cwbl a wyddai Ilse oedd mai yn Stryd Sant Ioan y lletyai Hugh; ni chofiai'r rhif ond bwriadai fynd at bob tŷ yn y stryd yn ei dro pe bai raid i chwilio amdano. Erbyn hyn bu wrthi'n cerdded am dair awr drwy niwloedd gaeafol cefn gwlad Swydd Rhydychen. Roedd gwlybaniaeth y bore wedi hen dreiddio drwy wlân ei chôt fawr ac roedd ei het wedi gwywo am ei chlustiau. Er ei bod wedi gadael y rhan fwyaf o'i heiddo prin ar ôl yng nghartref y Ledburys, roedd pwysau'i phwn yn ddigon i'w llethu a'i digalonni.

Golygai'r swigod hen a newydd ar bob cwr o'i thraed fod pob cam yn gyrru gwayw gwynias drwyddi a phrin y gwelai ddim o'i blaen wrth iddi lusgo'r naill droed o flaen y llall, y dolur yn cau'n dynnach amdani drwy'r amser. Yn ei phoen a blinder bu bron iddi gerdded yn erbyn Hugh.

"Ilse?"

Cododd ei phen gan lewygu i'w freichiau.

"Ilse. Be sy?"

Ailagorodd ei llygaid a'i sadio ei hun ar ei deudroed eto.

"Mi ddo i i Gymru rŵan," crawciodd gan wenu'n wanllyd.

"O ble daethoch chi bore 'ma?"

"Tŷ James Ledbury."

"Be sy 'di digwydd?"

"Rhyw anghydweld hefo'i wraig."

"O."

Safodd Hugh fel delw, wedi'i hurtio'n lân.

Dydi'r idiot yma ddim yn gwybod beth i'w wneud nesa, meddyliodd Ilse.

"Hugh, ga i orffwys, plîs?"

"Ble?"

"Yn eich lodjin."

"Ond..."

"'Na fo. O'n i'n ama," meddai gan gymryd arni ei bod am ddychwelyd y ffordd y daeth.

"Arhoswch!"

Cydiodd yn ei llaw a'i harwain hi'n ôl at y tŷ gan agor y drws yn llechwraidd.

"Dim ond fi sy 'ma," gwaeddodd yn uchel.

Doedd dim ateb a dilynodd Ilse ef i'r cyntedd. Mor braf oedd cael mynd i mewn i dŷ heb gael ei llethu gan hen oglau hesb a mwll. Roedd y tŷ hwn i'w glywed yn ffres a rhyw dawch o berlysiau a sbeisys yn glynu wrth bob dim. O'r cefn deuai oglau bara'n cael ei bobi.

Arwyddodd Hugh iddi ei ddilyn at waelod y grisiau. Styllod noeth oedd ar y llawr a swniai'r ddau ohonynt fel pâr o geffylau gwedd wrth anelu am waelod y grisiau. Rhwystrwyd Ilse rhag mynd ymhellach gan fraich Hugh. Y peth nesa a wyddai, roedd wedi'i sgubo oddi ar ei thraed ac yn ei chario i fyny'r grisiau llydain er mwyn smalio mai un yn unig oedd yn eu dringo.

"Hugh? Chi sy 'na?" holodd llais cryf benywaidd o'r gegin.

"Wedi anghofio llyfr," atebodd wrth frysio ychydig i gyrraedd ei lofft cyn nogio. Roedd honno ar y trydydd llawr ac fe agorodd y drws a chario Ilse dros y rhiniog yn null traddodiadol y priodfab. Llithrodd Ilse o'i freichiau a mynd draw at y gwely lle y gorweddodd ar ei hyd.

"Mi fydda i'n ôl amser cinio. Fydd neb i mewn cyn hynny. Rhaid i chi fod mor dawel ag y gellwch," ac i ffwrdd ag ef heb ddweud rhagor.

Clywodd Ilse sŵn ei draed yn rhuthro i lawr y grisiau; sgwrs fach fer rhyngddo a'r ddynes anhysbys yn y gegin, y drws ffrynt yn cau ac yna distawrwydd.

Am ychydig gorweddodd Ilse lle'r oedd hi, ei llygaid ynghau. Roedd ei thraed fel pe baent yn dal i fynd y naill o flaen y llall yn gwbl ddigymell. Roedd hi'n rhy flinedig hyd yn oed i dynnu'r sgidiau a rhyddhau'r feis poenus am ei thraed briw. Codai oglau bara'n pobi i'w ffroenau a sylweddolodd am y tro cyntaf nad oedd hi wedi bwyta dim bron ers stwffio tafell neu ddwy o fara jam i'w cheg y bore yma wrth adael y tŷ. Oddi tani dechreuodd llais alto cry ganu un o *arias* Verdi, y nodau'n eli i'w henaid anhapus.

Agorodd ei llygaid a'i gorfodi ei hun i godi ar ei heistedd gan lusgo'i choesau oddi ar y gwely i ddatod creiau ei bwtias bach. Wrth dynnu ar ledr y careiau, crwydrodd ei llygaid o gwmpas yr ystafell. Ystafell uchel braf oedd hi gyda ffenest fwa lydan yn fflodiart i heulwen diniwed y gaea a oedd newydd ddangos ei wyneb ar ôl cyfnod hir o dywydd llwyd a diflas. Lliwiau eithaf tywyll oedd ar y waliau, rhyw goch go gryf a thrimins glas. Braidd yn llethol efallai, ond heb fod yn rhy annerbyniol chwaith. Ar hyd a lled y llawr (styllod noethion unwaith eto), roedd yna bentyrrau o lyfrau. Cododd Ilse lyfr oddi ar bentwr bychan ar y cwpwrdd ger y gwely. Cyfrol las tywyll denau. Edrychodd ar y meingefn. Ni ddeallai'r iaith. Ffliciodd drwy'r tudalennau a gwelodd ambell enw lle cyfarwydd yn yr Almaen. Ond doedd hi ddim callach am ei gynnwys. Chwiliodd am enw'r awdur: O.M. Edwards. Rhoddodd gopi Hugh o *O'r Bala i Genefa* yn ôl ar ben y cwpwrdd.

Erbyn hyn roedd wedi llwyddo i lacio'i bwtias yn ddigonol i'w tynnu. Roedd staeniau gwaed ar ei sanau. Daeth y rhyddhad â dagrau a suddodd ei phen i'r gobennydd.

Fe'i deffrowyd gan Hugh tua phedair awr yn ddiweddarach. Bustachodd drwy'r drws a dihunodd Ilse mewn laddar o chwys braw.

"Dyfalwch be sydd wedi digwydd?"

Roedd ei meddwl yn wag.

"Yr Athro Ledbury."

Llifodd yr adrenalin yn syth.

"Be... Be amdano fo?"

"Wel, am ddyn clên. A does dim eisiau i chi sibrwd bellach. Bydd y lletywraig ar ei chylchdaith thespiaidd erbyn yr amser hwn o'r dydd."

"Clên?" sibrydodd Ilse'n syfrdan.

"Y clenia dan haul," gwaeddodd Hugh yn llawn cyffro.

"Sut?" meddai'n gegrwth.

Fflachiodd atgof anghynnes o ddigwyddiadau'r noson

cynt drwy'i meddwl. Beth oedd Ledbury wedi bod yn ei ddweud?

"Mae o wedi cael swydd well i chi. Yn Llyfrgell y Bodley. Da, yntê?" Eisteddodd Hugh ar erchwyn y gwely a chydio'n chwareus yn nwylo'r Almaenes. Fe'u tynnodd ymaith yn ofalus.

"Dwi ddim yn dallt."

"Wel, pan es i i'w weld o bore 'ma, roedd o'n llawn consýrn amdanoch chi."

"Be ddywedodd o?"

Pan welodd Hugh ei diwtor yn croesi'r cwòd tua'i stafelloedd y bore hwnnw, fe'i cafodd yn ddigon hawdd ei ddal mewn pryd gan mor ara oedd ei gerddediad. Dychrynodd Hugh i weld bod sbectol dywyll am ei lygaid a chlais mawr, dicllon ar ei dalcen.

"Athro! Ydach chi'n iawn?"

"Bach o godwm yn y tŷ 'cw. Dim byd mawr," mwmiodd. Yna, fel pe bai newydd sylweddoli hefo pwy roedd yn siarad, cododd ei ben a thynnu'r sbectol dywyll. Roedd ei lygad chwith wedi'i glasu'n ddel ac roedd craith uwchben ael y llall.

"Hugh…? O'n i'n meddwl…"

"Mi newidiais i fy meddwl… Wnes i gwrdd â hen ffrind. Dwi'n ymddiheuro am ymddwyn mor fyrbwyll."

"Hm. Wel, da iawn. Dwi heb gael cyfle i ddweud dim wrth neb. Doeddwn i ddim eisiau eich colli… A deud y gwir roedd ffrind arall i chi'n chwilio amdanoch chi bnawn ddoe. Dyna pam ro'n i'n awyddus i chi alw heibio."

"O, Ilse Meyer 'dach chi'n 'i feddwl? Do – hi oedd hi, a dweud y gwir. Soniodd wrtha i ar ôl iddi gael ei bwrw i lawr ar Bont Hythe."

Edrychodd yr Athro'n ddryslyd iawn.

"O, na, mae hi'n iawn," meddai Hugh gan brysuro i dawelu meddyliau'i diwtor. "Ddoe oedd hynna. A does dim eisiau i chi na'ch gwraig boeni am y ffrae chwaith. Mae hi'n saff."

Cipiodd Hugh dros ei ysgwydd cyn mynd rhagddo'n gyfrinachol.

"Rhyngoch chi a fi, Athro, yn y llety 'cw mae hi. Os 'dach chi eisiau imi gael gair hefo hi ynghylch mynd yn ôl..."

"Be mae hi wedi'i ddweud?"

"Dim ond ei bod wedi cael geiriau croes hefo'ch gwraig."

"O. Wela i."

"Ddaw hi'n ôl atoch chi, 'dach chi'n meddwl?"

"Wel, dwi ddim yn gwbod, Hughes."

Ystyriodd yr Athro am ennyd.

"Ylwch. Galwch yn fy ystafell pan gewch chi gyfle yn nes ymlaen y bore yma, wnewch chi?"

"Iawn, syr. Da boch, syr."

Nid atebodd Ledbury ond ailgydio yn ei daith boenus ar draws y cwòd tuag at hafan ei fyfyrgell.

"A phan es i i'w weld o," meddai Hugh, yn cydio am yr eilwaith yn nwylo Ilse a'r tro hwn ni wnaeth hi unrhyw ymdrech i'w tynnu ymaith, "dyma fo'n dweud ei fod wedi llwyddo i gael swydd i chi yn y Llyfrgell gan ddechrau ddydd Llun nesa, ac os oeddech chi eisiau rhywle arall i aros, fod ganddo fo gyfeiriad teulu gwaraidd iawn yn ninas Rhydychen ei hun."

"Gwaraidd."

Hyd yn oed yn ei chyflwr lluddedig, ni allai Ilse guddiad ei dirmyg. Dyma a wnâi'r hen sinach, felly? Manteisio ar ei sefyllfa i'w hatal rhag gwneud unrhyw fath o gŵyn yn ei erbyn. Ac yntau'n cael hel ei din hefo rhyw sglyfaeth bach arall, Iddewes fach arall ar ffo efallai rhag bwystfilod rheibus y Drydedd Reich, yn cael ei dal yng ngwe tadol y Gwyddel mwyn a'i acen siwgr aur?

"Fedrwch chi fyth ag aros fan hyn, 'dach chi'n gweld."

"Na fedraf, siawns."

Llaciodd ei gwefus isaf a llanwodd ei llygaid o ganlyniad i flinder rhagor nag unrhyw siom ynghylch eu trefniadau llety a phersonol. Roedd hi wedi cael hyd i loches – ond lloches dros-dro yn unig. Roedd hynny'n amlwg. Teimlai mai megis dechrau oedd ei helbulon, mai fel hyn y byddai hi am flynyddoedd; yn gorfod cludo ei phac fel cragen malwoden o le i le hyd nes deuai eto haul ar fryn.

Ac ar ddiwedd y daith beth fyddai ei hoed? Yn ugain oed, yn bump neu'n ddeg ar hugain? Deg ar hugain. Be wnâi'n ddeg ar hugain oed? Yn ei henaint, a'i hieuenctid wedi'i sbydu ar ffo.

Sylwodd Hugh ar y cryndod amlwg a rhoes ei law dan ei gên. Cododd ei llygaid ac am y tro cyntaf ers München, teimlodd Hugh ei hun yn ymgolli yn y ddeubwll diwaelod a syllai i fyny arno drwy briswm eu dagrau; a gwelodd Ilse hithau'r tynerwch blinderog a nodweddai'i lygaid yntau. Rhoes Hugh ei freichiau'n lletchwith amdani, ei bennau gliniau'n llithro i'r llawr o'r gwely fel pe bai wrth ei bader, ac fe wylodd y ddau – Ilse am ei theulu a'i thynged, a Hugh, wel, doedd Hugh ddim yn siŵr pam ond llifai'i ddagrau fel glaw ar y mynydd.

14

Drwy gicio a brathu, medden nhw. Ond ni fu fawr o gicio na brathu yng nghyswllt carwriaeth Hugh ac Ilse. Hynt digon trwsgwl a diffrwt y dilynodd eu perthynas mewn gwirionedd. O ran anian, roeddent yn bur wahanol i'w gilydd; Hugh yn fyfyrgar ac yn ymataliol gwrtais; Ilse yn tanio fel matsen ac yn hynod ddiamynedd. Hefyd, roedd gan y ddau fydolwg hollol wahanol; Hugh yn mopio ar ddelweddau a drychfeddyliau rhamantus, ei syniadau a'i gredoau'n driphlith draphlith, yn anghyflawn aflonydd; Ilse yn fwy sicr o'r hyn yr hoffai ei wneud pe bai amgylchiadau'n caniatáu iddi.

Serch hynny, wedi'u bwrw at ei gilydd yn ddisymwth fel hyn, yn ddiarwybod bron, dyma rwymau eu cyd-ddibyniaeth yn tynhau.

Erbyn min nos ei diwrnod cyntaf ar ôl ffoi o *Holywell House*, roedd lletywraig Hugh, Sophia Quintavalla, wedi darganfod fod yna ddynes ddiarth yn cuddio o dan ei bondo.

"A phwy ydach chi?" meddai yn ei llais theatraidd, cryglyd, a hithau'n sefyll yn nrws ystafell Hugh a agorwyd yn ddirybudd ganddi ar ôl clywed sibrwd taer a thraed llygod bach yn dod ohoni. Camodd i'r ystafell gan blygu'i breichiau ar draws ei mynwes sylweddol, ei threm eryraidd yn mynegi rhywbeth rhwng dirmyg a chwilfrydedd.

Eisteddai Ilse ar y gwely ar fin suddo'i dannedd i'r bwyd

cyntaf a welsai ers ei brecwast-llaw-i'r-genau y bore hwnnw – tafell o deisen fala o'r pobydd rownd y gongl. A deilen ar ei dafod, dyma Hugh yn mynd ati i adrodd yr hanes.

Pan glywodd Sophia stori'r ferch alltud, roedd hi wrth ei bodd.

"*Darling*, rhaid i ti aros yma. Mae hyn mor rhamantus, tydi? Rhaid i ferch ifanc hardd fel ti fod yng nghanol y ddinas, nid yn pydru mewn rhyw feddrod o dŷ yng nghanol y niwl. Hugh, helpa fi i symud y gwely dwbwl 'na i lawr o'r llawr ucha."

"Na, na…" torrodd Hugh ar ei thraws. Rhewodd Sophia fel delw, ei llygaid yn gwibio o'r naill wyneb i'r llall.

"Nid yw *Fräulein* Meyer a fi'n… gweld ein gilydd…"

"Wrth gwrs eich bod chi'n gweld eich gilydd."

Lledodd Sophia ei breichiau i gyfleu'r hyn oedd yn amlwg i bob golwg.

"Dim fel ydach chi'n ei feddwl."

"Ond dyw'r llofft i fyny grisiau ddim yn ffit."

"Mi gysga i yno."

Hyd yn oed drwy'i blinder, teimlodd Ilse ryw gynhesrwydd newydd tuag ato.

Ac felly y bu. Aeth deufis arall heibio cyn i Hugh ddechrau ymweld â'i hen ystafell liw nos i rannu'r gwely ag Ilse cyn llithro'n ôl i'r ystafell fechan yn yr entrychion erbyn y bore. Buan iawn y sylwodd Sophia ar ei grwydriadau.

"Hugh, er mwyn y cread, sym' y gwely dwbwl 'na i lawr. Ti'n deffro'r tŷ i gyd hefo dy holl galafantio ar y grisiau drwy'r nos. Hefyd allwch chi fyth fod yn gyfforddus iawn yn yr hen wely bach 'na."

Gweiddi'r geiriau hyn o'r cyntedd a wnaeth Sophia. Gwridodd Hugh wrth i un o'i gyd-letywyr ymddangos ar y landin, yn fusnes i gyd.

Ond os oedd Sophia'n dychmygu fod rhyw garu gorfoleddus a dilyffethair yn digwydd yn yr ystafell ar ben y grisiau ar yr ail lawr, byddai hi wedi ei siomi. At ei gilydd, anfoddhaol fu unrhyw garu corfforol rhwng Hugh ac Ilse ar y dechrau. P'un ai diffyg hyder neu wyleidd-dra oedd wrth wraidd eu hanallu i adnabod y nod a'i gyrchu'n iawn, neu oherwydd fod eu meddyliau ill dau gymaint ar chwâl na fedrent ymlacio ac ymgolli'n llwyr.

Yn ystod eu cyfarfyddiad yn yr Almaen, roedd ffurfafen Ilse'n hollol ddigwmwl. Mwynhaodd wthio'r ffiniau wrth gusanu Hugh, ac edrychai ymlaen at eu gwthio i'r eithaf ryw ddydd. Ond yn y tŷ diarth hwn mewn gwlad estron, yn poeni ei henaid am ei theulu a'i dyfodol, ni allai deimlo na chyffro na chwant, ond roedd y cyfle i ddal yn dynn ac ymdoddi yn cynnig rhyw ollyngdod iddi.

Doedd meddwl Hugh ddim yn glir ar y mater chwaith. Am y tro, newydd-beth oedd cael diwallu ei anghenion rhywiol a hynny yng nghwmni un a oedd wedi'i swyno cymaint ers cyhyd, ond mewn gwirionedd nid oedd yn hollol siŵr beth oedd ei deimladau tuag at y ferch hon bellach. Roedd sydynrwydd yr holl sefyllfa wedi'i fwrw oddi ar ei echel braidd.

Fynychaf, ar ôl rhyw ffwndro caru, gorweddent gefn wrth gefn a siarad, y naill yn gorfod codi pen o'r gobennydd bob hyn a hyn i ddal geiriau'r llall. Ond nid cyd-drafod diymdrech gwir gariadon oedd hwn, y rhannu profiad a hanes sy'n angenrheidiol er mwyn gosod sylfeini perthynas, ond yn hytrach rhyw ymsona digyswllt, lle na fedrai'r naill fyth fod yn siŵr fod y llall yn gwrando, a lle nad oedd hynny'n eu poeni. Yr hyn oedd yn bwysig iddynt oedd llefaru'r geiriau a chrisialu eu meddyliau eu hunain.

Ond hyd yn oed o'r gwreiddyn gwantan hwn fe

flodeuodd rhywbeth, rhyw ymrwymiad bregus, aneglur. Roeddent fel dwy long yn rhannu'r un angor yn yr un hafan rhag stormydd gwahanol.

Yn groes i'w hewyllys derbyniodd Ilse gynnig llwfr Ledbury iddi weithio yn Llyfrgell y Bodley, ond ni welai fod ganddi fawr o ddewis. Yn amlwg, ni allai ddychwelyd i *Holywell House*, a doedd ganddi fawr o awydd gweithio fel morwyn mewn tŷ arall.

Yn ariannol, gofalai Hugh amdani o ddydd i ddydd ac nid oedd ei gofynion yn fawr. Ar ôl byw'n gynnil, buan iawn mae rhywun yn gallu colli blas ar fyw'n fras. Gwyddai nad oedd arian yn broblem i Hugh a rhyddhad mawr iddi oedd cael un peth llai i boeni yn ei gylch er mwyn iddi gael pwyso mymryn bach ar y rhwyfau. Talai'r pwyth ryw ddydd. Ond roedd yna agwedd arall ar ei sefyllfa ariannol a'i poenai'n fwy.

Yn y llyfrgell, cyfarfu â Max Kieler. Roedd Max yn gomiwnydd o dras Iddewig a oedd wedi'i heglu hi o'r Almaen cyn gynted ag y daethai'r Natsïaid i rym. Cerflunydd ydoedd, newydd orffen cwrs yng Ngholeg Celf Ruskin ac erbyn hyn wedi cael gwaith yn y llyfrgell. Roedd gan Max gysylltiadau o bob math yn yr Almaen ac ymhlith y ffoaduriaid yng ngwledydd Prydain. Bob tro y'i gwelai, edrychai fel pe bai diwedd y byd ar ddod, ac yn wir roedd yr hanesion a oedd ganddo'n ddigon arswydus i gyfiawnhau'i brudd-der.

"Rhaid cael pawb o 'na," mynnai, ei lygaid tywyll yn goferu ag emosiwn. "Cael 'u lladd fyddan nhw fel arall. Yn eu miloedd. Dwi'n poeni'n arw am y rhai sydd heb neb dramor. Duw a'u helpo."

Teimlai Ilse iasau oer o'r newydd yn ei bol. Ceisiodd ei hargyhoeddi ei hun fod y bachgen yn gorliwio'r sefyllfa. Ond, yn ara deg, daeth i sylweddoli difrifoldeb pethau.

Gorau po gyntaf y deuai ei theulu draw. Gallent gael fisas trawsymfudo fel yr un oedd ganddi hi – cyn iddynt oll fynd i America gyda'i gilydd a dechrau bywyd newydd go-iawn. Hofranai'r nod hwn fel seren ddisglair ar y gorwel. Ond allan o'i chyrraedd yn llwyr oedd y seren arbennig hon. Yn ôl amodau Llywodraeth Prydain Fawr, am bob aelod o'i theulu y dymunai eu cael draw ati i fyw, byddai'n rhaid iddi eu noddi am hanner canpunt yr un. Roedd y swm yn aruthrol! Cymerai hydoedd iddi gynilo cymaint â hynny a dim ond digon i un fyddai ganddi wedyn. Pwy o'i theulu y byddai'n ei ddewis? Pa fath o ddewis oedd hynny, beth bynnag? Dewis hen fyd sâl, heb na moes nac etheg yn perthyn iddo.

Gallai cymdeithasau fel y Crynwyr a'r Methodistiaid ei helpu, meddai Max, ond ni allent ddod â mwy na rhyw un neu ddau drosodd.

"Bydd yn rhaid imi ddwyn arian o fanc, felly," meddai Ilse dan chwerthin yn sarrug.

"Mae gen i ffrind sy'n dwyn plwm a phetha fel 'na o hen adeiladau," meddai Max fel pe bai heb sylwi ar ei heironi. "Wedyn yn eu gwerthu i Wyddelod yn y busnes adeiladu yn gyfnewid am eu llofnod i ddweud eu bod yn fodlon noddi ffoadur. Mae o wedi cael llwyth o'i deulu draw'n barod."

Efallai y gallai Ilse holi Hugh, ond doedd hwnnw ddim fel pe bai'n llwyr sylweddoli difrifoldeb ei sefyllfa. Antur oedd hyn i gyd i Hugh, siŵr o fod. Byw-tali hefo merch estron. Doedd o ddim fel pe bai'n edrych i'r dyfodol heblaw ar ffurf rhyw freuddwydion pen yn y gwynt.

"Dwi eisiau dysgu hedfan," meddai un noson. "Wedyn, gallen ni hedfan draw i'r Almaen a chael dy berthnasau i gyd oddi yno a'u hedfan yn ôl i Gymru."

"Paid â rwdlian. Dwi wedi cael llond bol o glywed am y

Gymru 'ma, beth bynnag."

"Aros nes gweli di hi."

"Pryd?"

"Mi awn ni ryw ddydd."

"Ond beth os nad ydw i eisio mynd yno? Mynd ymhellach oddi wrth fy nheulu fydda i. Dwi ddim eisiau mynd ymhellach i'r gorllewin – os nad America ydi o."

"Bydd dy deulu'n iawn, gei di weld. Mae Herr Hitler..."

"*Scheißdreck*! Paid â sôn am y cythraul hwnnw pan fydda i o gwmpas."

"Mae Kristian Hagelstange..."

"Pwy?"

"Fy ffrind. Ro'n i'n aros hefo'i deulu ym München y llynedd. Ti'n cofio imi sôn? Rhaid iti gwrdd ag o. Mae o'n fyfyriwr yn y coleg..."

"Ac yn aelod o'r *Hitlerjugend* yn ei amser hamdden, mwn."

"Mae Kristian yn ŵr bonheddig."

"Hy!"

"Mae llawer iawn o ffrindiau'i deulu'n Iddewon, meddai fo."

"Iddewon da yn unig, wrth gwrs."

"Wel, ia... am wn i."

"Felly, wyt ti'n meddwl bod Iddewon drwg i'w cael, felly?"

"Mae drwg a da i'w cael ym mhob hil."

"Felly pam fod pawb yn ein casáu ni?"

"Oherwydd y pethau rydych chi'n llwyddo ynddyn nhw," meddai Hugh heb feddwl.

Cododd Ilse ar ei heistedd ar y gwely lle y gorweddai gan edrych yn gegrwth ar y dyn ifanc â'i lygaid mawr, diniwed.

"Felly rwyt ti yn ein herbyn hefyd?"

"Nid fi sy'n deud hynny..." baglodd Hugh.

"Pwy, felly? Dy ffrind mynwesol, 'Kristian' Hagelstange?"

"Na, Cymro."

"Cymro? Un arall. Pa Gymro yw hwn, er mwyn Duw?"

"O.M. Edwards, roedd o'n diwtor hanes yng Ngholeg Lincoln fan hyn. Dyn hyddysg iawn oedd o. Mi wna i ddangos ei lyfr i ti lle mae o'n trafod yr Iddewon."

Aeth Hugh at bentwr o lyfrau a thynnu ohono'r gyfrol las denau, *O'r Bala i Genefa*, a'i hagor. Ond dyma Ilse yn ei fwrw o'i law yn syth.

"C'lwydda! C'lwydda!"

A dechreuodd feichio crio.

"O'n i'n meddwl mai fy ffrind i oeddet ti. Fedri di ddim gweld beth sy'n digwydd?"

"Fi ydi dy ffrind di," meddai Hugh. "Dwi ddim yn gwbod dim byd am Iddewon nac Iddewaeth. Eglwyswr ydw i. Eglwys Loegr... wel, Cymru, mewn ffordd. A dwi ddim yn siŵr beth dwi'n 'i gredu o ran hynny."

Na fi chwaith, meddyliodd Ilse.

Ac eithrio Max, ychydig iawn o gysylltiad oedd gan Ilse â'i chyd-Iddewon yn Rhydychen. Rhyw gant o Iddewon oedd yn y ddinas i gyd, dros eu tri chwarter yn fyfyrwyr yn y Brifysgol. Roeddent i gyd yn teimlo o dan erledigaeth hyd yn oed os nad oedd unrhyw orymdeithio yn y strydoedd fan hyn yn Lloegr. Bu rhai'n swatio'n dawel, eraill yn helpu ffoaduriaid, ond ymhlith y myfyrwyr Iddewig yn bennaf roedd yna ymwybyddiaeth gynyddol o berthyn i genedl ar wahân a'r angen i sefydlu gwladfa annibynnol i'r hil gael cartref parhaol. Ryw ddwy flynedd ynghynt roedd Cymdeithas y Myfyrwyr Iddewig yn Rhydychen wedi ethol Nahum Sokolof, pennaeth Cymdeithas Seioniaeth y Byd, yn llywydd. Roeddent yn frwd iawn yn eu gweithgareddau, yn mynychu gwersi Hebraeg ac fe'u clywid yn mynd o gwmpas y ddinas ar gefn beic dan ganu 'Hatikvah', anthem genedlaethol Seioniaeth.

Roedd y ddeupeth hyn wedi peri rhyw ddiffyg amynedd yn Ilse. A hithau'n ceisio'i gorau i wella ei Saesneg, ni allai ddeall yr ysfa am adfer yr Hebraeg, ac fe'i hatgoffwyd gan y bechgyn ar eu beiciau o griw o Almaenwyr ifainc a welsai ar gefn beiciau ar y ffordd y tu allan i Lübeck dan ganu'r 'Horst Wessel' wrth fynd ar eu hynt.

Beth oedd yr ots am hil?

Y syniad Americanaidd oedd yn apelio ati hi – y crochan tawdd lle mae pob hil yn colli'i hunaniaeth. Siawns mai dyna'r unig ffordd ymlaen neu byddai'r genhedloedd bondigrybwyll yn dal ati i ladd ei gilydd yn oes oesoedd.

Ond gwahanol iawn oedd cred Hugh a byddai'n hefru byth a beunydd am y dreftadaeth Gymreig, yr iaith Gymraeg a'r bygythiadau iddi a'r ffordd dan din roedd Llywodraeth Lloegr yn eu trin. Weithiau, pan nad oedd hi wedi blino gormod, byddai Ilse yn ei herio:

"Ydi priodas rhwng y Cymry a'r Saeson yn gyfreithlon?"

"Ydi, wrth gwrs. Saesnes oedd fy mam."

"Ydi'r Cymry'n cael mynd i'r sinema?"

"Ydyn."

"Ydi'r Cymry'n cael eistedd lle mynnon nhw yn y parciau cyhoeddus?"

"Ydyn."

"A yw'r Cymry'n cael yr holl hawliau a ddaw i ran dinasyddion Prydeinig?"

"Ydyn – wel, ddim yn hollol."

"Ydyn nhw'n cael pleidleisio mewn etholiadau?"

"Ydyn."

"A faint o eiddo sy gan dy dad?"

"Eitha tipyn."

"A Chymro yw dy dad, yntê?"

"Ia... o fath."

Âi'r holwyddoreg yma ymlaen am hydoedd a byddai Hugh yn ceisio llunio dadleuon i gyfiawnhau'i deimladau ynglŷn â Chymru a'i pherthynas â Lloegr. Dymunai egluro nad oedd ganddyn nhw reolaeth dros eu tiriogaeth na'u tynged; eu bod yn destun dirmyg cynnil y Sais; bod eu traddodiadau a'u hanes yn ymestyn yn ôl i gyfnod cyn bod sôn am Saeson ym Mhrydain; eu bod yn cael eu rhannu a'u rheoli... ond mai digon seithug a diddiben oedd ceisio cymharu'r ddwy sefyllfa.

Er ei hoffter o Hugh, ac er ei bod yn ddiolchgar ac yn werthfawrogol o'i haelioni, gwyddai nad oedden nhw yn eneidiau hoff cytûn a doedd hi ddim eisiau gofyn am gymorth ariannol ganddo ac wedyn ei chael ei hun yn ei ddyled am weddill ei bywyd ac efallai'n gorfod ei briodi a magu'i blant.

Un bore ym mis Gorffennaf, dyma Ilse yn cyrraedd ei gwaith a Max yn rhuthro draw ati â'i wynt yn ei ddwrn.

"Wyt ti wedi clywed?"

"Clywed beth?"

"Sbaen. Mae ffasgwyr wedi symud yn erbyn llywodraeth y weriniaeth."

Yr adeg hon y llynedd, go brin y byddai newyddion o Sbaen wedi cael unrhyw effaith arni. Doedd Ilse erioed wedi bod y tu allan i'r Almaen yn ei dydd. Ond erbyn hyn roedd y gair "ffasgwyr" a "ffasgaeth" yn orgyfarwydd ac yn ennyn braw mawr ynddi.

"Be sy'n mynd i ddigwydd? Fyddan nhw'n cymryd drosodd?"

"Dim os bydd pawb yn sefyll gyda'i gilydd."

Os hynny. Roedd y rhan fwya o'r bobl yr oedd Ilse wedi dod ar eu traws yn Lloegr fel pe baent yn gwbwl ddall i'r hyn oedd yn digwydd yn Ewrop, fel pe baent yn ymlacio ar ryw benwythnos hir a heb orfod meddwl am broblemau'r byd go-iawn.

Un peth a oedd wedi taro Ilse wrth iddi ymgyfarwyddo â bywyd yn Rhydychen a dechrau bwrw rhyw gym-ariaethau rhyngddo a bywyd yn yr Almaen oedd nad oedd yr holl drimins ffasgaidd a Natsïaidd a oedd mor amlwg erbyn hyn o gwmpas ei chartref yn Hamburg, yn faneri ac yn iwnifforms ac yn ralïau, i'w gweld yn y wlad hon. Ychydig o rwysg jingoistaidd, hunanymwybodol o bryd i'w gilydd, efallai, ond heb yr un dychryn yn perthyn iddo.

Nid nad oedd yna ffasgwyr yn Rhydychen yr adeg honno. Gan na fu eu hymgais i recriwtio yn y ffatrïoedd ac ymhlith gweithwyr y ddinas yn arbennig o lwydd-iannus, canolbwyntiwyd eu hymdrechion ar y brifysgol a oedd yn cynnig helfa aelodaeth frasach a mwy dylanwadol iddynt.

At ei gilydd, byddai'r ffoaduriaid o'r Almaen yn cadw eu pennau i lawr, yn awyddus i ymdoddi i'r cefndir a pheidio â thynnu sylw atynt eu hunain. Nid felly Max. Roedd o wedi ymuno â'r Crysau Cochion yn Ruskin ac roedd yng nghanol y frwydr yn erbyn ymgyrch y *British Union of Fascists* i ennill rhagor i'w rhengoedd a throedle parhaol yn un o brif ganolfannau dysg y wlad.

Roedd Max wedi sôn wrthi fod tua chant o ffasgwyr yn y ddinas i gyd; hen deips y lluoedd arfog oedd y rhan fwya ohonynt a rhyw gynffonwyr *petit bourgeois*, meibion athrawon, dynion busnes a'r cyfryw – pobl â statws ond heb rym economaidd. Ond er na lwyddodd y Crysau Duon i wneud fawr o argraff ar bobl y ddinas ei hun na'i dosbarth gweithiol, bu yno gyfarfodydd mawr lle siaradai pobl fel Oswald Moseley a William Joyce o flaen cynulleidfaoedd digon parchus, ond fe gollodd y Ffasgwyr y dydd braidd pan drefnwyd cyfarfod yn Neuadd Carfax yng nghanol Rhydychen o dan gysgod y clochdy. Trefnodd y Blaid Gomiwnyddol, a Max yn eu plith, fod yna wrthdystiad sylweddol yn digwydd:

"A dyna lle'r oedd rhyw gynghorwyr o'r Blaid Geidwadol a pherchenogion ffatri a sglyfaeth fel 'na'n annerch y dorf a rhyw bum rhes o seti cans cyfforddus yn llawn pwysigion y dre. A dyna Moseley yn dechrau ar ei berorasiwn ac yn dechrau sôn am *'pink rabbits led by Jews'*... sôn amdanon ni y Comiwnyddion oedd o. A dyma fi'n gwylltio ac mi godais i ar fy nhraed a'u cyhuddo nhw o bob ffieidd-dra dan haul – a dyna ryw awff yn cydio yndda i gerfydd fy nghlust a cheisio rhoi'i fysedd i fyny fy nhrwyn ac wedyn yn fy hyrddio hyd y llawr a 'mhen yn taro postyn nes ei fod o'n canu a finnau'n colli golwg ar y byd am eiliad. A daeth y cicio wedyn, ac mi es i fel hyn."

A dyna Max yn y fan a'r lle yng nghanol y llyfrgell yn dangos sut roedd o wedi rholio'n belen fel draenog rhag y storom ergydion. Bu raid i Ilse chwerthin er mor erchyll y swniai'r profiad wrth ei weld o yno a'i lais yn codi'n fach o dan y breichiau a gysgodai ei wyneb.

"Ond," meddai Max wedyn gan godi mor chwim â gwiwer ar ei draed drachefn, "roedd rhai o fechgyn *Morris Motors* yno a daethon nhw i'm helpu mewn chwinciad, ac fe aeth hi'n uffar o gwffas wedyn... ond dydi'r diawliaid ddim wedi bod yn ôl. Mi gollon nhw bob math o gefnogaeth y noson honno."

Tynnodd Max ei waled o boced ei siaced.

"Sbia be ddeudodd y wasg leol!" meddai'n gyffro i gyd gan ddangos darn o bapur newydd wedi breuo o'i agor a'i blygu mor aml. Darllenodd yn Saesneg: *"Thank God,*

Oxford is not likely to be impressed by the mechanical bleatings of this gimcrack fencing master."

"Beth yw hwnnw – y *gimcrack* beti'n-galw?"

"Dwi ddim yn gwbod – ond dydi o ddim yn swnio'n glên iawn, nag ydi?" gwenodd Max gan ddangos fod y noson honno wedi costio'i ddannedd blaen iddo.

Gwenodd Ilse hithau. Hoffai Max yn fawr. Llipryn o ddyn yn ôl pob golwg a allai blymio i ddyfnderoedd dudew iselder diwaelod, ond a feddai ar hiwmor byrlymus ac ysbryd afieithus a fwriai bob bwci-bo o Ffasgydd yn ôl i'r cysgodion dros dro.

15

Er yr helyntion hyn a sefyllfa Ilse, hanes yr ysgol fomio a ddaliai i gorddi Hugh.

Iddo ef, dihangfa gyfrinachol, bersonol oedd y wlad hynafol, anhygyrch a orweddai i'r gorllewin; teyrnas i'w hamddiffyn doed a ddelo rhag ymosodiadau estron, anghydnaws, i'w diogelu rhag holl wyntoedd croes y byd mawr. Ond ni allai gau'i lygaid i'r hyn a ddigwyddai ar fap y byd mawr hwnnw chwaith, ac ni wyddai beth i'w deimlo na sut i weithredu am y gorau.

Ceisiai sôn wrth ei gymar am fygythiad yr ysgol fomio, a'r rhwystredigaeth a deimlai wrth ddarllen ym mhapurau newydd Lloegr am ffyrnigrwydd y gwrthwynebiad yn erbyn y rheini a oedd yn ceisio amddiffyn treftadaeth amhrisiadwy Pen Llŷn a'r holl sylw ffafriol a roddid i achosion cyffelyb yn Lloegr.

"Wrth gwrs, dydi hi ddim fel yn yr Almaen – mae'n gwbwl wahanol. Dwi'n dallt hynny. Ond, Ilse, taset ti 'mond yn gallu gweld machlud haul o gopa Carn Fadryn ac Enlli fel rhith o'r cynfyd ar wyneb y môr, mi faset ti'n dallt yn iawn pam 'mod i'n teimlo mor gry' am y peth."

Ystyriodd Ilse. Gallai weld y diffuantrwydd a'r brwdfrydedd yn ei lygaid. Roedd hi mewn hwyliau da y diwrnod hwnnw, beth bynnag, ar ôl derbyn llythyr optimistaidd gan ei rhieni o Fiena, lle'r oeddent wedi'u croesawu'n wresog ar aelwyd eu perthnasau. Yn eu llythyr, am y tro cynta, buont yn sôn am adael Ewrop am byth a cheisio'r bywyd newydd y dyheai Ilse gymaint amdano yr ochr draw i'r Iwerydd.

"Cer â fi i dy Gymru. Awn ni fory nesa."

"Sut?"

"Trên... car... lloga gar i ni eto."

Roedd hi bellach yn ganol mis Awst. Roedd Hugh wedi aros ymlaen yng nghwmni Ilse ar ôl i'r tymor ddod i ben. Doedd dim arwydd bod ei dad wedi hyd yn oed sylwi ar ei absenoldeb o'r Plas. Treuliai hwnnw lawn cymaint o'i amser yn Llundain y dyddiau hyn, gan ddefnyddio'r Plas fel lloches yn unig pan fyddai'i gredydwyr yn dechrau udo'n rhy groch am eu harian a'i waed.

Roedd y myfyrwyr eraill wedi symud o'r tŷ yn Stryd Sant Ioan, a Sophia wedi gadael Lloegr i ymweld â'i theulu yn yr Eidal. Bu'n ddigon clên i adael y tŷ cyfan yn eu gofal ac roedd Hugh yn mwynhau'r dyddiau hirfaith o ddarllen a hel meddyliau, gan gerdded y wlad neu ddiogi mewn cwch ar yr afon.

Roedd hefyd wedi cael cyfle i wneud rhywbeth i fodloni ei awydd i ddysgu hedfan. Tua wythnos yn ôl, roedd wedi llogi car ac wedi ymweld â maes awyr Warden yn Swydd Bedford, lle y cafodd ei daith gynta mewn awyren.

Os oedd y chwilen hedfan wedi'i frathu o'r blaen, roedd bellach wedi'i heintio'n llwyr drwyddo heb iachâd yn y byd. Ni allai gofio teimlad brafiach nag eistedd yn yr *Avro Trainer* a chodi'n raddol uwchben y caeau gwyrddion a'r wlad yn ymestyn ymhellach ac ymhellach draw yn glytwaith o liwiau hafaidd. Ucha i gyd y codai'r awyren, pella i gyd y gallai weld. Rhaid iddo ddysgu'r grefft yma cyn gynted ag y gallai. Wedyn medrai hedfan yn ôl i Gymru pryd bynnag y dymunai – dros y Gororau, dros y Berwyn, dros fawnogydd gogledd Meirion nes y gwelai Lŷn fel map odditano, yn fynegbost i Enlli a'i milsaint, ac efallai, rywdro, y daliai ati i hedfan nes cyrraedd Iwerddon...

Pam lai mynd i Lŷn y penwythnos yma? Mwya i gyd y meddyliai am y peth, mwya i gyd roedd y syniad yn apelio. Os oedd y tywydd i ddal yn braf am wythnos arall, llawn gystal iddo fynd ag Ilse yno rŵan fel y gallai hi weld y wlad yn ei holl ogoniant, fel y gallai ddechrau deall pam ei fod mor daer dros gilcyn o dir. Ac wrth ddechrau meddwl am Lŷn, fe'i câi'n anodd credu ei fod wedi cadw draw ers cymaint o amser.

"O'r gora," meddai, "mi awn ni fory."

"O'r gora," adleisiodd Ilse dan wenu'n hapus.

Ond nid i Lŷn y teithiodd y ddau drannoeth, ond i dŷ yn Jericho yn ninas Rhydychen, i adnabod corff. Corff Max Kieler. Roedd y cerflunydd ifanc wedi'i grogi'i hun oddi ar fachyn y tu ôl i ddrws yr ystafell fach hirgul a oedd yn gartref iddo.

Cysylltodd yr heddlu ag Ilse oherwydd fod ei henw a'i chyfeiriad yn gorwedd ar y llawr, yn amlwg wedi syrthio o'i law jest cyn neu ar ôl iddo adael i'r cortyn ddal y pwysau.

RHAN DAU

16

Yn ôl ym mhen draw'r byd, ym Mhlas y Morfa, yn un ar bymtheg oed erbyn hyn, roedd Ceinwen hefyd yn teimlo fel pe bai pwysau'r byd yn cynyddu'n feunyddiol ar ei hysgwyddau. Daliai i weini yn y plas; yn wir, chwilota am wyau ydoedd, yn yr un modd â'r llynedd pan oedd Hugh ar ei ffordd adref, ond, yn wahanol i'r tro blaenorol, ni wyddai Ceinwen fod mab y plas ar ei ffordd heddiw – mewn gwirionedd, ni wyddai neb ei fod ar ei ffordd adref heddiw – a go brin y byddai hwyliau mor orfoleddus arni â'r bore hafaidd hwnnw y llynedd, pe gwyddai Ceinwen hynny. Doedd yna fawr o'r asbri arferol o'i chwmpas y dyddiau hyn beth bynnag. Roedd hi wedi meinio'n arw ac yn anaml iawn y clywid ei chwerthiniad-nant-y-mynydd yn atseinio drwy'r tŷ neu ar draws y buarth.

Bu'n flwyddyn anodd iawn iddi; roedd pethau wedi dechrau mynd o chwith toc cyn y Nadolig y llynedd pan gafodd hi'r frech goch. Bu'n ddifrifol wael am ychydig wythnosau ac wedi ei llethu gan wendid affwysol am yn hir wedyn. Mor beryglus yr ystyrid ei salwch nes ei bod yn cael ei chadw'n hollol ar wahân i bawb, ac ni chafodd weld neb bron o'i ffrindiau na'i theulu, ac eithrio ei mam, am amser maith. Profiad rhyfedd oedd bod ar ei phen ei hun yn y llofft lle arferai pedwar gysgu.

O gwmpas y bwthyn bach hongiai cynfasau wedi'u mwydo mewn diheintydd i atal yr afiechyd rhag lledaenu nes bod yr aelwyd gyfan yn teimlo fel pe bai'n clafychu.

Bu'n rhaid i'w mam gasglu neges o'r tu allan i'r siop gan fod cymaint o ofn dal yr haint ar bawb. Deuai ei ffrindiau i godi llaw arni drwy'r ffenest ac weithiau i adael pwysi o eirlysiau ar y wal o flaen y tŷ.

O'r diwedd dechreuodd fendio ac erbyn dechrau mis Mawrth roedd hi'n ddigon cryf i fynd yn ei hôl i Blas y Morfa, lle – diolch yn bennaf i eirda Selwyn – gallodd ddychwelyd i'w gwaith er gwaethaf ei habsenoldeb hir. Am ychydig bu hyd yn oed Blodwen Elias, yr hen grintach iddi, yn dweud pethau clên wrthi. Ond byrhoedlog oedd y croeso a'r rhadlondeb a chyn bo hir, darfu'r cadoediad bregus ac ailddechreuodd y sneipio a'r sgarmesu arferol.

Pwysai rhywbeth arall ar Ceinwen hefyd.

Toc cyn iddi gael ei tharo'n wael, roedd ei thad wedi penderfynu gadael am y Sowth at ei gefnder a weithiai yn Abercynon. Bu ei ymadawiad yn ddisymwth ac ni allai Ceinwen gredu y gallai'i thad wneud rhywbeth a achosai gymaint o bryder ac anhapusrwydd iddi. Siom aruthrol iddi oedd meddwl y gallai ystyried byw ar wahân i'w deulu.

Ei brawd hynaf, Moi, oedd bellach yn gweithio'r tyddyn. Fel anrheg ffarwél i'w mam roedd ei thad wedi llwyddo i'w beichiogi eto. Doedd mam Ceinwen ddim yn ddynes gref o bell ffordd, a doedd y beichiogrwydd newydd ddim yn dygymod â hi o gwbwl, gyda salwch yn ei llethu bob dydd ar hyd yr amser ac yn ei chadw rhag ei gwaith gwneud dillad a'u golchi. Bellach roedd hi bron wedi cyrraedd pen ei thymp ac ar fin esgor unrhyw ddydd.

Poenai Ceinwen am ei mam yn naturiol, ond yr hyn a'i poenai fwya oedd y ffaith y byddai ei chwaer iau, Gwen, a oedd yn ddeuddeg oed, yn fwy fyth o gynffon iddi nag erioed ar ôl i'r babi newydd ddod i'r byd, a hynny ar yr union adeg pan oedd Ceinwen yn dechrau ymestyn ei hadenydd ychydig.

Roedd hi bron wedi anghofio am ei hen wendid gwirion yr haf diwethaf, a'r effaith a gafodd mab y plas arni. Ni welsai Hugh adeg y Nadolig eleni chwaith gan ei bod yn sâl, ond clywodd ei fod wedi cael andros o ffrae hefo Syr David, rhywbeth am y borth awyr yma, a bod Hugh wedi gwylltio'r hen ddyn yn gacwn drwy gymryd ochr y rhai oedd yn erbyn y safle.

A diawliaid oedd y rheina hefyd, achos dyna i gyd oedd y sôn ers wythnos a mwy – ers i dri o'r taclau coleg a chapal yna a oedd yn erbyn yr ysgol fomio danio'r lle berfeddion nos Iau diwetha. I'r cythral â nhw! Tasan nhw wedi gadael llonydd i'r lle efallai y basa 'na fwy o waith i'w thad ac mi allai ddod adra o'r pyllau glo melltith 'na. Yn lle hynny, roedd pobl yn mynd i golli gwaith – deugain saer coed a oedd newydd gyrraedd o Sgotland i ddechrau arni – er pam ddiawl eu bod nhw'n gorfod cael rhyw bobl estron i wneud tipyn o waith saer yn lle rhoi cyfle i hogia lleol – gallai'i thad droi'i law at waith saer unrhyw ddiwrnod; roedd o gystal saer ag unrhyw Sgotyn...

Mi oedd yna goblyn o le wedi bod ym Mhwllheli y prynhawn ar ôl y tân. Cynhaliwyd llys arbennig o flaen yr ynadon a llwyth o bobol wedi ymgynnull y tu allan – dau o frodyr Ceinwen yn eu mysg. Doedd yna fawr o gariad tuag at y dynion yn y llys na'r rheini oedd yn eu cefnogi. Mi oedd yna ryw weinidog o'r Port y cafodd ei sbectol ei malu'n dipiau pan ddaeth o'r llys, a phan geisiodd o ddenig i ryw siop, dyna ddrws honna'n cael ei gau'n glep yn ei wyneb. Dylia fo wybod yn well, ond dyna i chi bobol capal, yntê? Meddwl 'u bod nhw'n glyfrach na phawb arall ac yn fwy sanctaidd yng ngolwg Duw na'u cymdogion.

Does wybod beth fasa wedi digwydd tasa'r dorf wedi

cael gafael yn y tri. Roedd Moi wedi sôn am eu llosgi ar y Maes, neu'u clymu nhw wrth rai o'r bwiau bomio fel targedi. Y pennau bach iddyn nhw!

Wedi hel yr wyau, daeth Ceinwen allan o dywyllwch y beudy a cherdded dow-dow yn ôl tua'r gegin. Daeth brithgof o'r ffordd ddaru iddi ruthro a syrthio yn ystod haf y llynedd, a'r olwg oedd arni a'r bregeth gafodd hi gan Blodwen Elias wedyn. Gwenodd yn ddihiwmor wrthi'i hun. Roedd hi'n hŷn eleni; yn gallach hefyd. Roedd hi wedi prifio cymaint mewn cyn lleied o amser, meddyliodd. Penderfynodd y byddai'n gwneud gwraig atebol iawn i rywun ryw ddydd a'i bod yn bryd iddi ddechrau chwilio am ŵr hefyd achos fe allai gymryd tipyn o amser nes iddi gael hyd i rywun a haeddai ddynes mor gyfrifol a hirben â hi.

Roedd yna gar yn dod i fyny'r rhodfa. Car nad oedd hi'n ei nabod. Stopiodd o flaen y tŷ a syrthiodd cysgod y coed dros ffenestri'r car fel na allai weld drwyddynt yn iawn. O sedd y teithiwr camodd dynes bryd tywyll, yn gwisgo siwt fach goch a het goch â phluen ynddi. Edrychodd o'i chwmpas.

Dechreuodd calon Ceinwen garlamu wrth i Hugh gamu o'r car a theimlodd binnau bach drwy'i chorff i gyd. Cerddodd Hugh o gwmpas y car a chusanodd y ddynes ar ei gwefus. Llyncodd Ceinwen gri bach rhyfedd a gododd yn annisgwyl o'i gwddf a'i throi ar ruthr i'r gegin. Daliodd ei chlocsen yn erbyn y llechen a bu bron iddi gael codwm eto ond rywsut llwyddodd i gadw ar ei thraed.

17

Roedd Peter Eldon-Hughes heb weld ei frawd bach ers chwe blynedd. Dim ond rhyw ddwywaith y bu gartref ym Mhlas y Morfa yn ystod y cyfnod hwnnw, beth bynnag.

Dau beth yn unig a ddeuai ag ef yn ôl i'r lle diarffordd hwn – prinder arian a dyledion. Roedd Peter wedi ennill a cholli tomennydd o bres dros y blynyddoedd ac roedd y gwaddol anrhydeddus a etifeddodd drwy stad ei fam wedi'i ddisbyddu bron yn llwyr erbyn hyn. Dyn busnes ydoedd, yn *entrepreneur* a oedd wedi llwyddo i afradu cannoedd o filoedd ar fentrau ansefydlog, amheus y byddai'r rhan fwyaf o ddynion busnes craff byth yn cyboli â nhw – cloddfeydd arian anhygyrch ym Mheriw; rheilffyrdd diddiben drwy dirwedd garwaf yr Ariannin; tyfu cnydau ar diroedd diffrwyth yn nhrefedigaethau Ffrainc a Phrydain; taro bargeinion peryglus i gyflenwi pob rhyw unben a theyrn, llofrudd a lleidr; cefnogi carfanau gwleidyddol asgell dde eithafol, gan gynnwys yn ddiweddar, rodd i goffrau'r BUF, Undeb Ffasgwyr Prydain.

Yn raddol, roedd ei anallu i reoli'i lif arian wedi'i wthio'n anochel dros y ffin annelwig honno rhwng yr hyn a ganiateid dan gyfraith gwlad a'r hyn oedd yn drosedd.

Wedi'i fagu gan rieni'i fam, roedd dylanwad ei daid, dyn busnes tra llwyddiannus, a fu'n dipyn o arwr ganddo, wedi peri iddo benderfynu'n ifanc iawn roi'i fryd ar y byd masnachol. Yn anffodus, ni feddai ar ddoniau ei daid ac ni all yr ynfyd ddygymod â'r geiniog. Ac un go ynfyd oedd Peter Eldon-Hughes mewn sawl ffordd.

Ei sgêm ddiweddaraf oedd cyflenwi darnau awyrennau i fyddinoedd Franco yn Sbaen o ffatrïoedd ym Mhrydain a de Ffrainc. Âi'r nwyddau drwy borthladd Marseilles draw i Oran yn Algeria Ffrengig, ac o'r fan honno dros y mynyddoedd i gadarnleoedd y Cadfridog yn y Morocco Sbaenaidd. Ond fel y digwyddai mor fynych i gynlluniau Peter, trodd yr arian disgwyliedig yn rhith yng ngwres anialdiroedd gogledd Affrica, ac roedd y rhai a ddisgwyliai gael eu talu'n dechrau anesmwytho a throi tu min.

O dan yr amgylchiadau, roedd Llŷn anhygyrch yn cynnig lloches gyfleus i gollwr proffesiynol ar herw, a dyma Peter, yn nhraddodiad ei gyndeidiau uchelwrol, yn manteisio ar bellter y penrhyn o bob man i swatio nes i'r holl helbul ostegu. Doedd fawr neb yn gwybod am ei gysylltiad â Chymru ac er y gwyddai na fyddai'r rhai oedd ar ei drywydd yn rhoi'r ffidil yn y to ar chwarae bach, ni allai eu gweld yn teithio mor bell â hyn i dalu'r pwyth a'i fwrdro.

Yn wir, prin y gallai Peter gredu mor ddiarffordd a dinad-man oedd yr ardal hon, a chyn lleied roedd wedi newid ers dyddiau'i blentyndod. Môr a mynydd a brefiadau defaid a gwartheg, dyna i gyd oedd fan hyn hyd y gallai weld. Âi o'i go' pe bai'n gorfod byw yma'n hir.

Perthynas ffug-gyfeillgar oedd rhyngddo a'i dad. Prin eu bod yn nabod ei gilydd. Pe gwyddid y gwir, doedd Syr David ddim yn hoffi ei fab hynaf. Roedd Peter yn codi ofn arno. Er pan oedd o'n hogyn bach roedd Syr David wedi sylwi ar ryw dueddiad anghynnes yn ei gyntaf-anedig i wastrodi unrhyw beth a synhwyrai ei fod yn wannach nag ef, ac er i Syr David gael ei siomi hefyd yn Hugh â'i holl syniadau pen-yn-y-cymylau gwirion a diffyg ymroddiad i'r byd go-iawn, gwyddai ym mêr ei esgyrn mai Hugh oedd y lleiaf tramgwyddus o'r ddau.

Loes calon iddo, pan oedd y bechgyn yn iau, fyddai'r hen gastiau creulon y chwaraeai Peter ar ei frawd bach diniwed, fel y tro y'i gadawodd ef ar ynys fechan y Garreg Felen dros nos gan wrthod dweud wrth neb lle'r oedd o. Oni bai fod Selwyn wedi mynd allan yn ei gwch i chwilio'r traethau ac wedi clywed y bychan yn crio fatha cyw morlo, byddai Hugh wedi trengi'r adeg honno.

Efallai mai ef a Dorothy oedd ar fai; doedden nhw ddim wedi sôn dim wrth Peter fod yna frawd bach ar y ffordd. Ond hyd yn oed wedyn roedd yna rywbeth di-ffeind yn Peter oedd yn fwy gwaelodol nag unrhyw genfigen bachgennaidd rhwng brodyr.

Dirmyg pur y teimlai Peter tuag at ei dad. Gwlanen o ddyn di-asgwrn-cefn oedd Syr David ym marn Peter, yn llipryn sentimental a'i ddibyniaeth ar y ddiod yn ategiad addas i ddarlun truenus. Roedd o'n casáu ei ddi-niweidrwydd. Ond os oedd am fenthyca pres, byddai'n rhaid iddo gogio rhyw arlliw o deyrngarwch a hoffter. Ond roedd o'n dechrau sylweddoli fod Syr David yntau'n cael ei lethu gan ddyledion ac yn gorfod treulio fwyfwy o'i amser yn y Plas er mwyn cadw pellter rhyngddo a'r holl bobl roedd arno arian iddynt, a'i unig gwmni – heblaw am y staff a âi o gwmpas eu dyletswyddau'n gynyddol sarrug, eu diffyg amynedd a'u parch prin wedi'u celu – oedd amrywiaeth o boteli.

Roedd Peter mewn penbleth a fyddai'n well ceisio codi'r busnes arian yma hefo'i dad pan oedd hwnnw'n chwil beipan neu ynteu pan fyddai mewn cyflwr cymharol gall. Rywsut roedd yn amau a oedd yna lawer o ddiben holi o gwbl wrth farnu cyflwr y plas a'i berchennog.

Tynnodd yn ddwfn ar ei sigarét wrth wylio'r ddynes bryd

tywyll â gwallt hir, trwchus wedi'i dorchi am ei phen o dan het goch a phluen ynddi; gwelodd fod ganddi lygaid mawr ac, yn nhyb Peter, drwyn Hebreig. Cododd y ferch ei golygon i edrych yn iawn ar y plas am y tro cyntaf. Yn sydyn sylwodd Ilse fod rhywun yn ei gwylio a throdd wyneb blinderog, ansicr i gyfeiriad Peter ar ben y grisiau wrth y drws.

Syllai Peter yn ddigywilydd arni a theimlodd Ilse ryw ias yn mynd drwyddi er nad oedd yn siŵr o'i tharddiad. Ni chymerodd Peter fawr o sylw i ddechrau o'r dyn tal a gamodd o sedd y gyrrwr nes ei fod yn sefyll wrth ymyl y ferch. Syllodd drachefn gyda syndod y tro hwn.

Dros y chwe blynedd diwethaf bu bron iddo anghofio'r ffaith fod ganddo frawd ac eithrio wrth feddwl am faint yn fwy fyddai'r gwaddol ar ôl ei fam pe na bai'r brawd hwnnw'n bod. Roedd y glaslanc lletchwith a gofiai bellach yn ddyn ifanc, eithaf trawiadol, ac yn dalach ac yn lletach nag ef. Anesmwythodd. Doedd hynny ddim i fod. Cododd Hugh ei olygon a gwyrodd Peter ei drem, yn methu â chwrdd â llygaid ei frawd. Wrth wneud, gwelodd Ceinwen yn sgathru'n ôl i'r gegin.

Cerddodd Hugh a'r ddynes fraich ym mraich i fyny'r grisiau tua phrif fynedfa'r plas. Yna, roeddent yn sefyll ar yr un ris â Peter, a dyma Hugh yn edrych i lawr arno, ryw dair modfedd go lew rhyngddynt o ran taldra.

"Helô, Hugh," meddai Peter, y cyfarchiad yn llithro dros ei fin cyn iddo sylweddoli. Serch hynny, roedd yn falch mai ef oedd wedi siarad gyntaf; gallai hynny roi rhyw fantais iddo efallai.

"Helô, Peter. Dyn diarth," meddai Hugh. Swniai'n flin ac yn sydyn sylweddolodd Peter fod y dyddiau o ymestyn bonclust a chelpan i hwn drosodd, ac nad bôn braich oedd yn mynd i'w gadw yn ei le bellach.

Edrychodd Ilse o'r naill i'r llall gan sylwi ar y pethau tebyg ac annhebyg a oedd yn eu gwahaniaethu o ran pryd a gwedd. Gwyddai fod gan Hugh frawd a gwyddai hefyd nad oeddent yn ymwneud rhyw lawer â'i gilydd, ond doedd hi ddim wedi disgwyl y byddai'n cwrdd ag ef heddiw. Roedd hi'n rhy luddedig i boeni'n ormodol am y cyfarfyddiad beth bynnag. Roedd y daith i'r plasty bach ym mhen draw'r byd wedi dechrau am hanner wedi pedwar y bore hwnnw.

Ychydig fisoedd ynghynt byddai wedi protestio'n groch ac ystyfnigo i'r eithaf ynghylch y ffordd roedd Hugh wedi ymddwyn brynhawn ddoe. Roedd wedi rhuthro i mewn i'r llyfrgell â'i wynt yn ei ddwrn gan anelu'n syth amdani wrth y cownter lle'r oedd hi'n trafod ag un o'r darllenwyr. "Rhaid i ni fynd i Gymru fory," cyhoeddodd Hugh gan anwybyddu'r dyn academaidd ei olwg a siaradai ag Ilse.

"Hugh..." hisiodd Ilse yn geryddgar gan amneidio tuag at y darllenydd.

"O... iawn."

Safodd o'r neilltu'n ddiamynedd. Cyn gynted ag y gorffennodd Ilse ddelio â'r darllenydd, neidiodd Hugh i'r adwy eto.

"Maen nhw wedi'i llosgi – yn ulw."

"Pwy? Wedi llosgi be?"

Wrth glywed y gair 'llosgi' trodd meddyliau Ilse yn syth at danau'r haf diwetha yn Hamburg, y tân a ddinistriodd y Reichstag bedair blynedd ynghynt, yr holl danau mewn synagogau a busnesau Iddewig ar draws yr Almaen. Efallai fod Hugh wedi clywed rhagor o hanesion tywyll a digalon.

"Yr ysgol fomio. Penyberth. Tri ohonyn nhw."

"O, wela i." Doedd ganddi ddim affliw o ddiddordeb ac

ni fedrai guddio hynny yn ei llais. Rhyddhad a deimlai'n bennaf nad yma i sôn am ryw anfadwaith newydd yn erbyn ei phobl gartref ydoedd, neu hunanladdiad arall tebyg i Max. Ers marwolaeth Max Kieler roedd y byd o'i chwmpas fel pe bai'n llwytach ei olwg ac aethai'n fwyfwy anodd iddi gadw'i hysbryd rhag crebachu'n grimp.

Dyma'r tro cyntaf iddi golli rhywun roedd hi wedi'i adnabod yn bersonol. Teimlai ychydig fel y teimlai ar ôl i'w ffrind Anna ddiflannu o'i bywyd gan ffoi gyda'i theulu i America. Rywsut, daliai i gredu y gwelai Anna eto ryw ddydd cyn diwedd ei hoes, ond roedd Max wedi mynd am byth. Ar ben hynny, roedd yn rhaid iddi fyw gyda'r ffaith mai hi oedd ar ei feddwl ar yr adeg y bu'n cyflawni'r weithred dyngedfennol â'i chyfeiriad yn ei law. Pam er mwyn Duw? Doedd hi ddim wedi'i hystyried ei hun yn ffrind arbennig iddo hyd yn oed. Deuai'r cwestiwn hwn yn ôl ac yn ôl ati ar hyd ei hoes, heb yr un ateb i leddfu'i hanallu i ddeall ei rhan, os o gwbl, yng nghymelliadau'r llanc i'w ladd ei hun.

"Dylwn i fod yno," meddai Hugh gan daro blaen y cownter yn galed â'i fysedd. "Be da ydw i yma? Yn tindroi fan hyn yng nghanol yr holl Saeson yma."

"Dwi ddim yn Saesnes," meddai Ilse yn ddidaro gan symud llwyth o lyfrau oddi ar y cownter a throi'i chefn ato.

Daliai'r geiriau i nofio yn ei phen wrth iddi suddo i blygion cwsg yn ei llofft ddiarth yn y plas yn Llŷn, gan anghofio popeth am y tro – y dicter a'r dryswch, y trais a'r tristwch.

Tra cysgai Ilse, wedi ymlâdd ar ôl y daith hir, aeth Hugh ar drywydd Hywel Wmffra. Byddai hwnnw siŵr o fod â rhyw farn ar ddigwyddiadau'r dyddiau diwethaf. Pan gyrhaeddodd y llidiart i'r weirglodd, dyna lle'r oedd

Selwyn Ifans, yn llenwi'i getyn. Sgyrnygodd y ci potsiar a orweddai gerllaw wrth i Hugh agosáu. Trodd Selwyn ei ben.

"Wel, wel. Y ddau fab afradlon adra yr un pryd."

Craffodd Hugh yn ofalus ar Selwyn. Oni bai ei fod yn nabod y dyn ers cyhyd, byddai'n amau ei fod wedi meddwi. Un am herian fu Selwyn erioed ond swniai'n fwy egr nag arfer heddiw.

"Ro'n i ar fy ffordd i weld Hywel Wmffra."

Taniodd Selwyn y cetyn. Cuddiwyd ei ben gan gwmwl trwchus o fwg chwerw a ddaliodd yng ngwddf Hugh gan beri iddo besychu ychydig. Ar ôl i'r tarth glirio, pwysodd Selwyn yn ôl yn erbyn y wal gan edrych tua'r gorwel yr ochr draw i'r ddôl.

"Mae Hywel Wmffra yn Seilam gynnon ni ers misoedd."

"Be 'dach chi'n 'i feddwl?"

"Roedd o wedi dechrau crwydro'r wlad yn amharu ar oedfaon capel a chyfarfodydd o bob math."

"Be 'dach chi'n feddwl? Amharu?"

"Rhyw frygawthian diddiwedd am Armageddon a ballu."

"Be am y tyddyn?"

"Does neb wedi bod ar gyfyl y lle ers iddo fynd o 'na."

"Ond mi oedd 'na lyfrau…"

"Mi oedd yna lanast a baw ci a chathod 'dat dy geseilia."

Bu tawelwch am ennyd.

"Gyda llaw," dechreuodd Selwyn. "Sôn am lyfrau, mae dy dad wedi gofyn sawl gwaith yn ddiweddar imi losgi'r llyfrau sydd yn y tŵr."

Teimlodd Hugh law oer yn gafael yn ei ymysgaroedd ac wedyn rhyw don o anniddigrwydd yn golchi drosto.

"Peidiwch â gwneud hynny!"

"Fo ydi'r bòs, washi. Dwi wedi 'anghofio' ryw ddwywaith, a gwneud esgusion droeon eraill. Dwi'n ama a fedra i ddod allan ohoni eto. Rhaid i ti gael gair hefo fo yn eu cylch os nag wyt ti isio'u gweld nhw'n troi'n lludw."

"Wneith o fyth wrando arna i."

Bu tawelwch ac roedd Hugh yn meddwl efallai y dylai ddychwelyd i'r tŷ rhag ofn bod Ilse wedi deffro eto. Ar ôl y siwrnai faith a'r holl gynnwrf emosiynol wrth ddychwelyd i Gymru, bu bron i wir fwrdwn ei daith fynd yn angof. A ddylai ofyn i Selwyn beth oedd yn digwydd, beth oedd barn y bobl am y llosgi? Ond cofiodd am ddifaterwch y garddwr y noson y clywodd am godi'r ysgol fomio am y tro cyntaf. Ond, yn ddirybudd, fel pe bai wedi darllen ei feddwl ac yn deall diben ei ymweliad, dyma Selwyn yn tynnu'i getyn o'i geg drachefn.

"Mae llosgi wedi mynd yn beth mawr ffor' hyn yn ddiweddar."

"Be... yr ysgol fomio 'dach chi'n feddwl?"

"Gawson nhw amser go hegar yn y dre diwrnod o'r blaen."

"Faint o ddifrod gafodd ei wneud i'r lle?"

"Fawr ddim yn ôl be dwi'n 'i ddallt. Mae'r hogia'n ôl ar y seit yn barod ond maen nhw wedi colli tipyn o'u harfa, meddan nhw."

"Sneb wedi'i frifo?"

"Mi fuon nhw'n reit frwnt hefo'r gofalwr nos."

"Dwi ddim yn meddwl..."

"Y cradur wedi'i ridyllu â bwledi yn Ypres ac wedyn yn cael ei hambygio gan ryw bobol gapel a ddylai wbod yn well."

Agorodd Hugh ei geg i ddweud rhywbeth ond newidiodd ei feddwl. Gallai weld fod Selwyn wedi'i gynhyrfu ar y pwynt yma.

"Fydd o ddim yn stopio dim byd."

"Mi fedrai wneud gwahaniaeth."

"Na wneith. Fedrith ddim byd 'i stopio fo rŵan."

Roedd tinc gwahanol yn ei lais erbyn hyn, rhyw gryndod anghyfarwydd. Doedd Hugh erioed wedi gweld Selwyn dan gymaint o deimlad. Roedd y llygaid glas syn wedi pylu ac yn llenwi â dŵr ac edrychai'n hŷn yn sydyn.

"Ty'd," meddai Selwyn wrth y ci gan fynd ar ei hynt heb air o ffarwél. Llifai'r helgi fel ail gysgod wrth ei sawdl wrth iddynt groesi'r ddôl tua'r gorllewin gan adael Hugh yn teimlo'n fwy anesmwyth nag erioed.

Ers i Ilse gyrraedd ei fywyd bu'n byw mewn limbo gan gladdu'i ben yn y tywod ynghylch cwrs y byd gan dindroi yn ei unfan braidd. Rhoddai rywbeth i gael trefn ar ei feddyliau, i ddidoli'r gwir a'r gau. Roedd angen rhyw fynegbost cadarn i'w arwain allan o'r ddrysfa oedd wedi tyfu o'i gwmpas.

Doedd o ddim eisiau bod yn ddiamcan am byth, ond ar brydiau, credai efallai ei fod yn ormod o freuddwydiwr i wneud dim â'i fywyd.

Ond rŵan ei fod wedi cyrraedd pen y daith, teimlai braidd yn hurt. Beth oedd o wedi'i ddisgwyl? Y wlad yn wenfflam? Y Mab Darogan wedi atgyfodi a phob copa walltog yn llawn ysbryd gwrthryfel cenedlaetholgar?

Doedd affliw o ddim byd yn wahanol yma. Roedd popeth yn hollol ddigyfnewid. Parhâi'r Cymry cyffredin yr un mor groes i'r gwynt ag erioed. Anadlai'r wlad yr un mor ddigynnwrf a difater a sugnai'r llanw a'r trai yr un mor rheolaidd ar y glannau. Doedd dim curiad gwrthryfel na dim arall i'w glywed – dim ond curiad cyson trindod oesol y gwynt, y tir a'r môr.

18

Cyn deffro, roedd Ilse yn breuddwydio ei bod yn caru gyda... nage, nid Hugh oedd o. Fedrai hi ddim cofio pwy oedd y dyn. Roedd popeth yn dywyll, dywyll ac roedd fel pe bai'r dyn yn gwisgo mwgwd, ond nid dyna beth oedd o chwaith. Doedd y freuddwyd ddim yn annifyr, ond fe'i gadawodd â'i phen yn troi braidd. Gorweddodd heb symud am funud neu ddwy gan edrych ar y stribedi hir o olau'r prynhawn ar nenfwd isel y llofft. Gwrandawodd. Doedd dim byd i'w glywed.

Gartref yn Hamburg, sŵn y tramiau'n rholio heibio i'r fflat tan yr oriau mân fyddai'n ei chadw'n effro – hynny a sŵn y gweithwyr wedi yfed eu gwala yn dod o'r *kneipe* ar gongl y stryd. Weithiau byddai'r tramiau'n lluchio rhyw fellten drydanol i'r awyr a byddai pob dim yn ei llofft yn troi'n llwydlas fel pe bai wedi'i rewi. Yn fflat Sophia yn Rhydychen, roedd sŵn y traffig, ambell geffyl a throl a lleisiau i'w clywed o hyd, tra yn *Holywell House* roedd yna ddistawrwydd llethol, mwll neu sŵn tywydd mawr y gaeaf yn ymosod ar y tŷ gan geisio treiddio i bob congl o'r adeilad. Ond, roedd fan hyn yn amheuthun.

Llonyddwch – dyna oedd o. Llonyddwch rhagor na distawrwydd achos gallai glywed brain yn y coed, ceffylau'n gweryru a sŵn defaid yn y pellter ond doedden nhw'n mennu dim ar yr ymdeimlad gwaelodol o lonyddwch a thangnefedd. Bu ei chwsg yn fwy ymlaciol nag arfer, er gwaethaf ei breuddwyd, ac roedd y tyndra a gydiai yn ei hymysgaroedd bob bore wrth ddeffro fel pe bai wedi cilio am y tro.

Edrychodd o gwmpas y llofft. Roedd hi'n ystafell eithaf eang a'r paent yn plicio o'r wal a'r nenfwd mewn mannau. Gorweddai haenen o lwch dros bopeth ac roedd rhyw naws anghofiedig amdani. Nid ei bod yn annifyr nac yn ddigroeso chwaith. Dwy ffenest fechan wedi'u delltio gan gwareli mân a adawai i olau tyner yr hydref cynnar dreiddio o'r ardd – ond ystafell gysgodol, ddiaddurn oedd hi yn ei hanfod.

Ar y muriau edrychai portreadau sawl un o hynafiaid y plas i lawr arni'n gyhuddgar. Un yn unig oedd â rhyw fymryn o wên yn ei lygaid, er bod ei geg lydan wedi'i bletio'n galed, ac er ei gwaethaf dyma Ilse'n gwenu'n ôl arno'n swil. Roedd y pwl bach o fraw yn dechrau cilio. Tynnodd ei chôt nos a mynd draw at y basn cul yng nghongl yr ystafell. Roedd wedi'i staenio a heb ei ddefnyddio ers tro. Fodd bynnag, tywalltodd ychydig ddŵr iddo o'r stên grochenwaith a'i slempian orau y medrai dros ran uchaf ei chorff gan geisio dal ei gafael ar sglodyn tenau o hen sebon rhychiog a orweddai ar ben y tywel wrth law. Mewn drych petryal, budur cafodd gip ar ei hwyneb ei hun a chraffodd ar y cysgodion dulas dwfn o dan ei llygaid gan sylwi ar y diffyg gwrid yn ei bochau.

Ar ôl gorffen ymolchi a gwisgo amdani, gadawodd y llofft a cherdded hyd y styllod cwynfanllyd i lawr y grisiau ac allan drwy ddrws ochr i ble y gallai weld gardd yn hepian yng ngolau bricyll y prynhawn.

Nid oedd hi'n ymwybodol o lygaid Ceinwen yn ei dilyn, na chwaith o Blodwen yn syllu arni'n drwyn i gyd, drwy ffenest yr ystafell wnïo.

Allan yn yr ardd, arafodd ei chamre a dechrau ymgyfarwyddo â'r tŷ a'i leoliad. Bu penseiri gwreiddiol

Plas y Morfa'n ddeheuig iawn wrth ei leoli. Fe'i himpiwyd yn glyd i hafn rhwng dwy graig gysgodol ar fryncyn a lochesai'r tŷ rhag drycinoedd y gorllewin a'r gogledd. Yn ôl pob tebyg, ar gynsail hynafol iawn y cafodd ei godi gan ddilyn patrwm hirgul yr hen neuaddau, a bu cysylltiad niwlog rhwng yr hen annedd a theulu Llywelyn ar lafar bro.

Fe'i llosgwyd yn ulw o ganlyniad i gynnen deuluol rywbryd rhwng diwedd cyfnod Glyndŵr a dechrau Rhyfel y Rhosynnod a phan y'i hailgodwyd toc cyn y Deddfau Uno, penderfynodd y perchennog yr adeg honno mai doeth o beth fyddai codi tŵr bach amddiffynnol rhag i'r un dynged oresgyn y tŷ drachefn.

Fodd bynnag, arweiniodd esgyniad y Tuduriaid at amseroedd llai helbulus ac am ryw reswm gwelodd milwyr Cromwell yn dda i adael llonydd i'r plas a'i berchennog brenhingar ar eu pererindod dinistriol yn yr ardal, ac felly erbyn canol y ddeunawfed ganrif roedd y tŵr wedi colli'i olwg castellog a throwyd yr hen gaer yn llyfrgell, a llunio cerddi maswedd a chopïo hen lawysgrifau a âi â bryd y bonwr preswyl rhagor na champau milwrol.

Tua diwedd yr un ganrif aethpwyd ati i roi trefn ar y gerddi, ond ni chwblhawyd y gwaith ac erbyn hyn blodau a llwyni'r maes oedd wedi'u meddiannu o'r newydd gan dyfu'n ddilyffethair dros y muriau a'r rhodfeydd addurnedig, a llyffantod a lanwai'r pyllau a fwriadwyd ar gyfer pysgod aur. Selwyn oedd y garddwr i fod, ond canolbwyntiai ei ymdrechion ar yr ardd lysiau ac ar goedydd a helwriaeth y stad. Ni thrafferthai ryw lawer â'r ardd ffurfiol ar ôl i Mrs Eldon-Hughes farw.

Cerddodd Ilse dow-dow i fyny ac i lawr yr hen risiau llyfnion gan ryfeddu at y golygfeydd cyfareddol oedd yn ymagor wrth bob tro yn y llwybr. Ni welsai wlad debyg yn ei dydd, gyda'i mynyddoedd dramatig yn y pellter, y rhostir a'r môr yn hollbresennol ar bob tu.

Ymhen hir a hwyr, cafodd ei hun ar y ffordd draw i'r hen berllan lle gwelodd Hugh yn sefyll wrth y llidiart a arweiniai i'r tir glas a oleddai at y morfa. Wrth iddi ddynesu dyma Hugh yn troi ac yn dechrau cerdded tuag ati.

"Helô. Ro'n i ar y ffordd draw i weld sut oeddet ti."

"Mi gysgais mor drwm."

Roedd wedi'i chyrraedd erbyn hyn a rhoes ei freichiau amdani a'i dal yn ymgeleddol.

"Gest ti freuddwydion?"

Cofiodd ei breuddwyd a gwridodd.

"Do... ond dwi wedi'u hanghofio."

"Mae'r lle 'ma wedi mynd rhwng y cŵn a'r brain."

"O dwi'n ei hoffi fel hyn."

"Wyt ti?"

"Ydw. Dwi'n hoffi popeth yma."

Roedd ei geiriau'n fêl i glustiau Hugh.

"Dwi'n falch."

Safodd y ddau'n dawel am ychydig yn pwyso yn erbyn ei gilydd gan ddrachtio'r ymdeimlad newydd o gyd-ymddiriedaeth a chyd-ddibyniaeth, fel ailddarganfod cuddfan anghofiedig o'u plentyndod.

Yn nes ymlaen pan ddychwelodd Ilse i'w llofft, cafodd fod y drws yn gilagored. Gallai glywed rhyw sŵn siffrwd y tu mewn. Gwthiodd y drws yn betrusgar.

"O..."

"Jest leaving water."

Llygadodd Ceinwen ac Ilse ei gilydd, y ddwy'n amheus, yn nerfus ac yn ansicr.

"I be back later on."

"Yes."

Aeth Ceinwen i adael y llofft. A dyma Ilse'n hel ei meddyliau'n sydyn gan ofyn:

"Is it all right for me to have bath now, yes?"

"Oh, the water is very hot. It is good thing for the boiler that you do."

"Thank you."

"Don't be talking about it."

Doedd Ilse ddim yn deall. Pam bod y testun yn waharddedig? Ond cyn iddi gael cyfle i holi ymhellach, roedd Ceinwen wedi gadael a gallai Ilse glywed sŵn ei chlocsiau yn atseinio ar hyd y coridor hir a arweiniai o ben y grisiau i'w hystafell. Byddai'n rhaid iddi ofyn i Hugh yn nes ymlaen.

"Pwy ydi hi, 'lly?" Roedd chwilfrydedd Blodwen Elias yn ei thagu. Ers canol y bore, bu'n stilio holi pawb ynglŷn â'r ddynes ddiarth oedd wedi cyrraedd yng nghwmni Hugh.

"French."

"Be?"

"Dydi hi ddim yn Saesnes beth bynnag."

"Ddim yn Saesnes? Pam fod eisio mynd ar ôl rhywbeth estron?"

Nid atebodd Ceinwen. Doedd hi ddim yn deall chwaith. Doedd hi ddim yn gwybod pam bod ei theimladau tuag at Hugh wedi'u haildanio mor ddisymwth. Prin ei bod wedi meddwl amdano ers hydoedd, ac wedyn, fel huddyg i botes, dyma fo'n glanio'n ddirybudd ac yng nghwmni rhywun arall.

Profiad newydd i Ceinwen oedd cenfigen ond eisoes roedd hi wedi'i meddiannu, yn gorff ac enaid. Bu'n dilyn

Ilse o gwmpas yr ardd ar ddechrau'r prynhawn a bu'n dyst i'r funud fach dyner yn y berllan, a bu hynny'n drech na hi a rhedodd yn ôl i'r tŷ â'i chalon yn carlamu.

Treuliodd weddill y prynhawn yn helpu paratoi bwyd ar gyfer y cinio nos dan gyfarwyddyd Blodwen. Ni fedrai ganolbwyntio ar ei gwaith a bu Blodwen yn gorfod arthio arni sawl tro. Sut allai ganolbwyntio a'i heiddo'n cael ei fachu o dan ei thrwyn gan rywun diarth? O'r diwedd, llwyddodd i ddenig o'r gegin am yn ddigon hir i lithro i fyny'r grisiau i gael sgowt yn llofft y ddynes ddiarth. Rhaid iddi gael gwybod mwy amdani, fedrai ddim dioddef yr anhysbys.

Digon diffrwyth oedd ei gwaith ffureta. Doedd fawr o bethau ganddi. Ychydig ddillad o wneuthuriad eitha da ond wedi'u treulio; blwch bach dan glo, waled ffoto-graffau'n ei dangos hi hefo'i theulu. Gallai Ceinwen weld y berthynas yn hawdd rhyngddi a'i mam a'i thad, ei chwaer a'i neiant. Roedd hefyd ambell lythyr mewn ysgrifen fain na fedrai Ceinwen hyd yn oed ddyfalu'r llythrennau heb sôn am ddeall yr iaith. Lwcus nad oedd yna fwy i'w weld neu mi fyddai Ilse wedi'i dal wrthi pan ddaeth hi i'r ystafell.

Wrth blicio tatws yn y gegin, roedd hi'n pwyso a mesur y posibiliadau o wenwyno Ilse â gwenwyn llygod mawr, pan gyhoeddodd Blodwen na fyddai Jên yn gallu dod i mewn heno a byddai'n rhaid iddi hi Ceinwen weini ar y parti amser swper. Prin y gallai Ceinwen anadlu. Fyddai hi byth yn gallu 'i wneud o. Doedd hi ddim yn siŵr y gallai ddygymod â gweld y ddau hefo'i gilydd hyd yn oed. Cenfigen a ladd ei berchen, medden nhw. Wrth i amser swper ddod yn nes, roedd Ceinwen yn weddol sicr bod rhywun yn mynd i farw cyn diwedd y pryd.

19

Roedd Hugh mewn hwyliau digon drwg pan ddaeth heibio i ystafell Ilse i'w hebrwng i lawr i'r ystafell fwyta. Roedd agosatrwydd yr ardd gynnau wedi diflannu ac yn ei le synhwyrai Ilse ryw gorddi mawr mud.

Ar ôl dod i mewn o'r ardd aethai i fyny i'r llyfrgell yn y tŵr, ac yno roedd wedi'i gythruddo o weld bod llawer iawn o lyfrau wedi'u hel driphlith-draphlith i hen focsys yn barod i'w symud oddi yno. Aethai ati'n wyllt i achub yr hyn a fedrai o'r cannoedd a oedd eisoes wedi'u pacio. Byddai'n rhaid iddo fynd â'r cwbwl oddi yno cyn ei bod yn rhy hwyr; ond sut a ble y byddai'n gallu cadw cynifer o gyfrolau? Go brin y medrai eu cludo'n ôl i Rydychen. Nid oedd yn siŵr chwaith a fedrai ddwyn perswâd ar ei dad i atal ei law rhag troi'r cwbwl yn goelcerth.

"Llosgi llyfrau?" gofynnodd Ilse a'i llygaid yn llawn braw.

"Y llyfrau yn y llyfrgell. Mae 'nhad eisiau 'u llosgi nhw i gyd."

"Dy dad eisiau'u llosgi," meddai Ilse'n ddiddeall.

Ar amrantiad roedd hi'n ôl y tu allan i'r siop yn Hamburg yr haf diwethaf yn gwylio wrth i'r dorf fynd ati i danio'r cyfrolau a oedd yn disgyn fel hwyaid mewn helfa o ail a thrydydd llawr yr adeilad. Teimlai fraich ei thad yn tynhau amdani wrth iddynt sleifio o olwg y dorf. Gallai glywed oglau'r mwg a sŵn y gwydr yn crensian dan draed. Dechreuodd grynu drosti.

"Wyt ti'n iawn? Ilse, be sy?"

Ymwrolodd Ilse a thynnu'r llen dros y delweddau anhyfryd hyn. Gwenodd yn wantan.

"Blinder – 'na i gyd ydi o. Dwi wedi ymlâdd. Ond mae'n siŵr y bydda i'n iawn ar ôl cael rhywbeth i'w fwyta."

Aethon nhw i lawr y grisiau a mynd i mewn i'r ystafell dywyll lle yr arferai'r teulu giniawa fin nos. Er bod y tywydd yn eithaf mwyn o hyd roedd tân wedi'i gynnau yn y lle tân anferthol. Wrth ei ymyl, safai Peter yn gwylio'r fflamau fel pe bai'n disgwyl rhywbeth i ymrithio ohonynt. Penderfynodd Hugh mai ef fyddai'n siarad yn gyntaf y tro hwn. Fe'i temtiwyd yn arw i awgrymu mai aros am Satan ei hun roedd ei frawd, ond cofiodd mor flinedig oedd Ilse ac na fyddai'n deg i'w llusgo ar ei phen i ganol ffrae deuluol.

"Lle mae 'nhad heno?" gofynnodd.

Ni thrafferthodd Peter godi'i ben.

"Aeth y ddiod yn drech nag o. Fydd o ddim yn ymuno â ni, dwi ddim yn meddwl."

Yn ei blinder doedd Ilse ddim wedi deall y Saesneg yn iawn ac er mwyn bod yn gwrtais, penderfynodd holi mwy am y tad.

"Eich tad? Dydi o ddim yn sâl, gobeithio?"

Cododd Peter ei lygaid o'r fflamau am y tro cynta gan edrych arni'n hirach nag oedd yn gyfforddus iddi.

"Hugh, wnest ti ddim cyflwyno dy gymar yn iawn i mi o'r blaen." Edrychodd ar ei frawd yn ddisgwylgar. Crychodd Hugh ei dalcen yn ddiamynedd, yn gyndyn o ddatgelu dim byd i'r dyn sartoraidd wrth y tân.

"Ilse… Ilse Meyer," meddai Ilse yn frysiog, gan estyn ei llaw.

Cydiodd Peter yn llipa yn y llaw a chraffu'n ddwfn i'w llygaid.

"*Sehr angenehm Sie kennenzulernen, gnädiges Fräulein.*"

"*Sie sprechen Deutsch!*" llonnodd ei hwyneb wrth glywed y seiniau cyfarwydd.

"Rhyw ychydig. Roedden ni draw yno y llynedd."

Daliodd i gydio yn ei llaw a syllu'n ddyfnach byth i'w llygaid.

"Mae'n rhyfeddol y gwelliannau y mae Herr Hitler wedi'u creu drwy'r wlad, 'dach chi ddim yn meddwl, Miss... ym... Meyer," meddai gyda phwyslais bach cynnil ar ei chyfenw.

Pylodd llygaid Ilse a sgubodd cymysgedd o ddicter a siom drwyddi. Edrychodd i'r llawr gan lyncu'n galed. Gwelodd Hugh fod Peter yn dechrau chwarae un o'i gêmau bach anghynnes. Roedd o eisiau ymyrryd ond ni fedrai feddwl am ffordd i chwalu'r tyndra. Yn y diwedd Peter a ollyngodd y pwysedd.

"Ydych chi draw yn y wlad hon am yn hir?" gofynnodd gan dynnu'i law a rhedeg ei fys yn ddifeddwl ar hyd y silff-ben-tân a gwgu'n ddiflas ar olion y llwch.

"Oes rhywun yn trafferthu glanhau yma o gwbl y dyddiau hyn?" meddai wedyn.

"Well i ni symud at y bwrdd," meddai Hugh yn nerfus.

"Syniad ardderchog," meddai Peter gan gydio ym mraich Ilse a'i harwain draw at y bwrdd. "A chaiff Ilse ddweud hanes ei bywyd wrtha i."

"Does dim rhyw lawer i'w ddweud, Mr Hughes."

"O, Peter... Peter, plîs. Efallai y byddwn ni'n perthyn rhyw ddiwrnod, cofiwch."

Bu bron i Ilse ofyn sut y byddai'n dygymod ag Iddewes yn chwaer-yng-nghyfraith iddo, ond nid oedd ganddi'r egni i ymaflyd codwm â hwn heno. Be haru hi, beth bynnag? Yn meddwl am briodi. Nid dyna oedd ei bwriad.

Ond pan ddaeth Ceinwen i'r ystafell i weini'r cawl, roedd

hi'n grediniol ei bod hi yng ngŵydd y darpar Mrs Hugh Eldon-Hughes. Roedd ei cheg yn grimp a chryndod yn ei dwylo prin y gallai ei reoli. Roedd hi fel pe bai'n methu â dal y platiau cawl yn syth ac roedd y cynnwys o fewn y dim i ffrydio dros yr ymyl.

Wrth iddi osod y bowlen o *consommé* o flaen Hugh, bu bron iddi ollwng y cyfan wrth iddo siarad.

"Ceinwen, sut 'dach chi erstalwm?" holodd yn Gymraeg.

Ceisiodd ateb ond roedd ei gwddf yn rhy sych a daliwyd y geiriau yn ei llwnc.

"Mae Hugh yn ei ffansïo'i hun fel tipyn o gynddelw Geltaidd, Miss Meyer. Yn bersonol, dwi'n 'i ystyried yn ddifanars iawn i arfer iaith does neb yn 'i deall mewn cwmni. Dydi Ceinwen ddim yn ateb, sylwch chi. Mae hi'n ferch sy'n gwbod ystyr priodoldeb."

Yn sicr doedd Ceinwen ddim yn gwbod ystyr *propriety*, chwedl Peter. Ceisiodd ganolbwyntio ar gael y cawl o'r ddysgl i'r powlenni, yn falch bod ei chefn at y bwrdd fel na allai neb weld y gwrid fflamgoch ar ei hwyneb.

"Mae Hugh yn medru Almaeneg yn dda iawn hefyd," meddai Ilse, a dyma hithau'n gwrido hefyd wrth i Peter droi ei lygaid tywyll tuag ati ar draws y bwrdd. Roeddent yn llygaid hardd iawn, yn llai blinedig eu golwg na rhai ei frawd, efallai; ond eto yn ddigynnwrf, yn fenywaidd bron. Trodd ei sylw at y cawl a chadwodd ei phen yn isel.

"Roeddwn i'n darllen y diwrnod o'r blaen fod y Celtiaid wedi dod o Sbaen. Pwy fasa'n meddwl, yntê? Be ti'n ddeud, Hugh?"

Roedd Hugh wrthi'n cnoi tafell o fara. Llyncodd yn frysiog ac aeth y bara i lawr o chwith nes ei fod yn pesychu dros y lle. Ceisiodd dywallt gwydraid o ddŵr iddo'i hun ond roedd cynnwys y siwg yn cael ei golli i bob cyfeiriad wrth i'r pyliau ei feddiannu a bu'n rhaid i Ilse ei helpu.

Gadawodd Ceinwen hithau'r lletwad yn y ddysgl gawl a rhuthro draw yn gonsýrn i gyd.

"'Dach chi'n iawn? 'Dach chi'n iawn?"

Edrychodd Ilse ychydig yn syn ar y ferch. Gwelodd y gofid yn ei llygaid a gwyddai ar unwaith fod rhyw ddiddordeb amgenach na phryder morwyn am ei meistr ar waith fan hyn. Ond dyna Hugh yn chwifio'i freichiau'n wyllt a diamynedd a chiliodd Ceinwen yn ôl i'r cawl ar yr ochr.

Tra gwyliai Ilse ymddygiad ei chymar a'r forwyn, roedd Peter yn ei gwylio hithau, ac yn ei gael ei hun ar ddibyn anghyfarwydd.

Gostegodd y pyliau peswch. Aeth Ceinwen â'r ddysgl gaead o'r ystafell a bu tawelwch ac eithrio sŵn clecian achlysurol y tân a chrafu cyson y llwyau yn erbyn y llestri.

"Mae Sbaen yn lle diddorol y dyddiau hyn, ond tydi?" meddai Peter o'r diwedd, gan droi gwaddod y cawl â'i lwy. "Diolch byth am Franco, meddaf i. Cristion a bonheddwr. Maen nhw'n brin yn Ewrop erbyn hyn, cofiwch. Dim ond Bolsieficiaid ac... ym... pobol anghristnogol gewch chi fel arall, yntê? Be wyt ti'n ddeud, Hugh? Oes gen ti ryw gariad at y Cochion a'r bobol anghristnogol yma?"

"Dwi ddim yn gomiwnydd," meddai Hugh gan sychu'i geg yn ei napcyn. Cadwodd ei ben yn isel a phrin y gallodd Ilse glywed y geiriau.

"Beth wyt ti, 'ta, 'mrawd bach i?" heriodd Peter.

Roedd y gwawd yr un mor daer ag erioed, ac yn cael yr un effaith ddiflas. Gallai Hugh deimlo'i hyder yn cael ei ffustio ohono. Gwyddai fod holl osgo'i gorff yn bradychu'i anghysur a'i deimladau israddol. Gwyddai fod Ilse'n ei wylio; gwyddai fod Ceinwen yn sbecian yn slei arno wrth iddi drefnu dysglau'r llysiau ar y bwrdd. Roedd Peter yn siarad eto:

"Be wyt ti'n feddwl am bobol sy'n llosgi eglwysi, yn saethu offeiriaid ac yn treisio lleianod? Yn dwyn eiddo dyn oddi wrtho yn enw rhyw gydraddoldeb pen-yn-y-cymylau. Wyt ti'n cytuno hefo hynna, Huwcyn bach?"

Roedd Ceinwen wedi delwi'n gegrwth uwchben y ddysgl foron. Yn sydyn, sylweddolodd fod y ddysgl yn mynd yn rhy boeth i'w dal a gadawodd iddi syrthio rhyw hanner modfedd i'r bwrdd.

Llwyddodd clec y ddysgl yn erbyn y bwrdd i ryddhau meddwl Hugh o'i barlys a chafodd hyd i'w dafod o'r newydd.

"Wrth gwrs 'mod i ddim..."

"Ond mi glywais i dy fod yn cadw cwmni i bobol sy'n hoffi chwarae hefo tân."

"Be wyt ti'n feddwl?"

"Y cenedlaetholwyr – a'u tân siafins ym Mhenrhos."

"Roedden nhw wedi ceisio dwyn perswâd ym mhob ffordd arall."

Yn sydyn, roedd Hugh yn siarad gyda hyder newydd. Roedd fel pe bai cysgod ei frawd wedi cilio a chrebachu. Sylwodd Peter ar y traw eofn anghyfarwydd yn llais ei frawd a thynnodd ei gyrn yn ôl yn sydyn iawn.

"Dwi'n cytuno, wrth gwrs, fod yr holl syniad o gael ysgol fomio yma'n nonsens. Cynllwyn ydi o gan rai pobol... anghristnogol... i godi bwganod am beryglon o'r Almaen..." chwarddodd gan ledu'i ddwylo'n ymbilgar. "Dwedwch wrtha i, ydych chi wir yn meddwl bod yr Almaen eisiau gweld cyflafan fel y Rhyfel Mawr yn digwydd eto yn Ewrop? Fasech ddim yn cytuno, Ilse?"

"Lladdwyd dau ewythr imi yn Vimy – wrth ymladd yn erbyn y Prydeinwyr," meddai Ilse.

"Mae hynna'n drist iawn," meddai Peter, ei lygaid yn

llawn cydymdeimlad. "Mor anffodus pan fo rhywun yn meddwl nad yw'r Almaen a Phrydain yn elynion naturiol. Fe ddylai'r Almaen a Phrydain ymuno yn erbyn y gelyn cyffredin – y Bolsieficiaid. Faset ti ddim yn cytuno, Hugh?"

"Dwi ddim yn teimlo'n elyniaethus tuag at yr un dyn," meddai Hugh. "Dim ond yn erbyn y pwerau hynny sy'n mynd ag urddas oddi wrth yr unigolyn."

"Mi yfa i hynna," bloeddiodd Peter a llowcio'n farus o'i win heb boeni a oedd yna rywun yn ymuno yn y llwncdestun.

Edrychodd Ilse o'i chwmpas. Prin ei bod yn sylwi ar ei faldaruo pryfoclyd. Roedd rhyw deimlad rhyfedd yng nghrombil ei stumog ers iddi ddechrau ar y pryd bwyd, fel pe bai ei thu mewn hi'n syrthio allan gan ymollwng o weddill ei chorff. Yfodd ychydig win a theimlodd yr hylif yn rhedeg i lawr ei chorn gwddf ac yn treiddio i'r gwagle cynyddol yn ei bol. O bell, gallai glywed y ddau frawd yn dadlau am rywbeth a gallai weld y forwyn fach yn eu gwylio drwy gil ei llygaid o'r drws. Yn sydyn roedd yr ystafell yn troi a'r nenfwd fel pe bai'n rhuthro i lawr tuag ati.

"Ydych chi'n iawn, Fraulein Meyer?" Clywodd hi lais Peter o'r ochr draw i'r bydysawd. Rhaid iddi fynd o fan hyn neu byddai'n sâl. O, cywilydd! Plîs, gâi hi ddianc o'r ystafell cyn chwydu...

Gwthiodd ei chadair yn ôl o'r bwrdd ond yn rhy galed ac fe'i teimlodd ei hun yn simsanu'n wyllt cyn syrthio'n ôl. Am ennyd gwelodd wyneb Hugh yn sbio i lawr arni ac ni chofiodd ddim wedyn.

20

Agorodd Ilse ei llygaid. Teimlai'n llac ac ymhell o bobman. Cofiodd yn syth lle roedd hi ond, am y tro, ni allai ddwyn i gof yr un dim am y digwyddiadau a arweiniodd at y wasgfa a ollyngodd y llen du dros ei phen neithiwr.

Wrth geisio ailafael yn edau'i bywyd, crwydrodd ei llygaid dros batrymau'r craciau ym mhlastr y nenfwd uwch ei phen. Roedd un patshyn a edrychai yn union fel ci ar ei orwedd hefo pluen o fwg yn dod o un o'i glustiau. Edrychodd draw tua'r ffenest lle'r oedd ei dillad wedi'u gosod yn gymen dros gefn cadair fach felfed a dechreuodd digwyddiadau'r noson cynt lifo fel afon i'w meddwl.

Sut oedd hi wedi cyrraedd ei gwely, doedd ganddi'r un syniad. Aeth crychyn o bryder drwyddi. Rhaid mai Hugh oedd wedi tynnu amdani a'i gwisgo yn ei choban. Ymlaciodd drachefn.

Daeth cnoc wrth y drws.

"Herrein."

Arhosodd y drws ynghau.

"Come in."

Camodd Dr Meurig Lewis i'r ystafell gyda Hugh yn ei gysgod â golwg fwy petrusgar nag arfer hyd yn oed ar ei wyneb.

"Dyma'r claf, ai e?" holodd y meddyg yn null rhodresgar dihafal ei broffesiwn, ei acen Gymraeg wedi'i chladdu o dan haenen Saesneg crach. "Mi gewch chi ein gadael ni rŵan, Hughes, os gwelwch yn dda."

Petrusodd Hugh cyn ildio'n wylaidd i'r gorchymyn.

"Mi wela i di'n nes ymlaen," meddai Hugh mewn islais gan gilio'n lletchwith a chau'r drws yn dawel y tu ôl iddo.

Roedd yr archwiliad yn drylwyr ond methodd Meurig Lewis â chuddio ei ddiffyg amynedd rywsut. Holodd am hyn a'r llall, ond heb ddangos fel pe bai ganddo fawr o ddiddordeb yn ei hatebion. O'r diwedd daeth ei ddyfarniad mewn llais ffuantus, difater.

"Wel, 'dach chi ddim yn cael mynd o fan hyn am bythefnos fan leia..."

"Ond, fy ngwaith..."

"Rhaid i chi orffwys," torrodd ar ei thraws. "Mi ydach chi wedi ymlâdd a'ch gwaed chi'n denau iawn yn ôl pob golwg. 'Dach chi'n licio iau? Bwytewch ddigon ohono fo. Eisiau haearn sydd arnoch chi."

Caeodd ei fag.

"Reit, rhaid imi fynd. Mae gen i waith i'w wneud."

Trodd at y drws a'i agor. Oedodd.

"Almaenes, medden nhw wrtha i."

"Mae'n ddrwg gen i...?"

"Iddewes?"

Trodd Ilse ei phen yn syn i'w wynebu. Doedd neb wedi gofyn y ffasiwn beth iddi erioed o'r blaen. Pa reswm allai fod gan feddyg yn y lle diarffordd hwn dros holi'r fath gwestiwn? Edrychodd arno, yn fain ac yn foel mewn siwt frithlwyd ychydig yn ddiraen ei golwg, yn y drws, yn rhedeg ei fys yn ddifeddwl ar hyd ffrâm un o'r lluniau ar y wal gan wgu'n ddiflas ar olion y llwch cyn ceisio'u gwaredu â'i fawd.

"Ia," meddai Ilse, yn fwy fel cyfaddefiad iddi'i hun nag yn ateb ystyrlon i'r meddyg. "Ia, Almaenes Iddewig ydw i."

"Hy!" ebychodd hwnnw'n fuddugoliaethus gan

ddiflannu drwy'r drws. Gwrandawodd Ilse ar sŵn ei gamau'n atseinio ar hyd y coridor ac yna'n mynd i lawr y grisiau. Bu sgwrs fer wedyn rhyngddo a rhywun nad adwaenai mo'i lais. Hugh, efallai? Dechreuodd camau ddod yn ôl i fyny'r grisiau. Yna, bu oedi, ac fe'u clywodd yn mynd i lawr eto, yn gynt y tro yma, gan ymbellhau o'i chlyw.

Siglodd ei phen o'r naill ochr i'r llall ar y gobennydd, ond cododd y symudiad bendro arni. Prin y credai fod yr haint gwrth-Iddewig wedi cyrraedd hyd yn oed y cilcyn pellennig hwn, ond yn ystod yr amser byr y bu yn y plas roedd agwedd Peter Eldon-Hughes a'r meddyg wedi'i hargyhoeddi bod gwrth-Semitiaeth yn rhemp ym Mhen Llŷn a bod cefnogwyr Hitler y tu ôl i bob gwrych. Ochneidiodd a dyrnu'r garthen yn ei rhwystredigaeth. Roedd yr ymdrech yn ormod iddi a theimlai lesgedd yn cripian drwyddi o'r newydd.

Roedd hi eisiau mynd oddi yma, mynd yn ôl i Rydychen. Mynd yn ôl i ryw lun ar wareiddiad. Ble'r oedd Hugh? Byddai'n rhaid iddo wrando. Allai hi fyth aros yma ar ei phen ei hun. Edrychodd ar ei dwylo. Roeddent yn crynu. Dylifodd y dagrau'n boeth i lawr ei hwyneb gan sleifio i lawr ei gwddf i wlychu gwlanen y gobennydd. Gallai deimlo ei bod yn nesáu at y dibyn drachefn. Ond wedyn, o ryw gronfa anhysbys cafodd y ron bach ychwanegol o nerth i adennill rheolaeth drosti hi'i hun. Sychodd ei dagrau a'u hatal rhag llifo. Ac fe wyddai o'r newydd nad oedd hi dan y don eto.

Prin y clywodd y cnoc wrth y drws. Ceisiodd Ilse ei llusgo'i hun yn anfoddog o'i thrwmgwsg. Erbyn iddi hanner codi ar ei heistedd yn y gwely, roedd Peter Eldon-Hughes wedi agor y drws ac yn stryffaglio drwyddo gyda hambwrdd llwythog. Dychrynodd Ilse:

"*Lieber Gott! Was wollen Sie?*"

"Peidiwch â chynhyrfu, Ilse. Dim ond fi sy 'ma."

Safodd wrth y drws, yr hambwrdd wedi'i falansio'n ddeheuig ar un fraich.

Yn reddfol, tynnodd Ilse ddillad y gwely yn uwch dros ei mynwes.

"Does dim rhaid i chi boeni, rydych chi'n edrych yn hollol weddus."

Digiodd Ilse.

"Dwi ddim yn poeni am fy ngweddustra, Herr Hughes, ond dwi ddim yn meddwl ei bod hi'n weddus iawn i chi fustachu'n ddiwahoddiad i lofft eich gwestai, a honno'n sâl yn ei gwely."

Syrthiodd wyneb Peter fel hogyn bach yn cael cerydd, ei lygaid tywyll yn llawn edifeirwch a dryswch. Teimlodd Ilse rew ei dicter yn meirioli ryw ddiferyn neu ddau.

"Mae Blodwen newydd orffen paratoi llond crochan o de bîff. Roedd hi ar ei ffordd i fyny â hwn i chi – tymer y diawl arni fel arfer, wrth gwrs. Ro'n i'n meddwl y basa'n well gennych chi wyneb sy rhyw fymryn yn siriolach na sy gen honna i'ch cyfarch a chithau'n orweiddiog fel hyn."

Swniai traw'r llais mor ddiffuant ac anfygythiol o'i gymharu â'i gywair llym a gwatwarus neithiwr, fel na allai Ilse feddwl am ateb.

"Mi wna i 'i adael o fa'ma ger y gwely i chi, ac mi adawa i chitha gael llonydd eto."

Gosododd yr hambwrdd ar ben cwpwrdd bach wrth erchwyn y gwely.

"Diolch," meddai Ilse.

Trodd Peter i fynd.

"Ble mae Hugh?"

Cododd Peter ei ysgwyddau wrth droi'n ôl.

"Pwy a ŵyr? Rydach chi'n gwbod sut un ydi o. Yn diflannu i rywle o hyd."

"Beth ydach chi'n feddwl?"

"Un cyfrin fuodd Hugh erioed, w'chi. Yn leicio cadw o gyrraedd pawb. Wastad ar ei ben ei hun. Dydi o ddim wedi bod heibio i'ch gweld chi felly?"

"Naddo... Do, pan alwodd y meddyg."

"Oes gennych chi ryw neges iddo fo?"

"Dim ond – jest dywedwch wrtho fo y basa'n dda gen i 'i weld o."

"Mi wna i, peidiwch â phoeni."

Trodd Peter at y drws eto ac wedyn oedodd.

"A sut ydach chi, beth bynnag? Mi gawson ni i gyd dipyn o fraw neithiwr."

"Dwi'n teimlo ychydig yn well. Blinder oedd ar fai. Mae wedi bod yn... yn gyfnod anodd."

"Mae'r rhain yn amseroedd anodd i ni i gyd."

Cadwodd ei ben yn isel gan symud ei draed yn nerfus. Traed bach, sylwodd Ilse, yn anghymesur â'i daldra rywsut.

"'Well imi 'i throi hi, am wn i. Yfwch y te bîff 'na." Cododd ei ben dan wenu, ac er ei gwaethaf gwenodd Ilse hithau'n ôl arno. Roedd gwên ddel ganddo, meddyliodd. A oedd o wedi gwenu neithiwr? Fyddai hi byth yn anghofio gwên fel 'na. Rhaid ei fod o heb wneud felly.

"Mi alwa i heibio eto – a phan wela i Hugh mi ddyweda i wrtho eich bod chi eisiau ei weld o."

A dyna fo wedi mynd.

Clustfeiniodd Ilse. Ar ôl clywed ei draed yn dechrau ar eu ffordd i lawr y grisiau, gollyngodd ei hanadl ac ymestynnodd am y bowlen o de bîff a bara ceirch amrwd ar y plât wrth ei hymyl. Ar ôl cegaid neu ddwy roedd ei harchwaeth wedi'i hadfer go-iawn a llowciodd weddill yr hylif hallt yn farus gan sychu y tu mewn i'r bowlen â'r bara nes bod y llestr yn hollol lân. Gorweddodd yn ôl ar y gobenyddion gan fwynhau'r teimlad ymadferol a oedd yn cyniwair drwyddi.

Un bach smala oedd Peter, meddyliodd. Byddai'n rhaid iddi holi Hugh yn fwy amdano – a Peter am Hugh, o ran hynny.

21

Am y tro cyntaf y gallai gofio, roedd Hugh yn falch o fod
ar ei ffordd yn ôl o Ben Llŷn i Rydychen. Unwaith eto
roedd wedi'i feddiannu gan y dyhead i godi i'r awyr ac i
lywio'i hun drwy'r cymylau gan ymddihatru o hualau
disgyrchiant a gadwai ei orwelion mor gyfyng gan ei
analluogi rhag torri cwys eglur iddo'i hun yn y byd.

Serch hynny, erbyn hyn ymdreiddiai euogrwydd
cynyddol drwyddo gyda phob milltir a roddai rhyngddo
ac Ilse. Ymrithiai'r olwg ofnus ar ei hwyneb pan
ffarweliodd â hi, fel drychiolaeth yn y tywyllwch o'i
gwmpas. Roedd wedi addo dychwelyd erbyn y pen-
wythnos canlynol, ac, ar hyn o bryd, dyna'i fwriad.
Teimlai'n rêl cachgi wrth weld y dychryn yn fflachio yn ei
llygaid, ond gwyddai na allai aros lle'r oedd o eiliad yn
fwy.

Yn ddi-os, presenoldeb Peter fu'r drwg yn y caws o'r
cychwyn cyntaf gan aflonyddu ar ryw sugn fawr o hen
helyntion ac atgofion a fu'n llechu dan yr wyneb ers
blynyddoedd.

Teimlai fel pe bai rhywun wedi stwffio'i ben â phowdr
du a bod y ffiws yn ffrwt-ffrwtian yn siriol braf ar ei hynt
di-droi'n-ôl tuag at danchwa a adawai'i ymennydd yn
hollol chwilfriw. Ilse, yr Ysgol Fomio, cwrs y byd yn
gyffredinol, dychweliad ei frawd mawr, ymddygiad ei dad,
ei gwrs coleg, ei ddyfodol – erbyn hyn roedd popeth yn
ymblethu yn bellen gnotiog yn ei galon. Am unwaith,

ymddangosai Rhydychen yn lle niwtral; yn santwar bron, lle y gallai sadio'r holl gybolfa yma, crisialu'i feddyliau a symud ymlaen. Ac eto, onid dyna sut y teimlai am Gymru a Llŷn fynychaf pan fyddai yn y coleg? Roedd ei fyd yn hollol beniwaered ac fel pe bai'n troelli'n gynt ac yn gynt.

Arafodd wrth fynd heibio i fynegbost a wyrai'n feddw ym mreichiau'r clawdd. Craffodd drwy'r gwyll: Rhydychen 42 milltir. Llaciodd rhywbeth yn ei fol a gwasgodd y sbardun i'r llawr unwaith eto...

Ni wireddwyd ofnau Ilse. Ond ar y pryd ni fedrai ddeall sut y gallai Hugh fod wedi'i gada el yma ar ei ben ei hun gan droi cefn ar ôl bod mor driw ei ofal ar hyd yr amser. Doedd dim eisiau iddi ofni, meddai wrthi, byddai hi'n hollol ddiogel yma ym Mhlas y Morfa. Lle digynnwrf iddi orffwys ac atgyfnerthu. Angen gorffwys oedd arni, yn ôl y meddyg.

Pan geisiodd Ilse sôn am ei chyfarfyddiad llai na chynnes â'r doctor pigog â'i holl ragfarn, roedd Hugh wedi mynd yn amddiffynnol iawn gan ganu clodydd Dr Meurig fel dyn rhagorol a roddai les ei gleifion o flaen pob dim arall. Ychydig yn ffurfiol a ffwdanus, ansensitif braidd ar brydiau, ond yn hollol ddibynadwy.

"Ond pwy alla i drystio go-iawn yma, Hugh?"

"Pawb," atebodd Hugh. "Mi fedri di drystio pawb. Mae Blodwen yn dipyn o ddraig a Selwyn yn gallu bod yn surbwch ar brydiau – ond dyna i gyd ydi o. Does dim dichell yn yr un ohonyn nhw."

Ni fedrai Ilse rannu'i ffydd. Beth am y forwyn ifanc 'na? Synnai hi ddim fod honno'n cynllwynio i'w gwenwyno tra bod Hugh i ffwrdd. Beth am Peter? A beth am y tad nad oedd hi eto wedi cwrdd ag ef? Roedd y lle'n drewi o ddichell.

"Fedra i ddim dy drystio di hyd yn oed, Hugh."

"Be haru ti?" Ceisiodd Hugh edrych yn syth i'w llygaid ond methodd â dal ei threm.

"Wnes i erioed feddwl..." dechreuodd Ilse.

"Ilse, Ilse, Ilse..." Eisteddodd Hugh o'r newydd ar erchwyn y gwely gan ddal ei dwylo bychain rhwng ei fysedd hirfain yntau. "Wrth gwrs y medri di fy nhrystio. Mi fydda i'n ôl erbyn y Sul."

Ystyriodd yn fud. Yna, yn sydyn, dyma genlli o ofidiau ymarferol yn golchi drosti:

"Ond be wna i am ddillad?"

"Wel, gorffwys yn y gwely fyddi di, yntê? Fydd ddim angen dillad arnat ti, na fydd? Mae'n siŵr y medar Blodwen ffeindio coban lân i ti o rywle, wedyn mi fedra i ddod â dillad hefo fi ddiwedd yr wythnos."

Doedd o ddim yn siŵr a oedd ei resymeg yn tycio ai peidio.

"Mi ga i air hefo nhw yn y Llyfrgell hefyd fel y bydd pob dim yn iawn fan 'no i chdi. Fydd ddim rhaid i ti boeni am ddim, cofia."

"Ond pam wyt ti'n mynd?"

"Mae'n rhaid imi... rwyt ti'n gwbod ar gymaint o frys ro'n i y diwrnod o'r blaen. Doedd o ddim yn beth call iawn i'w wneud, dwi'n gweld hynny rŵan. Ro'n i o dan gymaint o deimlad. Mae petha'n wahanol... Ddylwn i ddim fod wedi dod, a dweud y gwir. Dwi heb fod yn hirben iawn, mi wn... Mae gen i bethau eraill i'w gneud... Pethau coleg... wyt ti'n cofio imi sôn?"

Edrychodd ar Ilse, ei lygaid yn ymbil arni i'w goelio, ond doedd o ddim yn argyhoeddi ac fe wyddai hynny. Gallai weld bod rhywbeth arall yn ei gorddi ond roedd hi'n rhy luddedig i fynd i'r afael â'r peth. Brathodd Ilse ei gwefus i atal y dagrau ond methodd â dal rhagor a dyma'r dafnau dihysbydd yn powlio o'r newydd.

Arhosodd Hugh ddeng munud yn ddelw afrosgo ar ymyl y gwely â'i freichiau amdani heb yngan yr un gair. Yn y diwedd cusanodd ei thalcen, codi'n lletchwith ar ei draed a gadael yr ystafell heb edrych yn ôl.

Erbyn y bore Sadwrn canlynol – y diwrnod roedd Hugh i fod i ddychwelyd – roedd Ilse'n hapusach o lawer. Cododd yn fuan ac ymsuddo i'r bath dwfn yn yr ystafell fach od ar ben y coridor. Ni allai ddychmygu sut y llwyddwyd i osod y bath mewn ystafell mor fechan – drwy'r to, efallai? Bron nad oedd yn rhaid i chi fynd allan i newid eich meddwl mor gyfyng oedd hi. Ond roedd yna gysur mawr i'w gael o fod yn y cwt molchi neilltuedig yma gyda'i nenfwd glas llachar anwastad a'i furiau gwyngalchog, meddyliodd Ilse wrth wylio brigau'r coed drwy'r ffenest rosyn yn y wal o'i blaen. Doedd hi erioed wedi bod mewn ystafell molchi â chystal golygfa o'r bath. Doedd dim llenni a byddai'n rhaid gochel rhag ei defnyddio gyda'r nos pryd y gallai rhywun yn y coed sbiena ei wala arnoch yn y drochfa, ond yn ystod y dydd fel hyn doedd dim cymaint o berygl felly.

Roedd y dail yn dechrau newid eu lliw a gwelodd ambell un yn ymddihatru o'r canghennau i hwylio'n hamddenol tua'r llawr yn yr awel fach, fisi a ddeuai o'r môr. Wrth wylio taith ymlaciol y dail, sylweddolodd gymaint oedd y clymau y tu mewn iddi hithau wedi ymollwng ers iddi gyrraedd y Plas yr wythnos flaenorol.

Dechreuad annisgwyl oedd i'r broses yma hefyd. Ar ôl cinio dydd Llun, plataid anferthol o iau a bacwn a phentyrrau o datw a ffa, gwyddai Ilse na allai aros eiliad yn fwy yn y gwely. Roedd egni aflonydd yn plycio ym mhob gewyn a'r ysfa i gymryd y llyw drachefn yn llifo drwyddi.

Gwthiodd yr hambwrdd o'r neilltu gan ymlafnio i godi ar ei heistedd a symud ei choesau dros erchwyn y gwely. Teimlai'n benysgafn a phan safodd ar ei thraed o'r diwedd, roedd fel pe bai'r holl nerth herfeiddiol a phenderfyniad oer a oedd wedi cronni ynddi drwy'r bore wedi dadmer yn sydyn gan ei gadael yn llywaeth ac yn ansicr gyda chwys oer yn pigo'i thalcen a than ei cheseiliau. Ond roedd hi wedi dyfalbarhau ac erbyn iddi gerdded i'r ardd gan lenwi'i hysgyfaint gydag awelon melys y prynhawn, teimlai'n gry ac yn ddewr unwaith eto.

Cafodd hyd i sedd amrwd o ithfaen yng nghysgod derwen fechan. Oddi yma gallai weld y Plas yn ei grynswth, a llesmair y môr a'i donnau yn hepian yn heulwen aeddfed mis Medi i'w weld yn y bwlch rhwng dau fynydd i'r gorllewin. Teimlai'i chorff ychydig yn llipa a'i choesau fel brwyn yn sgil y gwaith cerdded ond wrth ymdrwytho yn y tangnefedd elfennol o'i chwmpas, ciliodd yr ychydig dwymyn yn raddol ac o'i nythfa uchel, gyda chlytwaith y wlad wedi ymdaenu oddi tani, daeth yn ymwybodol o gnonyn o hyder newydd yn disodli'r hen gymylau a oedd wedi'i hamgylchynu, yn enwedig ers marwolaeth Max. Eisteddodd yn llonydd am dri chwarter awr heb feddwl am fawr ddim hyd y gwyddai, gan adael i falmau natur olchi drosti, gan ryfeddu at eu grym i adfywio, lleddfu, llonyddu a llonni.

Tua chanol y prynhawn gwelodd Ceinwen yn dod o'r gegin ac yn chwarae hefo cath fach ddu a gwyn ar y buarth. Ar ôl ychydig gwelodd ddyn a adwaenai fel Selwyn, yn ôl disgrifiadau Hugh ohono, yn dod o gwmpas congl y golchdy ac yn gwylio Ceinwen a'r gath am ychydig. O'r diwedd symudodd draw ati:

"Ceinwen."

Sgrialodd y gath o'r golwg.

Gallai Ilse glywed y lleisiau'n glir, er bod Selwyn yn siarad yn isel dros ben, ond heb ddeall yr un gair o'r Gymraeg. Gwelodd hi Selwyn yn mynd fraich ym mraich â Ceinwen at wal isel ger drws y gegin gan eistedd hefo hi yno. Yn sydyn, sylweddolodd Ilse mai yno i dorri newydd drwg ydoedd. Cyflymodd curiad ei chalon gan aros am yr eiliad y byddai'r ergyd yn taro. Gwelodd law Ceinwen yn mynd at ei cheg dan ysgwyd ei phen ychydig. Plygodd Selwyn yn ei flaen i roi braich o gysur am ei hysgwyddau ond fe'i gwthiodd o'r neilltu a chodi ar ei thraed.

"Ceinwen..." ymbiliodd Selwyn gan ddechrau codi o'i eistedd, ond roedd Ceinwen eisoes wedi cymryd y goes a sŵn aflafar rhwng sgrechian a chrio'n dod ohoni.

"Ceinwen!" gwaeddodd Selwyn. Wedyn dyma'r howsgipar yn ymddangos yn y drws.

"Be sy? O, be sy arni rŵan, 'n enw'r Bod Mawr?"

A dyna lle'r oedd Ceinwen yn rhedeg yn ôl ac ymlaen yn yr ardd, yn ymweu'n ddiamcan rhwng y coed a'r llwyni, dan ubain a gweiddi, a thrwy'r amser yn dod yn uwch ac yn uwch ar hyd yr amryfal lwybrau yn nes at lle'r eisteddai Ilse. Cododd honno ar ei thraed wrth i'r hogan ruthro'n ddi-weld rhwng dau lwyn cyrains cochion. A'r peth nesaf, roedd Ceinwen wedi'i hyrddio'i hun i freichiau Ilse dan grio fel na chriodd erioed.

Ar ôl y sioc gynta, cafodd Ilse na fedrai wylo hefo hi. Roedd yn braf cael rhywun arall i grio ar ei rhan.

Bu mam Ceinwen farw wrth eni'i chwaer newydd, a *bron* na ddilynwyd hi gan ei merch fach newydd-anedig. Rhag ofn, fe'i bedyddiwyd yn Eirwen Medi dros bowlen ar fwrdd y gegin, ond cynamserol oedd y paratoadau hyn. Daliodd y fechan ei gafael yn y bywyd hwn, ac aeth deuddydd yn dridiau a dechreuodd ennill pwysau ac edrych yn llai crychlyd ac anghenus. Ond ychydig o lawenydd a ddaeth yn sgil goroesiad Eirwen Medi; ac ni fyddai gan Ceinwen na'i brodyr a chwiorydd, heb sôn am eu tad yn crafu'i fywoliaeth ar ei bedwar dan ddaear Morgannwg fel y tybiai pawb ar y pryd, fawr o amser i ddygymod â'u galar cyn gorfod ymaflyd codwm â holl oblygiadau ceg amddifad yn nyddiau cyni a phrinder.

Ond i Ilse roedd ymadawiad mam y forwyn fach yn ddigwyddiad rhyfeddol o ffodus. Yng nghanol holl gythrwfl y prynhawn hwnnw, yn sydyn, cafodd fod ganddi swyddogaeth. Tra oedd Selwyn wrthi'n trefnu cludiant i Ceinwen, daliai i afael yn sownd yn Ilse fel pe bai ei bywyd yn dibynnu arni. Roeddent ill dwy'n ddigon tebyg o ran oedran, ac er mai cyfyngedig oedd eu hymgom y prynhawn hwnnw, roedd hedyn cyfeillgarwch wedi'i hau.

Hefyd ar ôl i Ceinwen fynd ar ei hynt, a'r chwilfrydig rai wedi ymhél o bob cyfeiriad i ymgynnull yn y gegin, dyma bawb yn dechrau ymddiddori yn Ilse ac aeth y sibrwd "pwy 'di hon, 'ta?" o'r naill i'r llall.

Fe'i cafodd ei hun yn yfed te ac yn bwyta teisennau cri wedi'u coginio gan Blodwen ei hun gyda thua chwech o bobl rhwng gweision a chymdogion yn ei gwylio'n astud. Neb yn fwy, wrth gwrs, na Blodwen ei hun a edrychai'n ddisgwylgar am ymateb Ilse ar ôl pob cegaid. Cafodd Ilse ei hun yn ymateb i'r sylw yma, wedi'i hamddifadu ohono ers cyhyd. Llwyddodd i dynnu stumiau digon ecstatig i ryngu bodd yr howsgipar a gweddill y gynulleidfa a gwelwyd mwy o wên ar wyneb Blodwen yng nghegin y Plas y prynhawn pruddglwyfus hwnnw nag ers degawdau.

Roedd dŵr y bath yn dechrau oeri. Cododd Ilse ar ei thraed ac ar ôl rhyw led sychu'r gwaethaf, gwisgodd amdani y gôt ymdrochi drwchus a hongiai ar gefn y drws.

Peter a oedd wedi cyflwyno'r gôt iddi ar gyfarwyddyd Blodwen y noson o'r blaen. Gwisgodd amdani yn ei llofft ac yna tuthio i lawr y grisiau gan gyfarch un o'r morwynion eraill ar ei ffordd.

"*Parsel ffor iw, Mis.*"

"Parsel?"

Roedd yn barsel mawr wedi'i bostio yn Rhydychen. Fe'i hagorodd â'i chalon yn curo'n wyllt ac yna cael ei dychryn a'i siomi wrth weld ei fod yn cynnwys rhai, os nad y cwbwl, o'i dillad o'r fflat. Edrychodd ar y defnydd cyfarwydd yn anghrediniol. Doedd bosib nad oedd Hugh yn mynd i gadw at ei air. Gallai deimlo'i hyder newydd yn crebachu y tu mewn iddi.

Yng nghanol y dillad cafodd hyd i ddau lythyr – y naill gan Hugh, a'r llall, er mawr lawenydd, heb ei agor yn llaw ei thad. Gadawodd y dillad lle'r oeddent gan ruthro allan i'r ardd ac i fyny'r llwybrau i'w hoff sedd yng nghanol y cyrains cochion.

22

Chwech o'r gloch.

Clychau'r ddinas yn cydgyfeilio i'r clychau tenau a atseiniai yn ei ben. Roedd Hugh yn dal i led-orwedd yn afrosgo yn y gadair freichiau lle y glaniodd pan gyrhaeddodd y tŷ am hanner awr wedi dau y bore.

Pedair awr o gwsg yn unig.

Boliaid o gwrw ac eto mor effro â'r gog. Ond dyma'r patrwm ers wythnosau. Ond er yn hollol effro, teimlai'n chwydlyd ac yn benysgafn ac roedd ei bledren ar ffrwydro. Llusgodd ei hun ar ei draed, pob cymal o'i gorff hirgoes yn cwyno ar ôl cael eu stumio i gyfyngiadau'r gadair, a simsanodd drwodd i'r tŷ bach yn yr iard gefn i wagio gwaddod noson anystywallt arall i'r closed. Pwysodd ei ben yn erbyn y wal gwyrdd golau i oeri'i dalcen gan fwynhau'r pleser rhywiol bron o lacio'r pwysau ar ei swigen chwyddedig. Roedd syched bustlaidd yn deifio'i wddf ac roedd heb fwyta ers amser cinio ddoe.

Ar gyrion ei feddwl, daeth yn ymwybodol o sŵn cyfarwydd y drol lefrith yn dod i lawr Stryd Sant Ioan. Gwthiodd ei hun oddi ar y wal a thorsythu gan lowcio llond ei ysgyfaint o aer y bore yn yr iard, gan nodi pinsiad cyntaf yr hydref. Yna, cerddodd yn ofalus yn ôl drwy'r gegin gefn i'r cyntedd gan godi stên lefrith ar ei ffordd. Agorodd y drws. Y tu allan i'r tŷ safai ceffyl gwinau pruddglwyfus ei olwg rhwng llorpiau cert gwyrddlas. Trodd y ceffyl ei ben yn ddidaro tuag ato a'i ostwng drachefn gan ffroenochi'n ddiamynedd.

Roedd y dyn llefrith yn gosod caniau ar riniog y tŷ drws nesa.

"All right, Hughie boy. Big night again, was it?"

Ceisiodd Hugh ei ateb ond daliodd y geiriau yn sychder ei wddf. Llyncodd yn galed. Doedd acen siriol y Rhondda ddim yn gyfarchiad delfrydol i ddyn yn ei gyflwr yntau.

"You know drinkin's not gonna solve nothin. You got problems – you gotta talk to someone, myn."

Trybowndiai'r llais dwfn yn erbyn muriau'r stryd fach, barchus. Edrychodd Hugh yn nerfus ar y tai cyfagos gan ddisgwyl gweld ffenest yn cael ei thaflu'n agored a wyneb dicllon yn dod i'r golwg i gwyno am y daran blygeiniol o'r lôn islaw. Ond nid oedd unrhyw smic na symudiad y tu ôl i'r llenni mud. Mewn islais cryglyd atebodd Hugh.

"Dwi'n iawn diolch, Mr Litherland."

"Call me Alun, boy. We're all equal at this time of the mornin."

"Ga i lond stên o lefrith, plîs," lled-sibrydodd Hugh gan ymestyn y siwg.

"So are you goin back for the trial?"

Cipiodd Hugh yn nerfus ar hyd y ffenestri eto.

"Siŵr o fod."

"Silly buggers. What did they give 'emselves up for? Hide in the mountains. Do some real damage. Hit 'em hard. Hit 'em fast!"

Talodd Hugh am y llefrith. Doedd o ddim yn teimlo'n ddigon da i ddal pen rheswm ag Alun y bore yma. Ar ei noson gyntaf ar ôl dychwelyd o Lŷn y cyfarfu'r ddau am y tro cyntaf. Wedi swpera mewn bwyty ger Gloucester Green, roedd Hugh wedi dechrau cerdded allan o'r ddinas ond mor ddwys oedd ei fyfyrdodau nes iddo fynd ar gyfeiliorn a chael ei hun yng nghanol Cowley, ardal gweithlu'r ffatri geir.

Ceisiodd gael hyd i ryw ffordd a âi ag ef allan o'r faestref ac yn ôl i gyfeiriad y wlad, ond rywsut roedd pob stryd fel pe bai'n arwain at fyrdd o strydoedd tebyg. O'r diwedd, i mewn ag ef i dafarn dywyll, ddienw, i holi am gyfarwyddiadau. Hyd y gallai farnu, roedd yna ryw hanner dwsin o ddynion eraill yn llechu yn y gwyll. Peidiodd y sgwrs yn syth wrth iddo ddod i mewn a gwyddai ei fod yn gwrido wrth fynd draw at y bar a phob llygad yn y lle yn ei wylio. Dyn boliog yn ei bum degau oedd y tafarnwr, yn llewys ei grys yn pwyso ar y pympiau. Ni wnaeth unrhyw ymdrech i ymsythu wrth i Hugh ddynesu at y bar.

"Peint o chwerw, os gwelwch yn dda," gofynnodd Hugh, twang crach ei Saesneg yn cadarnhau amheuon y cwsmeriaid ynglŷn â'i dras.

Tynnodd y tafarnwr y peint heb yngan gair a derbyniodd y swllt a roes Hugh iddo a chyflwyno'r newid yn yr un modd tawedog. Diolchodd Hugh iddo am y newid ond dyma'r llall yn pwyso eto ar y pympiau gan ailgydio yn ei sgwrs â'i gydymaith wrth y bar a heb gymryd dim sylw ohono. Erbyn hyn, doedd Hugh ddim yn siŵr a allai fagu digon o blwc i ofyn y ffordd. Ac wedyn roedd yn ymwybodol o ddyn byrgoes, cydnerth wrth ei ochr.

"*All right, boy,*" meddai a'i lais yn diasbedain yn yr ystafell gyfyng.

Roedd Hugh wrthi'n llymeitian ei beint ac yn ei frys i ymateb tagodd ar ei gwrw.

"*You'll get used to it as you get older,*" meddai'r dyn gan fflachio dwy res o ddannedd ysgithrog ar Hugh.

Hwn oedd Alun Litherland, cyn-löwr o dde Cymru a oedd wedi ymuno ag un o'r Gorymdeithiau Newyn o'r cymoedd i Lundain ychydig flynyddoedd ynghynt. Roedd yr orymdaith wedi aros dros nos yn Rhydychen ac roedd

Alun wedi cael gormod i'w yfed a phan ddadebrodd o'r diwedd drannoeth y drin, roedd yr orymdaith wedi hen gychwyn ar ei ffordd i Lundain. Gwelodd hysbyseb am ddyn llefrith mewn ffenest siop a fan hyn y bu ers hynny.

Roedd hi wedi hanner nos cyn i Hugh ymddolennu'n ôl dros Bont Fagdalen tua chanol y ddinas, wedi ymrwymo i gwrdd eto ag Alun Litherland er mwyn parhau â'r drafodaeth y nos Sadwrn ganlynol – er mai ymson gan Alun rhagor na thrafodaeth oedd natur eu sgwrs mewn gwirionedd.

Yn wreiddiol, roedd Alun wedi mynd at y llencyn heglog wrth y bar er mwyn tynnu blewyn o drwyn un o feibion y crachach o flaen ei ffrindiau, ond, yn lle hynny, buan y sylweddolodd nad oedd Hugh yn union yr un cae â rhelyw'r myfyrwyr uchelwrol y deuai ar eu traws ar ei rownd lefrith. Chwerthin yn gras ddaru o pan ddywedodd Hugh wrtho mai Cymro oedd o.

"Don't talk rubbish, man. Les the barman's more Welsh than you. Where was your aunty from again, Les?"

"Chepstow," sgyrnygodd Les yn anfoddog.

"He's a thoroughbred compared to you. You're too posh to be Welsh."

"Mi ges i 'ngeni yn Llŷn a dwi'n siarad Cymraeg," meddai Hugh yn yr iaith honno.

Am ennyd edrychodd Alun yn ansicr, fel pe bai mewn penbleth.

"North Walian, is it? Oh, that explains it. They're all scabs from up there. Lookin down their noses at you as if they was standin on the top of Snowdon or somethin."

Alun oedd y Deheuwr cyntaf i Hugh ddod i gysylltiad ag ef yn ei ddydd. O feddwl, doedd o erioed wedi teithio ymhellach i'r de na Machynlleth o ran hynny, er ei fod yn aml wedi pori dros fapiau o'r wlad gyfan. Roedd wedi darllen am dde Cymru, wrth gwrs, am ei hanes a'i chyflwr, ac roedd yn ymwybodol o'r cyni a'r cynnwrf yn cyniwair yn y cymoedd. Gallodd gynnig clust barod i Alun wrth i hwnnw ddisgrifio gydag angerdd dihafal holl ang-hyfiawnderau pobl de Cymru. Y caledi, y prinderau, y protestiadau, y streiciau, dichell a thrais yr heddlu a meistri'r gweithfeydd, y carcharu, yr erledigaethau. Soniodd am sut y deuai'i dad adref o'r pwll â'i ddillad yn wlyb diferu bob nos ar ôl ymlafnio mewn hedin dwy droedfedd o uchder, a'i fam yn gorfod eu sychu a'u trwsio gorau fedrai o flaen y tân; a sut y bu iddo yntau a'i chwiorydd loffa am gnapiau o lo ar y tomennydd adeg streiciau. Disgrifiodd hefyd amodau'r gwaith dan ddaear lle y bu'n gweithio am bum mlynedd ar ôl gadael yr ysgol nes colli'i waith am gael ei arestio ar ôl ymladd â llond bws o fradwrs; soniodd am y peryglon di-rif a'r colledion a'r anafiadau enbyd a diangen. Disgrifiai fyd a oedd bron â bod y tu hwnt i amgyffred Hugh – yn hollol wahanol i *arcadia* bonwr ifanc cymysgryw o Lŷn â'i holl awelon mwyn a thraethau gwynion.

Cyfareddwyd Hugh gan y cyfuniad o'r dramatig a'r telynegol a'r cynhesrwydd cynhenid a oedd fel pe bai'n byrlymu o ryw darddle yng nghanol enaid y dyn yma. Cofiodd am Hywel Wmffra a'i barablu pwll-y-môr a wibiai o destun i destun fel gwenynen ffrenetig, mor ddi-drefn â'i lyfrau, mor ddryslyd â blew ei farf... ond roedd Alun yn wahanol. Siaradai i bwrpas bob amser; meddai ar y doniau llefaru rhyfedda, a defnyddiai'i adnoddau lleisiol i beintio lluniau byw a brawychus yn y dychymyg. Wrth gystwyo'r meistri diwydiant, y capeli neu ryw gocyn hitio arall, byddai pob ergyd yn cael ei hatalnodi gan saib ac edrychiad fel ebill i wneud yn siŵr ei fod wedi cyrraedd y nod a byddai'n rhaid i'r gwrandawr ymateb achos nid âi'r anerchiad yn ei flaen nes ei fod yn sicr bod y post wedi'i daro'n ddigon caled.

Comiwnydd oedd Alun Litherland yn ddi-os, meddyliodd Hugh, ac nid oedd tras nac anian Hugh yn gallu coleddu'n hawdd â goblygiadau'r gredo arbennig honno, ac eto roedd ganddo ryw ruddin agored, rhyw dueddfryd rhyddfrydol, ddyngarol a allai barchu pawb a geisiai unioni camweddau'r gorffennol. Roedd cyfarfod â Chomiwnydd yn teimlo'n fendigedig o bechadurus. Pobl o ddifri oedd Comiwnyddion a theimlai Hugh ei fod yn bryd iddo yntau fod o ddifri hefyd.

Drannoeth wrth ddeffro llifodd yr atgofion yn ôl gan gynnwys y ffaith ei fod wedi trefnu oed ag Alun eto ar gyfer nos Sadwrn, ond gwyddai'n iawn, hyd yn oed wrth wneud y trefniant, ei fod wedi gaddo i Ilse y byddai'n ôl ym Mhlas y Morfa dros y Sul. Ar yr un pryd, gwyddai na fedrai ei hwynebu hi na'i gartref ar hyn o bryd. Chwiliodd ei gydwybod am olion euogrwydd ond er mawr syndod iddo, heblaw am ryw gosfa fach anhapus, nid oedd unrhyw amheuaeth lle y dymunai fod dros y Sul.

Dillad. Cofiodd iddi sôn y byddai angen dillad arni. Gallai ddanfon y dillad ati a llythyr yn egluro... wel, llythyr o ryw fath. Dangos iddi nad oedd o wedi anghofio'n llwyr amdani na'i hanghenion.

Aeth at y cwpwrdd dillad a dechrau tynnu'r ffrogiau a'r *chemises* rywsut rywsut a'u gosod dros ei fraich. Ychydig oedd yno a phan edrychodd ar y swp tenau ar y gwely teimlodd gywilydd braidd am ei fod wedi'u trafod mor ddi-hid.

Allan yn y cyntedd cafodd fod llythyr at Ilse ar y mat. Wedi'i bostio â llaw oedd o gyda neges lawysgrifen fân yn Almaeneg ar gefn yr amlen. Nid adwaenai Hugh enw'r negesydd ond gwelodd gyfeiriad at rieni Ilse. Rhoes y llythyr i mewn gyda'r parsel ynghyd â'i lythyr yntau a oedd yn llai na boddhaol ond byddai'n rhaid iddo wneud y tro.

Dechreuodd at y drws ar ei ffordd i'r post ac oedodd. Doedd hyn ddim yn iawn; pam ei fod yn ymddwyn fel hyn? Pam bod ei deimladau mor gymysglyd? Rhaid iddo godi uwchben hyn a wynebu'i gyfrifoldebau. Trodd a dechrau ar ei ffordd yn ôl i'r gegin. Daeth cnoc wrth y drws. Yn dal i gario'r parsel cerddodd yn ôl at y drws a'i agor.

"Wel, *shw ma 'i, Hughie? Are you goin to pay for this week's milk or will we have to get the bumbaileys in to seize some of your ill-gotten bullion? And then we can go off for a pint or two.*"

23

Yn ei hawydd i weld ei gynnwys, roedd Ilse eisoes wedi rhwygo'r amlen yn agored heb sylwi ar yr ysgrifen fân ar y cefn. Peidiodd rhuthr gwyllt ei bysedd wrth iddi ddarllen y neges. Roedd y llythyr wedi'i chyrraedd drwy law myfyriwr o Fiena a siaradai â hi weithiau yn y llyfrgell. Doedd o ddim yn Iddew ond byddai bob amser yn glên ac yn gwenu arni, ychydig yn ffwdanus ac anysbrydoledig hwyrach, ond, serch hynny, yn wyneb cyfeillgar mewn cyfnod anodd ac unig:

> *Mae'ch rhieni'n lletya gyda ffrind i'm modryb yn Fiena. Mi alwais i yn y llyfrgell ond dywedwyd wrthyf eich bod i ffwrdd ond mi gefais hyd i'ch cyfeiriad gan un o'r cynorthwywyr. Mae'ch rhieni'n poeni y bydd rhywrai'n ymyrryd â'r post. Gellwch bob amser gynnwys llythyr gyda'm llythyrau innau adref. Mi wela i chi ar ôl y gwyliau.*
>
> *Cofion,*
>
> *Kurt Pfarr.*

Â'i bysedd yn crynu tynnodd y llythyr o'r amlen.

Sibrydai'r papur tenau yn y gwynt wrth iddi weld llawysgrifen gyfarwydd ei thad. Wedyn, sylwodd ar y dyddiad a chael ei siomi braidd:

Fiena Mai 1936. Mis Mai? Gallai rhywbeth fod wedi digwydd iddyn nhw yn y cyfamser.

Ein hanwylaf Ilse,

Nid yw dy fam mewn hwyliau arbennig yr wythnos yma – mae hi'n byw ar ei nerfau ers cyhyd, druan, yn heneiddio'n gynt na'i phryd yn wir – ac felly dyma fi o'r diwedd yn achub y cyfle i ysgrifennu llythyr y dylswn i fod wedi'i ysgrifennu ers tro ond bu pethau'n anodd iawn arnom am gyfnod, a bu'n rhaid i ni ffoi fel pe baem ar herw o Hamburg ac wedyn o'r Almaen ei hun, gan adael ein heiddo a'n cynefin yn y ffordd fwyaf diseremoni y gelli ddychmygu. Ni fu'r daith yma'n ddidramgwydd chwaith ac mae wedi cymryd ychydig i ni gael hyd i rywle diogel i aros yn y ddinas gan nad oedd digon o le o dan yr unto â'n perthnasau. Er, nid yw rhywun yn defnyddio'r gair 'diogel' na 'pharhaol' am ddim byd y dyddiau hyn rywsut. Serch hynny, diolch i Dduw, ryden ni'n holliach ac yn taer obeithio dy fod tithau yn yr un cyflwr.

Fel y gwyddost rydym yn gallu cadw cysylltiad eithaf rhwydd â Suzanne oherwydd fod ei brawd-yng-nghyfraith yn gweithio yn Fiena ar hyn o bryd. Ganddi hi y clywsom am farwolaeth anamserol modryb eich mam yn Lloegr. Fy merch fach annwyl, am fraw i ti. Fodd bynnag, buom yn hapus iawn o glywed am y cymorth parod a gefaist gan wahanol bobl i ymsefydlu yn Rhydychen. Meddylia, pa le gwell, 'nghalon aur i, i ferch ifanc beniog a bywiog fel ti lanio ynddo nag yn un o brifysgolion uchaf ei bri yn Ewrop. Mae'n siŵr y cyfyd rhyw gyfle i ti fanteisio ar y tro ffodus hwn, yn enwedig gan dy fod yn lletya yng nghartref un o brif ysgolheigion y coleg...

Ledbury yn ysgolhaig! Nid fel 'na y meddyliai amdano.

Aeth cryndod drwyddi wrth gofio'i bwysau arthaidd a drycsawr ei anadl yn ceisio meddiannu'i chorff. Yr hen gi ag o.

Edrychodd draw tua'r môr a orweddai'n las ac yn llonydd rhwng y coed. Er ei llawenydd wrth dderbyn llythyr gan ei thad, daliai i brofi rhyw blwc anniddig wrth ddarllen yr hyn a ddymunai'i thad ar ei rhan. Hi fyddai'n penderfynu beth a wnâi â'i bywyd yn y pen draw, nid ei thad na'i mam na neb arall yn y teulu – nac Adolf Hitler hyd yn oed. Ond pylodd ei dicter wrth ddarllen ymlaen i ble'r oedd ei thad yn sôn mewn ffordd annwyl am rai digwyddiadau yn ei phlentyndod a'r modd roeddent yn ei cholli ac yn gweddïo am aduniad cyn bo hir. Am ychydig ni allai weld y llythyr drwy'i dagrau.

O'r diwedd, llwyddodd i'w hel ei hun at ei gilydd a dychwelyd at y darllen.

...Rydym mewn fflat led gyfforddus nid nepell o Blas Rothschild yma yn Fiena yng nghwmni gwraig weddw sy'n ffrind i fodryb y dyn ifanc a fydd yn dod â'r llythyr hwn atat. Nid ydym yn rhy awyddus i ddefnyddio'r post arferol. Rydym wedi clywed am ormod o achosion lle mae llythyrau'n cael eu hagor gan swyddogion y llywodraeth yn yr Almaen, a dwi ddim yn amau nad yw'r un peth yn digwydd fan hyn. Er bod y blaid Natsïaidd yn anghyfreithlon – ynghyd â'r Blaid Sosialaidd – mae'r gefnogaeth iddi'n tyfu'n feunyddiol yma. Mae llawer iawn o Iddewon y ddinas wedi ffoi'n barod. Aeth rhai o deulu dynes y llety fan hyn i Tsiecoslofacia ryw wythnos yn ôl. Eu gobaith yw cyrraedd Palesteina yn y pen draw.

Tlawd iawn yw Fiena ac yn ddigalon o'i chymharu â sut y byddai hi pan fyddem yn dod yma ar ddiwedd

yr ugeiniau a dechrau'r tri degau. Mae'r gweithwyr,
hyd yn oed y rheini sydd â gwaith i fynd iddo, yn
diodde yn enbyd, ac mae cardotwyr i'w gweld ar bob
congl. Os na fyddwn yn ofalus, byddwn ni'n ymuno
â nhw gan fod cadw deupen ynghyd yn anodd gyda
llawer iawn o bobl yn gwrthod rhoi gwaith i
ffoaduriaid, yn enwedig Iddewon, ac os byddant yn
eu cyflogi, yn rhoi llawer iawn llai o gyflog iddynt.
Dwi wedi llwyddo i gael gwaith fel clerc gyda chwmni
tramiau. Mae'r tâl yn echrydus ond rhaid i ni fod yn
ddiolchgar fod cymaint â hynny gennym. Dwi'n ofni
y bydd y Natsïaid yn atafaelu ym mhob ffennig sydd
gennym acw.

Mae'n amlwg bod gan rai pobl fan hyn lawer iawn
o bres a byddant yn ei wario'n wirion yn y clybiau
nos ac yn ambell fwyty crand fel y Drei Husaren a
lleoedd cyffelyb. Mae'r gwrthgyferbyniad yn codi cyfog,
ac mae'r bobl yn ddig iawn tuag at lywodraeth
Schuschnigg. Mae llawer iawn ohonynt yn troi at y
Natsïaid.

Mae gwrth-Semitiaeth yn rhemp yma – yn fwy na
dwi'n ei chofio yn yr Almaen erioed tan y blynyddoedd
diwethaf. Dwi'n meddwl ei bod yn fwy cynhenid yma
rywsut. Rhaid cofio i faer y ddinas yma, Karl Lüger,
fod yn rhywfath o fentor i Adolf Hitler erstalwm pan
oedd hwnnw'n gardotyn yma ar ôl y Rhyfel. Byddai'n
eironig pe baem yn dioddef yr un ffawd â'r Corporal
bach.

Nid yw dy fam na fi'n gwybod beth i'w wneud am
y gorau. Dwi'n meddwl y bydd Schuschnigg yn
llwyddo i gadw'r Almaen allan o Awstria ac os felly,
llawn cystal i ni aros fan hyn. Dwi'n awyddus i aros
yn weddol agos at yr Almaen achos dwi'n siŵr na all

y gwallgofrwydd presennol gartref bara'n hir iawn.
Go brin y bydd rhywbeth tebyg i smonach y Rheinland
yn digwydd eildro. Ni fydd Ffrainc na Phrydain yn
derbyn y ffasiwn beth eto. Pe bai pethau'n poethi'n
ormodol fan hyn, wrth gwrs, fe ddichon y byddem yn
dod i Loegr...

Llonnodd calon Ilse. Dyna roedd hi am ei ddarllen. Ni
allai rannu ffydd ei thad na fyddai Hitler yn mynd ati i
lyncu Awstria a'r Sudetenland hefyd. Roedd Max wedi
darllen *Mein Kampf* ac roedd bwriad Hitler i uno holl
garfanau'r genedl Almaenig ym mhob cwr o Ewrop yn
cael ei nodi'n gwbl eglur yn y gyfrol honno. Eto doedd
neb wedi trafferthu trosi'r llyfr i'r Saesneg nac ieithoedd
eraill fel y gallai'r byd weld y perygl. Roedd Max yn
gweithio ar gyfieithiad cyn ei farw. Efallai na fyddai neb
yn sylweddoli bellach nes ei bod yn rhy hwyr.

...ond yn wir, dwi ddim yn meddwl y gall dy fam
ddygymod â llawer iawn mwy o'r ffoi liw nos yma...

Pwy all, meddyliodd Ilse? Ochneidiodd a sbiodd i lawr
ar y plas lle'r oedd Blodwen yn curo matiau ar y lein, pob
clec fel ergyd o wn.

...Gyda llaw, os bydd yn rhaid i ti symud neu os cei
di gyfle i grwydro yn y wlad bell honno, a wyt ti'n
cofio'r teulu Kablinski? Byddai Joseph Kablinski'n
gwsmer ffyddlon iawn i ni yn y siop. Darllen popeth
am athroniaeth. Creadur hael ar y naw. Rwsiaid oedd
y teulu, yn perthyn i un o hen dywysogion y Rwsia
Wen, medden nhw, a chysylltiadau â'r rhan fwyaf o
deuluoedd brenhinol Ewrop o ran hynny. Wel, mi
glywais gan hen gydnabod y diwrnod o'r blaen ei fod
yntau a'i deulu wedi ffoi i Loegr ac yn byw mewn lle

o'r enw Trefriw, lle bynnag mae hwnnw. Dwi'n
gwybod ei bod yn anodd i ni fel ffoaduriaid (achos
dyna ydyn ni. Am gaswir, yntê?) deithio a symud o
gwmpas yn rhwydd, ond efallai y gelli di holi am y
Trefriw yma a mynd i gysylltiad â nhw drwy lythyr.
Mi fydden nhw'n falch o'th weld, mae'n siŵr. Pobl
gyfoethog iawn ydyn nhw a gallai hynny fod o
gymorth i ni i gyd ryw ddiwrnod. Teimlaf mor
ofnadwy'n gorfod synied am y byd fel hyn – meddwl
am ffrindiau o ran eu defnyddioldeb a'u cyfoeth
rhagor na'u calonnau a'u cwmnïaeth.

Gwyddai Ilse yn iawn yr hyn a oedd gan ei thad. Go
brin y byddai hi'n dal ei gafael yn Hugh, os gafael hefyd,
oni bai ei fod yn gallu cynnig lloches a chysur iddi mewn
cyfyngder.

Dwi ddim yn deall yr hyn sydd wedi digwydd. Does
dim rheswm i'r peth. Ar y naill law dwi'n ffromi ac ar
y llaw arall dwi'n ofni am ein bywydau. Mi dreuliais
flynyddoedd gorau fy ieuenctid mewn ffos leuog yn
amddiffyn anrhydedd yr Almaen. Bu farw fy mrawd
a'i sgyfaint ar dân ar ôl ymosodiad nwy gwenwynig
yn Verdun. Dwi wedi gweithio'n galed imi fy hun a'm
teulu, do, ond hefyd er lles gwlad ein tadau. Dwi wedi
magu fy mhlant i barchu holl gyfoeth treftadaeth yr
Almaen, ei llên, ei cherddoriaeth, ei hathronwyr a'i
gwladweinwyr, i ymfalchïo ym moesau, diwydrwydd
a chywirdeb ei phobl, i ymfalchïo yn harddwch ei
fforestydd, ei mynyddoedd, ei llynnoedd a'i moroedd.
Dwi ddim yn meddwl y bydd y clwy' byth yn mendio.
Pan awn yn ôl yno, fel y gwnawn ni yn y diwedd,
dwi'n amau y bydda i fyth yn gallu ymddiried ragor
na maddau...

Ac wrth ddarllen hynny, gwyddai Ilse na fyddai hi fyth yn mynd yn ôl i'r hen wlad ac mai tua'r gorllewin y gorweddai ei dyfodol.

Gorffennodd lythyr ei thad a'i ddal yn llipa yn ei llaw. Yn lle'r gorfoledd a brofai wrth ei agor suddodd i ryw fyfyrio cymysglyd, ar y naill law yn dyheu am aduno â'i hanwyliaid ac ar yr un pryd yn sylweddoli na fyddai bywyd byth yr un fath, fel pe bai'r broses brifio wedi llithro'n annhymig yn ei blaen.

Cofiodd am yr ail lythyr yn ei chôl – y llythyr oddi wrth Hugh. Fe'i darllenodd yn uchel; ni chymerodd yn hir.

Annwyl Ilse,

Ddrwg calon gen i na fydda i'n gallu dod draw y penwythnos nesaf ond mae rhai pethau wedi codi yma na allaf eu hosgoi. Mi fydda i'n ceisio dod atat mor fuan ag y bydda i wedi cael trefn ar bethau. Dyma dy ddillad. Os bydd angen rhywbeth arall arnat yn y cyfamser, rho wybod. Efallai y gwnaf ffonio yn ystod yr wythnos – os yw'r ffôn yn dal i weithio yno. Dwi'n gwybod bod eisiau'i drwsio ac nad yw 'nhad yn 'morol am y pethau hyn o gwbwl y dyddiau hyn.

Amgaeaf lythyr a gyrhaeddodd y tŷ yma â llaw y bore 'ma. Hyderaf mai newyddion da sydd ynddo.

Mi fyddaf yn meddwl amdanat yn aml ond nid yw cwrs fy mywyd yn glir ar hyn o bryd.

Cofion cynnes,

Hugh

Bu Ilse ar fin gwasgu'r nodyn yn belen fach ddig, ond oedodd gan ei blygu o'r newydd a'i ailosod yn ei amlen.

RHAN TRI

24

Ar lan bedd ei wraig, a hynny dim ond wrth i'r arch ddi-
addurn ddechrau hercio'i ffordd i'r weryd y penderfynodd
yr hynaf o'r ddau swyddog carchar hwyrach y byddai'n
llai na gweddus i Edward Jones aros yn ei gyffion.

Clywodd pawb a oedd yn y fynwent y clician di-
gamsyniol wrth i'r agoriad droi yn y cyffion llaw. Gadawyd
Jones i sefyll yn rhydd o'i warchgeidwaid am y tro cyntaf
ers stopio i wneud dŵr ar gyrion Pwllheli ar ddiwedd y
daith hirfaith o garchar Abertawe i Benrhyn Llŷn y bore
hwnnw. Am ennyd mwythodd ei addyrnau briwedig cyn
gadael i'w freichiau hongian yn llipa wrth ei ochr.
Cadwodd ei lygaid yn ddiwyro ar y platyn syml ar gaead
yr arch wrth iddi suddo o'i olwg.

Erbyn hyn roedd holl ddagrau Ceinwen, a safai gyferbyn
ag ef, fel pe baent wedi'u dihysbyddu am y tro, ac roedd y
gronfa a oedd wedi llifo'n ddiatal ers iddi dderbyn y
newydd am farwolaeth ei mam, o'r diwedd yn wag.
Cwafriodd ochenaid lafurus ac ofnus o'i gwddf. Drwy
lygaid chwyddedig, edrychodd ar hyd y rhesi o bennau
isel o'i chwmpas, ambell un hyfach na'i gilydd heb
ymostwng eu trem, ond yn prysur gydymffurfio â'r rhelyw
wrth gwrdd â llygaid galarus, blinedig y ferch ifanc uwch
y bedd.

I Ceinwen, swniai llais dolefus yr offeiriad yn fain ac
yn freuddwydiol, yn union fel pe bai'n llefaru defodau'r

gladdedigaeth o rywle ymhell y tu mewn i'w phen. Ar yr un pryd achosai rhyw garreg ateb ym meini muriau'r llan i ambell frawddeg swnio fel pe bai'n dod o wahanol fannau yn y fynwent, fel rhyw ysbryd direidus yn chwarae mig rhwng y cerrig beddau neu'n llefaru o blith y galarwyr.

Dynes gymharol ifanc o deulu amlganghennog a chanddo wreiddiau mewn sawl cwmwd oedd mam Ceinwen ac felly roedd y fynwent yn llawn. Roedd llawer iawn o'r wynebau yn ddiarth iawn i'w merch, ond fe'i calonogwyd ychydig gan bresenoldeb cynrychiolaeth deilwng o staff a thenantiaid Plas y Morfa, er bod perchennog y Plas heb drafferthu dangos ei wyneb. Fwy na thebyg yr adeg hon o'r dydd, dal i rochian mewn trwmgwsg meddw y byddai Syr David.

Chwiliodd Ceinwen yn ofer am wyneb Ilse. Byddai ei gweld hi yno wedi helpu'n arw. Go brin y byddai neb wedi sôn wrthi am drefniadau'r angladd. Tybed a welai hi fyth eto hyd yn oed? Siŵr o fod y deuai Hugh yn ei ôl cyn bo hir a'i dwyn yn ôl i Rydychen. Rhyfedd sut oeddent wedi closio ar ôl i Ceinwen benderfynu ei chasáu – ond erbyn hyn deuai'r atgof o gofleidio Ilse â mwy o gysur iddi na'r holl ddefodaeth sych dduwiol o'i chwmpas.

Gwelodd Selwyn ar gyrion y dorf. Y garddwr oedd un o'r rheini a oedd heb ostwng ei ben, a dyma eu llygaid yn hoelio ei gilydd am ennyd iasol, cyn i'w golygon hithau sgubo ymlaen dros yr wynebau anghyfarwydd ac yn ôl at ei thylwyth agosaf ar lan y bedd – ei brodyr a'i chwiorydd, ei hewythrod a modrybedd, cefndryd a chefnitheroedd – nes iddynt aros o'r diwedd ar ffigwr truenus ei thad. Ac am y canfed tro ers iddo ymddangos y prynhawn hwnnw ceisiodd Ceinwen amgyffred yr hyn a welai o'i blaen.

Roedd pen Edward Jones yn dynn i'w frest. Ar bob ystlys ac ychydig y tu cefn iddo câi ei gysgodi gan y ddau swyddog carchar, eu pennau hwythau'n lled ostyngedig, hanner llygad ar y carcharor, eu hwynebau'n mynegi'u diffyg dealltwriaeth ac ansicrwydd yng nghanol y dorf uniaith Gymraeg. Bachgen ifanc, llygatlas, pryderus ei olwg oedd y naill, tra mai hŷn o dipyn oedd y llall ag olion y frech wen yn anharddu'i wyneb ac yn enwedig o gwmpas ei lygad chwith ac ar hyd rhan uchaf ei foch, nes peri iddo edrych fel pe bai'n gwisgo mwgwd o ryw fath.

Yn ei chlustiau daliai Ceinwen i glywed y si o anghrediniaeth a oedd wedi'i ledio drwy'r llan fel brisyn dros wyneb y môr, wrth i'w thad gyrraedd gyda'i ddwylo mewn cyffion yn sownd wrth y ddau geidwad carchar. Wrth iddynt ei fartsio'n ffug urddasol ar hyd corff yr eglwys hynafol, eu capiau dan gesail, er mwyn iddo gael cymryd ei sedd gyda gweddill y teulu yn y corau blaen, ni wyddai Ceinwen druan sut y dôi i ben â chadw rhag llewygu, gymaint oedd baich ei galar a'i chywilydd.

Gwta naw mis y bu Edward Jones yng Nghwm Cynon ond roedd ei fywyd wedi gweddnewid yn llwyr yn ystod y cyfnod hwnnw.

Yn ystod ei drydedd wythnos ym mhwll glo Nant Grai, roedd saith o ddynion wedi'u hanafu'n ddifrifol ac un bachgen pedair ar ddeg oed wedi'i ladd ar ôl cael eu gorfodi fwy na heb i weithio mewn rhan o'r pwll a oedd yn hysbys i bawb fel lle peryglus oherwydd y nwyon. Tanchwa gymharol fechan oedd hi ond bu'n ddigon o glec i ddifetha bywydau os nad lladd pawb oedd yno.

Bu Edward yng nghwmni'r dynion ryw ddwy funud cyn i'r ddamwain ddigwydd. Dyn o Ddyffryn Nantlle, Rhedyw Williams, oedd un o'r fintai a ddaliwyd yn y danchwa, dyn yr oedd Edward wedi mynd yn dipyn o lawiau ag ef yn ystod y cyfnod byr er pan gyrhaeddodd y maes glo. Roedd Rhedyw wedi dod â'i wraig, Buddug, hefo fo o'r gogledd bron i bymtheng mlynedd yn ôl, ac roedd Edward wedi treulio'r prynhawn Sul blaenorol ar yr aelwyd yng nghwmni Rhedyw a Buddug a'u plant, Gwyneth a Daniel, gan ymlacio yn sŵn tafodiaith gyfarwydd y teulu ar ôl cael ei fwydro braidd gan Gymraeg dieithr a Saesneg unigryw cymoedd Morgannwg.

Ychydig ddyddiau ar ôl yr ymweliad hwnnw felly, bu'n rhaid i Edward fynd unwaith eto at Buddug, y tro hwn er mwyn egluro wrthi fod ei mab, Daniel, a oedd newydd ddechrau yn y gwaith ryw bythefnos ynghynt, bellach yn gelain oer a'i gorff a'i wyneb wedi'u malurio yn y fath fodd fel na fyddai ei fam hyd yn oed yn gallu ei adnabod. A phe na bai hynny'n ddigon o ergyd iddi, fod y cawr golygus o ŵr a oedd ganddi'n debygol o golli'i ddwy goes yn sgil y ddamwain ac yn wir mewn perygl o golli'i einioes pe bai'r cyfan yn mynd yn drech nag ef.

Wedi gweithio yn chwareli ithfaen Llŷn am gyfnod, nid oedd anaf ac angau yn y gwaith yn ddiarth i Edward, ond dyma'r tro cyntaf iddo orfod torri newydd o'r fath i wraig a mam alarus. Saernïwyd yr ennyd ddirdynnol honno, yr ennyd pan drodd y croeso yn bryder, y pryder yn banig a'r panig yn dorcalon llwyr, ar ei gof am weddill ei fywyd.

Daeth Edward Jones o'r tŷ gyda dicter a rhwystredigaeth yn chwyrndroi yn ei ben. Roedd popeth am y digwyddiad mor drybeilig o frwnt a gwastraffus. Y dioddefaint diangen; agwedd ddiofal, ddidaro perchenogion y pwll; y modd y chwalwyd aelwyd glòs gan y fath drachwant barus. Roedd y cwbwl yn dân diddiffodd ar ei groen ac yn loes diddarfod yn ei galon, yn ei gadw'n effro y nos, yn ei yrru o hyd i'r dafarn i chwilio am ddihangfa yn y cwrw, yn ei wenwyno ac yn ei suro, yn eplesu ac yn crawnu.

Gallai'r goryfed sorllyd yma fod wedi'i ddinistrio'n llwyr

ond roedd yna ddihangfa amgen i'w chael. Fe'i hataliodd ei hun ar y dibyn a hynny drwy ymaflyd yn ddigymrodedd ac yn ddiflino yn y frwydr dros wella amodau bywyd ei gydweithwyr a'u teuluoedd.

Roedd yr ardal yn grochan o brotest. Yn anochel, ymunodd Edward â rhengoedd y Blaid Gomiwnyddol, y blaid fwyaf egnïol yn y cymoedd yr adeg honno. Dyma gyfnod o orymdeithio, ac o drefnu a chynhyrfu, o gyfarfodydd mawr a mân, cyfnod llawn cyffro a thrais.

Cafodd ei arestio droeon yn sgil ei weithrediadau ac ymhen chwe mis teimlai'n hen law ar yr holl fusnes gwleidydda. Erbyn hyn roedd ei fywyd digynnwrf yn Llŷn yn ymddangos ymhell i ffwrdd ac yn fwyfwy amherthnasol iddo. Yn raddol, disodlwyd yr hiraeth am ei deulu a chydnabod gan frawdgarwch y gymuned lofaol, gan y Blaid a'r awch i fynd â'r maen i'r wal. Daliai i ddanfon arian yn rheolaidd at y wraig a'r plant, ond yn fwyfwy teimlai fod y bennod arbennig honno yn ei fywyd fel pe bai'n tynnu i'w therfyn, a phe bai wedi gofyn y cwestiwn iddo'i hun, buan y byddai wedi sylweddoli nad oedd ganddo bellach unrhyw fwriad o ddychwelyd i'r gogledd i fyw. Roedd o'n ddigon hapus i anfon y pres bob wythnos heb orfod dygymod â helbulon a thyndra'r aelwyd.

Yn fuan hefyd y daeth i sylweddoli bod y tân a gynheuwyd ganddo a'i gymheiriaid dros gyfiawnder yn y cwm yn rhan o gadwyn o goelcerthi tebyg yn fflamychu o gwm i gwm, o wlad i wlad, o gyfandir i gyfandir ar draws y byd nes britho gorchudd dudew gorthrwm â phigau sêr o obaith. Ymhen hir a hwyr byddai'r pigau hynny'n lluosi ac yn ymdoddi i'w gilydd, gan losgi'r gorchudd yn ulw ac fe wawriai dydd newydd ar fyd lle mai newyddion da o lawenydd mawr fyddai'r unig newyddion i'w cyhoeddi wrth bob un.

Deilliai'i garchariad o ddigwyddiad ryw chwe mis ynghynt pan fu sgarmes fudur rhwng streicwyr a thor-streicwyr y tu allan i'r pwll lle y gweithiai. Fe'i harestiwyd a'i ryddhau'r un diwrnod yr adeg honno, ond wedyn, ryw fis yn ôl dyma'r heddlu'n penderfynu corlannu pawb a fu'n gysylltiedig â'r digwyddiad unwaith yn rhagor a'r tro hwn fe'u ducpwyd gerbron y llys lle cafodd Edward a deuddeg arall chwe mis o garchar yr un.

Doedd y carchar, er gwaetha'r caledi, ddim mor anodd dygymod ag ef hwyrach i'r rheini a oedd wedi llafurio dan ddaear. Undonedd, diflastod a rhwystredigaeth oedd y prif elynion, yr oriau hirfaith hynny heb ddim i'w wneud ond cyfri'r brics yn wal eich cell a gwrando ar gyrn y llongau yn niwloedd Bae Abertawe. Yn aml, yn unigrwydd y nos, yn ddigymell, dechreuai meddwl Edward Jones grwydro hyd cwysi'r cof yn ôl at ryddid cymharol ei faboed a'i lencyndod ym Mhen Llŷn. Llwyddai weithiau i dwyllo'i feddwl nad oedd mewn cell laith, ddrewllyd a chyfyng o gwbwl ond yn hytrach yn rhodio'n llanc i gyd ar hyd lonydd ei gynefin ar fore braf ym mis Mai, a'r cloddiau'n sbloet o flodau, ac yntau ar ei ffordd i'r ffair yn Nefyn, lle y gwyddai y byddai yna ddigon o genod yn barod i gadw cwmni i hogyn golygus fel Edward Jones, gwas yr Oernant.

Mewn ffair y cyfarfu â mam Ceinwen ac mewn cae uwchben Porth Colmon roedd wedi cyflawni'r weithred a ddeuai â'i benrhyddid i'w derfyn ac a'i gwelai bedwar mis yn ddiweddarach o flaen allor y llan.

Yn amlach na heb, byddai'r gweledigaethau dihangol hyn yn diweddu gydag atgof poenus o lachar o'r digwyddiad tyngedfennol hwnnw, a byddai'n deffro ar ei eistedd, yn chwys domen ar y fainc gul a chaled lle cysgai. Yna, gorweddai dan grynu yn y golau llwydoer nes i'r sgriws ddechrau cyhoeddi yn eu ffordd amrwd ddihafal ei bod yn wawrddydd newydd ac yn gyfle o'r newydd i ysgymun y ddaear gofio am eu pechodau. Yn ystod yr oriau hynny, byddai llu o gysgodion duon yn sgubo drwy'i feddwl gan ei yrru'n ddwfn i'r felan erbyn amser carthu allan.

Un noson, wrth ddilyn y llwybrau cyfarwydd hyn yn ei freuddwyd, ac oglau'r gwyddfid yn drwch yn ei ffroenau, fe welodd Ceinwen yn sefyll ym mwlch y cae heb ddim amdani ond ei phais. Aeth ati i'w chysuro a'i hymgeleddu rhag yr oerni a chael, er mawr syndod iddo, fod clamp o godiad ganddo. Gwthiodd ei ferch o'i afael mewn cywilydd a braw a gwyliodd yn syn wrth i'w hwyneb ddechrau gwelwi fel y galchen. Yr ochr draw i'r ffordd gallai glywed llais ei wraig yn edliw'n hallt:

"Y llabwst cocwyllt! Dyna i gyd wyt ti'n 'i ddallt, yntê? Dyna i gyd 'dach chi ddynion yn 'i ddallt! Safa di lle wyt ti, y cythraul. Mi wna i ddangos i ti sawl chwech sydd mewn swllt. Y ci drain bach powld."

"Fedrwn i mo help. Wirionedd i ti. Fedrwn i ddim. Wnawn i ddim byd i frifo'r fechan."

Trodd i edrych ar ei ferch drachefn a dychrynodd wrth weld bod y bais wedi troi'n amdo a'i bod yn gorwedd ar ryw fath o elor a oedd yn debyg i un o'r tryciau bach yn y pwll. Rhuthrodd draw ati a gweld nad Ceinwen oedd yno ond Daniel mab Rhedyw, ei ddwy lygad yn rhwth a chynron yn ymgordeddu yn y ceudod.

Deffrodd dan sgrechian er na ddaeth yr un smic o'i geg. Roedd un o'r sgriws wrthi'n agor y drws gan ddatgan mewn llais garw, angharedig:

"Gad lonydd i dy goc, Jones, ac ar dy drâd. Mae'r rheolwr eisie dy weld di. Duw a ŵyr pam. Alla i feddwl am bethe lot pertach na ti i'w gweld yr amser 'yn o'r bore."

A dyna pryd y dywedwyd wrtho ei fod yn dad ac yn ŵr gweddw yr un pryd.

Bedwar diwrnod yn ddiweddarach, a'r arch wedi'i gosod yn y pridd, safai merch Edward o'i flaen unwaith eto, ond gwisgai ffrog a siôl ddu am ei phen yn hytrach na phais ac, nid yn annisgwyl, codiad oedd y peth olaf ar feddwl ei thad.

Ceinwen oedd yr unig un o'i blant a oedd yn fodlon siarad ag ef. Roedd y lleill wedi brysio ymaith yn llechwraidd ar ôl y gwasanaeth, swildod a chywilydd yn eu gyrru i ymgeledd y teulu ehangach. Ond ni allai Ceinwen fyw yn ei chroen pe na bai'n siarad ag ef.

Dim ond ar hap y cafodd hyd iddo yn y diwedd. Er iddi geisio mynd ato'n syth ar ddiwedd y gwasanaeth, cafodd ei rhwystro am sawl munud gan bobl a oedd yn ceisio cydymdeimlo â hi. Tybiai fod ei thad eisoes wedi mynd. Suddodd ei chalon ymhellach.

Yn ei siom, roedd hi eisiau llonydd i hel ei meddyliau am ychydig. Cerddodd i ffwrdd o'r dorf ac ar hyd y lôn gul y tu ôl i'r eglwys, a dyna lle y gwelodd gerbyd y carchar wedi'i barcio dan gysgod hen dderwen wargrwm ar ochr y ffordd. Roedd Edward heb ei ailgyffio a'r ddau swyddog yn ymlacio gan ymgomio â rhingyll yr heddlu lleol – hen drwyn tew anghynnes o'r enw Elis.

Peidiodd y sgwrs wrth iddi ddod yn nes. Gallai synhwyro bod y plismon lleol yn anesmwyth o'i gweld. Symudodd tuag ati cyn iddi ddod yn rhy agos at y carcharor.

"Su 'dach chi, Ceinwen? Ga i gynnig fy nghydymdeimlad i chi i gyd fel teulu yn ych profedigaeth," mwmiodd gan ryw led amneidio tuag at Edward.

"Diolch."

Bu saib ac yna trodd Ceinwen i wynebu'i thad am y tro

cynta.

"Su 'dach chi, 'nhad?"

Gostyngodd Edward ei ben ac ysgydwyd ei gorff gan ryw igian di-sŵn.

Rhuthrodd Ceinwen ato, ac yn syth dyma'r ddau swyddog yn dod rhyngddi a'i thad – yr un ifanc yn tynnu Edward yn ôl ac yn ffwndro am y cyffion wrth ei ochr; yr hen foi'n bachu ym mraich y ferch ifanc ac yn ei llusgo'n ôl.

"Gadewch imi weld 'nhad."

"We can't have you speakin to the prisoner."

Safodd yr heddwas o'r neilltu a golwg syn ar ei wyneb. Trodd Ceinwen ei golygon yn ymbilgar arno.

"Plîs, Sarjiant Elis, gadewch imi gael siarad hefo 'nhad."

"Dydi o ddim i fyny i mi."

"Paid â bod mor llywath, y cachgi pen doman. Yr hen lwfrgi uffar. Cymaint o fabi mam ag erioed gwela i."

Ni allai Ceinwen goelio'i chlustiau, nac Elis chwaith o ran hynny. Ni welodd ei thad yn ymddwyn nac yn siarad fel hyn erioed o'r blaen – yn ffrom ac yn hy yn wyneb awdurdod. Roedd hi a'i brodyr a'i chwiorydd wedi'u magu ganddo i barchu pawb mewn awdurdod – ficer y plwyf a'i wraig, yr ysgolfeistr, y meistr a'r asiant tir. Cofiai weld ei thad unwaith yn siarad hefo'r Saeson o Benbedw a oedd newydd brynu'r byngalo ger y traeth fel tŷ gwyliau. Ar y pryd roedd hi wedi sylwi ar ei osgo a'r ffordd y daliai'i ben yn ôl ac yn isel wrth siarad fel pe bai'n hanner disgwyl celpan o ryw fath ganddynt. Ni hoffai'r ystum er na ddeallai'i arwyddocâd ar y pryd. Roedd yn ei hatgoffa o gi defaid.

Nid bod Ceinwen erioed wedi cwestiynu'r drefn fel y cyfryw. Iddi hi roedd y drefn, i'r graddau yr oedd hi'n ymwybodol ohoni, yn rhywbeth eithaf cysurlon, a hithau'n ddigon hapus o fewn i'w therfynau rhagluniedig, yn mwynhau cicio yn erbyn y tresi weithiau ond heb eisiau eu gweld yn cael eu dymchwel. Ond erbyn hyn, roedd y byd hwnnw wedi'i droi ben-i-waered iddi beth bynnag; ei mam yn ei bedd a baban amddifad yn crio ddydd a nos, ac yna ei thad yn ymddangos yn yr angladd mewn cyffion. Pa drefn oedd hon? Doedd dim ystyr i'r gair bellach. Roedd y terfynau wedi diflannu. Pe bai'r Wyddfa'n troi'n gaws ac utgyrn Dydd y Farn yn atseinio o ben Mynydd y Rhiw, ni fyddai'n synnu erbyn hyn.

"Cymer bwyll, Edward Jones. Rwyt ti mewn digon o helynt fel y mae," rhybuddiodd Elis gan gipio'n nerfus ar y ddau swyddog.

"*Speak English for God's sake, man,*" cwynodd dyn y frech. "*We can't understand a bloody word.*"

Ac fe ddichon y byddai Elis wedi cydymffurfio â'i gais onid aethai'r llall rhagddo:

"*It was bad enough back there,*" amneidiodd tua'r fynwent, "*it was like being with a horde of wogs in the back of beyond somewhere. Reminded me of Bombay a bit.*"

Roedd yr hwntw, yn ddiarwybod iddo, wedi ei cholli hi'n rhacs.

"Gei di bum munud hefo hi," meddai Elis mewn is-lais sarrug wrth Edward. "*And we'll be watchin you from over there so no funny business,* yntê? Paid â trio dim byd, dallta."

Dechreuodd y swyddog brotestio o'r newydd, ond torrodd Elis ar ei draws.

"*I've known this man since I was five. He won't do nothin.*"

Serch hynny, mynnodd y swyddog fod Edward yn gwisgo'r cyffion ac wedyn ciliodd y tri dyn i sefyll wrth ben blaen fan y carchar am smôc.

Wynebodd y tad a'r ferch ei gilydd o'r newydd.

Dicter; galar; trueni. Ni wyddai Ceinwen ble i ddechrau. Doedd dim sôn bellach am unrhyw ddagrau yn llygaid ei thad. Syllent yn ddifynegiant ond heb fod yn angharedig.

"O, 'nhad. Sbïwch yr olwg sy arnoch chi," sibrydodd o'r diwedd gan sylwi ar sut roedd o wedi meinio o dan ddillad llac y carchar. Yn syth, teimlodd blwc o'r cariad digwestiwn, greddfol hwnnw yr arferai'i deimlo tuag at ei thad. Hwn oedd ei harwr. Gallai hwn wneud popeth. Nid llofrudd na lleidr mo hwn. Ni ellid ei ddychmygu'n dwyn neu'n lladd na dim byd a oedd yn groes i'r Deg Gorchymyn. Y dyn gorau yn y byd oedd ei thad. Sut allai hi fod wedi meddwl fel arall? Rhaid bod rhyw gamwedd mawr wedi digwydd yn rhywle. Camgymeriad erchyll ond yn ddi-os fe ddeuai haul eto ar fryn a cherddai'i thad yn rhydd i adfer ei enw da. Deuai adre o'r Sowth a byddai'n helpu Moi yn y tyddyn ac yn dandwn Eirwen Medi… a… a… Ac yn sydyn cofiodd na fyddai'i mam yno yn y llun a chwalwyd ei breuddwyd. Edrychodd eto ar ei thad.

"Be wnaethoch chi, d'wch?" gofynnodd mewn llais bach, bach gan ysgwyd ei phen yn anghrediniol.

"Sefyll dros gyfiawnder, 'y merch i," meddai Edward Jones mewn llais miniog, diarth iddi. "Sefyll dros y gweinion yn y byd yn wyneb gorthrymder y *capitalists* sy'n cadw pobol fel ni ar ein penna gliniau o hyd."

"Dwi ddim yn ych dallt chi. Be sy wedi digwydd i chi? Pam 'dach chi'n siarad fel hyn?" Teimlai Ceinwen fel mynd ar ei phennau gliniau yn y fan a'r lle a chrefu arno i bwyllo, a dod â'r hunllef yma i ben.

Ond, yn lle hynny, dyma Edward yn adrodd wrthi am ei hanes yn y de, a'i dröedigaeth wleidyddol i'r Blaid Gomiwnyddol a'i rhan ym mrwydr fyd-eang y gweithwyr.

Gwrandawodd Ceinwen a'i phen yn troelli. Beth oedd

hyn? Ei thad yn Folsiefic? Na, allai hi ddim coelio'r ffasiwn beth. Yn cefnogi'r bobl ofnadwy hynny? Am beth roedd o'n mwydro? Yn raddol, dechreuodd rhyw oerni ddisodli'r dryswch gan ddatod ei phenbleth a chwalu'i hanghrediniaeth. Ciliodd ei theimladau cariadus ac yn eu lle ni theimlai ond dicter cynyddol yn llafnu drwyddi nes o'r diwedd iddi dorri ar draws ei berorasiwn hunangyfiawn.

"Dwi ddim yn gwbod am be goblyn 'dach chi'n sôn, 'nhad. Y cwbwl a wn i ydi bod Mam yn gorfadd yn y pridd yn ôl fan 'na a bod babi bach newydd ar yr aelwyd 'cw, a tydi na Moi na fi na neb arall ohonon ni'n gwbod sut ar wyneb ddaear y medrwn ni gadw deupen ynghyd y gaea 'ma, a bod y penteulu – y dyn sydd i fod i ofalu amdanon ni – wedi dwyn gwarth arnon ni i gyd drwy gyrraedd cynhebrwng 'i wraig yng nghwmni plismyn a'i ddwylo mewn cadwyni fel hen leidar coman."

Edrychodd ei thad yn syth i wyneb ei ferch. Doedd dim yn cael ei ddatgelu yn ei wedd ond ni fedrai ailgydio yn ei bregeth.

"Fedrwn ni ddim byw heb ych pres chi. I'r wyrcws fyddwn ni'n mynd ar ein penna, gewch chi weld. Ni ydi'r gweinion i chi. Mae angen cyfiawnder yma 'fyd."

Collodd Ceinwen afael ar y llyw ac wrth i eiriau fynd yn drech na hi, dyma hi'n dechrau ffustio brest ac ysgwyddau'i thad â'i holl nerth. Ceisiodd yntau godi'i ddwylo caeth i'w rhwystro. Mewn chwinciad, o weld beth oedd yn digwydd, rhedodd y swyddogion a'r plismon draw atynt. Tynnwyd Ceinwen yn ôl gan freichiau'r swyddog hŷn.

"Now then, lovely girl, let's not 'ave any hysterics."

"Gadewch lonydd imi…" dechreuodd Ceinwen.

Estynnodd y swyddog gelpan nerthol i ochr ei phen nes iddi syrthio i'r llawr a'i chlustiau'n canu fel clychau

Cantre'r Gwaelod a goleuadau gwyrddlas yn gwibio o flaen ei llygaid. O weld ei ferch yn cael ei thrin mor hegar llwyddodd Edward Jones i ymysgwyd o afael y swyddog ifanc, llygatlas, a'i hyrddio'i hun yn erbyn corpws y swyddog arall gan ei ddal oddi ar ei echel a chan beri iddo ddisgyn fel sachaid o datws ar y lôn. Symudodd Edward yn ei flaen gan anelu cic wyllt i ben y gwarcheidwad a oedd eisoes yn gwaedu o archoll uwchben ei lygaid a ddiferai'n goch dros fwgwd y frech. Rhwystrwyd Edward gan Elis a sgyrnygodd yn ei glust.

"Er mwyn Duw, callia. Wyt ti isio bod dy ferch yn dy weld di'n cael dy gweirio'n greia fa'ma – a'i mam hi newydd ei chladdu dros y wal 'cw?"

Erbyn hyn roedd y swyddog hŷn wedi codi'n simsan ar ei draed ac yn amlwg yn ysu dial am y codwm annisgwyl, ond safodd Elis rhyngddo ac Edward.

"You'd better be goin now. I would have to report any incident here in full."

"Dead meat! He's fuckin dead meat!" rhuodd y llall.

Eisteddai Ceinwen ar y lôn. Roedd blas cyfog gwag yn ei cheg. Daeth Elis i'w helpu ar ei thraed. Clywodd ei thad yn gweiddi mewn poen wrth gael ei wthio'n frwnt tuag at y fan. Ceisiodd fynd ato ond roedd ei choesau'n gwrthod symud fel y dymunai a disgynnodd yn swp i freichiau Elis drachefn.

"You drive," meddai'r hen swyddog wrth yr ifanc gan baratoi i ddilyn Edward i gefn y fan.

"I don't know 'ow," meddai'r llall.

Craffodd yr hen swyddog yn amheus arno.

"Fuckin 'ell. Get in the back with 'im then. I'll stop for a little exercise later on. Jesus Christ – I'll make 'im sorry."

Aeth y bachgen ifanc i'r cefn gan daflu golwg sydyn i gyfeiriad Ceinwen ond ni allai ymateb gan fod ei phen yn nofio cymaint. Taniodd y llall yr injan a'i refio'n filain cyn ei chychwyn hi'n wyllt i gyfeiriad Pwllheli.

Holodd yr un dim am y babi, meddyliodd Ceinwen.

"Be 'nân nhw iddo fo? 'Nân nhw mo'i frifo, na 'nân?" meddai'n ffwndrus a'i phen yn ei dwylo.

"Peidiwch chi â phoeni rŵan. Ylwch, cewch bàs hefo fi yn y car i ddal y lleill. Dwi ddim fod i neud... ond 'nawn ni ddim deud wrth neb."

Edrychodd arni'n hir. Yn rhy hir.

Gadawodd Ceinwen iddi gael ei thywys at y car, ond wrth gyrraedd y drws safodd yn ei hunfan. Llyncodd.

"Mae'n iawn, wyddoch chi. Mae'n well gen i gerdded," meddai gan droi i gyfeiriad ei chartref.

Ddywedodd Elis ddim byd, dim ond codi'i ysgwyddau'n ddidaro.

A'r clychau'n dal i gnulio yn ei phen, penderfynodd Ceinwen, o dan y drefn newydd, mai trystio neb oedd orau.

25

Annwyl Hugh,

Siom greulon a di-alw-amdani oedd peidio â'th weld dros y Sul. Fe ddichon fod gen ti "bethau pwysig", amgenach, i'w gwneud yn Rhydychen, er nad wyf yn siŵr be allen nhw fod.

Chwifiodd ymylon y ddalen yn awel dyner y bore ac wrth ymbalfalu i'w dal yn ei lle, collodd Ilse inc glas ar draws y papur lliw leilac. Cawsai hyd i'r papur mewn blwch yn y lolfa fawr. Daria! Byddai'n rhaid iddi ailddechrau rŵan a hithau ar fin datgelu'i bwriadau wrth Hugh. Neu efallai mai eisiau gohirio'r anochel roedd hi...

Yn ddiarwybod, roedd hi wedi ei chynhyrfu braidd wrth iddi ddynesu at y brawddegau tyngedfennol. Roedd rhyw oerni wedi cripian drosti er bod yr hin yn weddol addfwyn o hyd. Gwasgodd y llith anorffenedig yn belen fach ddicllon a'i stwffio i'w phoced. Ochneidiodd a chodi'i golygon dros y clwtyn o lawnt ffurfiol o flaen y plas.

Doedd dim diben iddi roi ail gynnig arni rŵan. Roedd yr holl blwc a fagwyd wedi'i chwythu i ebargofiant am y tro. Os oedd nerth newydd yn cyniwair drwyddi, fel yr honnai yn y llythyr, doedd o ddim i'w gael yn unman bellach. Dyma hi'n hel y papur a'r offer ysgrifennu at ei gilydd a'u rhoi yn ôl yn y blwch pren cnau Ffrengig cain gan fynd yn ôl i'r plas i'w ddychwelyd i'w briod le yn y lolfa.

Agorodd ddrws yr ystafell a sefyll yn stond. O'i blaen safai Peter a Selwyn ger y lle tân – yn cario corff llipa rhyngddynt.

Pan welodd y dychryn ar ei hwyneb, dyma Peter yn gollwng traed y dyn a gariai a rhuthro draw tuag ati.

"Ilse, peidiwch â chael braw. 'Nhad ydi hwn. Wedi cael gormod i'w yfed mae o. 'Dan ni'n mynd ag o i'w wely. Rhaid 'i fod wedi syrthio i gysgu o flaen y tân."

Safai Selwyn yn benisel yn ei unfan, heb fedru gollwng ei faich yntau. Ni allai edrych ar Ilse o gwbwl.

Ond mewn amrantiad roedd rhyw weledigaeth erchyll wedi fflachio drwy ben Ilse. Yn llun ei meddwl, gwelai rywrai'n llusgo corff ei thad hithau, a hynny'n gwbl ddiseremoni a diurddas ar draws cae lloffion llwm ac oer. Cyn gryfed oedd y don o ofn ac anghrediniaeth a ruthrodd drosti, ac mor fyw oedd y darlun a ymrithiai o'i blaen, nes iddi droi ar ei sawdl a'i bachu hi o'r ystafell. Daliai i gydio'n dynn yn y blwch ysgrifennu wrth fynd.

Rhedodd o'r plas ac i lawr drwy'r ardd ac am yr hen berllan heb stopio nes iddi gyrraedd y llidiart a arweiniai at y tir glas uwch y môr. Yn y fan honno daliodd ei throed yn yr holl frwgaets a bu bron iddi faglu ar ei phen. Arhosodd wrth y llidiart, yn tuchan fel morlo ar ôl ei ras wyllt o'r tŷ. Roedd hi'n laddar o chwys a'i hymysgaroedd yn corddi. Brathodd ei gwefus yn galed i ymladd y pangfeydd yng ngwaelod ei bol ac i gadw'r dagrau rhag llifo. Yn raddol, sadiodd ei hun. Llyncodd, a chanolbwyntio ar anadlu drwy'i thrwyn. O'i hamgylch, tawelwch y wlad a deyrnasai, ac yn y pellter gallai glywed sisial tragwyddol y tonnau ar y traeth. Edrychodd ar y blwch ysgrifennu yn ei dwylo a'i osod yn ofalus ar y wal i'w gasglu ar ei ffordd yn ôl. Yna, agorodd y llidiart a dechrau cerdded am y môr, gan ddilyn murmur hudol yr eigion yn llusgo'i gadwyni ar hyd y glannau.

26

Yr ochr draw i Glawdd Offa yn Rhydychen bell, roedd Hugh wrthi eto fyth yn archebu peint o gwrw yn yr un dafarn ddienw yn Cowley lle y cyfarfu gynta ag Alun Litherland.

Roedd yr horwth y tu ôl i'r bar yr un mor ddiserch ag arfer, er i Hugh fynychu'r dafarn sawl gwaith ers ei ymweliad cyntaf. Edrychodd ar y peint am ennyd cyn ei ymestyn dros y cownter fel pe bai rhwng dau feddwl a ddylai boeri ynddo ai peidio.

Roedd y lle'n wag iawn. Rhyw ddau neu dri oedd yno'n unig; dyn dall yn mwytho ci'r dafarn wrth y tân, a rhyw lipryn tenau yn darllen y *Daily Worker* ger y ffenest. Aeth Hugh i'r gongl bellaf i eistedd. Byddai Alun yn hwyr. Roedd bob amser yn hwyr, ond doedd dim ots gan Hugh. Roedd eisiau cyfle i ailddarllen y llythyr diweddaraf oddi wrth Ilse. Roedd o'n falch o'i dderbyn a dweud y gwir. Digon penagored fu'r ddau lythyr diwetha roedd wedi'u derbyn ganddi. Ar y pryd roedd hynny'n fendith mewn ffordd, a heb fennu dim arno. Erbyn hyn teimlai ei fod eisiau gwybod mwy.

Profiad digon rhyfedd oedd darllen yn y llythyrau blaenorol am y ffordd yr oedd Ilse wedi llwyddo i'w hanwylo ei hun gyda staff y Plas. Cenfigennus oedd Hugh. Nid oedd erioed wedi llwyddo i wneud hynny – os nad oeddech yn cyfrif troi pen y forwyn fach a dwyn cusan ganddi nos Galan.

Er i Ilse gyfeirio at eu perthynas ar ddechrau'r llythyr cyntaf, doedd dim sôn pellach wedyn. Ar ôl sôn ei bod yn well a'i bod wedi cyrraedd croesffordd lle y teimlai fod yn rhaid iddi weithredu, dyma'r llythyr cyntaf hwnnw yn gorffen yn ddigon ffwr-bwt.

...Bûm allan am dro gynnau bach a gwelais Ceinwen ar ben y gelltydd. Aethon ni'n ôl i'w bwthyn hefo'r babi (Eirwen Medi – gobeithio fy mod wedi sillafu'r enw'n iawn). Dwi wedi blino'n lân ar ôl yr holl awyr iach. Mi sgrifenna i eto.

Dy eiddot

Ilse

Da iawn. Dim rhaid iddo benderfynu dim byd am y tro, felly. Dim ond mynd gyda'r lli; a'r lli, ar hyn o bryd, yn golygu yfed gormod o gwrw a thrafod gwleidyddiaeth tan oriau mân y bore gydag Alun a'i ffrindiau.

Ac wedyn cafodd ail lythyr tua mis yn ôl. Llythyr byr. Roedd o wedi disgwyl llith dipyn hirach a cherydd digon haeddiannol am beidio ag ymateb i'w llythyr cyntaf ond, er mawr syndod, ni chyfeiriwyd at hynny o gwbl. Roedd y llythyr hwn yn llawn manion dibwys am y tywydd, danteithion diweddaraf Blodwen, geni oen â dau ben yn y fferm nesa a chyfeiriad anuniongyrchol at ail wrandawiad achos y Tri ym Mhwllheli. Roedd Ilse wedi bod yn y dre yng nghwmni Ceinwen ac wedi sylwi ar y dorf yn ymgasglu ger Llys yr Ynadon. Ni wnaeth unrhyw sylw, fodd bynnag, o arwyddocâd y digwyddiad.

Roedd yn amlwg ei bod yn treulio cryn dipyn o'i hamser gyda Ceinwen. Daliai Hugh i gael hyn yn anodd i'w lyncu, ond, dyna fo, o leiaf doedd hi ddim fel pe bai'n rhy unig a digalon.

Yn amgaeedig gyda'r ail lythyr roedd amlen yn cynnwys llythyr at ei rhieni i'w rhoi i Kurt Pfarr. Aeth Hugh draw i weld Kurt yn ei stafelloedd yng Ngholeg Lincoln lle'r oedd yn astudio'r Clasuron. Weiren gaws o fachgen gwallt tywyll oedd Kurt a chanddo lygaid ffel fel ci defaid a ddilynai'ch pob symudiad yn ddisgwylgar.

Cafodd Hugh groeso cynnes a thros baned o goffi bu'n holi ei farn am ragolygon gwleidyddol ei wlad. Ymddangosai fod Kurt yn rhyfeddol o optimistaidd am ddyfodol a thynged Awstria.

"Pobol hollol wahanol ydan ni yn Awstria, cofiwch. Rydan ni'n siarad yr un iaith – ar un wedd, beth bynnag – â'r Almaenwyr, mi wn, ond dyna lle mae'r tebygrwydd yn darfod. Fydd Schuschnigg byth yn gadael i Hitler gerdded droston ni. Bydd o'n amddiffyn annibyniaeth Awstria i'r eitha."

Ystyriodd Hugh a ddylai atgoffa Kurt o dras Awstriaidd y Führer, ond penderfynodd ymatal am y tro a mwynhau'r coffi da.

Roedd Kurt wedi bod ym Merlin dros yr haf i weld y gêmau Olympaidd. Athletwr brwd oedd Kurt a oedd wedi rhedeg dros ei wlad pan oedd yn yr ysgol. Roedd golwg tipyn o filgi arno. Soniodd am y sbloet rhyfeddol a baratowyd gan y Natsïaid, y tyrfaoedd anferthol a'r ffordd roedd cymaint o bobl wedi llyncu'r cwbwl ac wedi mynd oddi yno'n canmol y drefn Natsïaidd i'r cymylau.

"O ie, a wyddost ti pwy welais i yno a oedd yn holi amdanat ti?"

"Na wn i."

"Kristian Hagelstange."

Teimlodd Hugh ryw hyrddiad sydyn yn ei fol. Doedd o ddim wedi gweld Kristian ers dros chwe mis. Un o'r bobl gynta y cyfarfu Hugh ag ef yn Rhydychen oedd Kristian.

Blwyddyn yn hŷn na Hugh ac eisoes yn ei ail flwyddyn yn y coleg, roeddent wedi dod yn gyfeillgar o'r cychwyn cyntaf – peth anarferol yn achos Hugh a dueddai i fod yn ochelgar a swil braidd o bob cyfeillgarwch gwrywaidd.

Rhwng yr helbul ynglŷn â'r ysgol fomio, dyfodiad Ilse i Rydychen a olygai fod holl fryd Hugh ar chwâl braidd, roedd cwlffyn o amser wedi carlamu heibio heb iddynt weld ei gilydd. Byddai'n rhaid iddo wneud yr ymdrech i ymgysylltu y tymor hwn.

"Ydi o'n ei ôl eto?"

"Dydi Kristian ddim yn dod yn ôl i Rydychen." Roedd llygaid tawdd arferol Kurt wedi miniogi'n arw a methai â chuddio rhyw ddirmyg yn ei lais.

"Pam hynny?"

"Mae Herr Hagelstange wedi cael rhyw dröedigaeth genedlatholgar. Yn ei farn o, ni ddylai Almaenwr da astudio hanes mewn gwlad estron ac felly mae wedi mynd i Brifysgol Magdeburg i wneud Astudiaethau Germanig... *Heil Hitler,* yntê?!" Cleciodd ei sodlau gan godi'i fraich mewn saliwt ffyrnig. Am ychydig edrychodd yn ddifrifol iawn. Wedyn, llaciodd ei wyneb gan fflachio gwên eironig.

"Mae Kristian bellach yn aelod selog o'r Blaid Natsïaidd."

Roedd y newydd fel taran.

"Be? Kristian? Choelia i fawr."

"Ar ei ffordd i gynhadledd flynyddol y Blaid yn Nuremberg oedd o pan welais i o."

Roedd hyn i gyd yn gryn ergyd i Hugh. Ni allai yn ei fyw ddychmygu sut y gallai neb a oedd mor hawddgar a chydymdeimladol – a chall – â Kristian weld unrhyw rinwedd yn athroniaeth Adolf Hitler a'i gymheiriaid. Teimlai'n euog na fu mewn cysylltiad â'i gyfaill ers cymaint o amser. Roedd clywed am y datblygiad diweddaraf yma fel clywed cyhoeddi'i farwolaeth, ond fel yr eglurodd Alun Litherland iddo yn nes ymlaen:

"It's like the Black Death, man. There's no escapin it. Rags or riches. Saints and sinners. They all fall down."

"Ond pan oeddwn i draw yno y llynedd, roedd Kristian a'i deulu'n edrych ar Hitler fel jôc, yn embaras cenedlaethol," protestiodd Hugh.

Fyddai neb yn chwerthin amdano cyn bo hir, maentumiai Alun. Roedd Adolf, Franco ac Il Duce yn mynd i ddarnio Ewrop rhyngddynt fel teisen ben-blwydd. Rhaid stopio'r diawled yn Sbaen – roedd yr Almaen a'r Eidal eisoes wedi gyrru awyrennau allan yno. Sbaen oedd maes y gad i ddemocratiaeth a rhyddid ym mhobman. Sbaen oedd y morglawdd olaf.

Testun anesmwythyd i Hugh am ddyddiau oedd hanes Kristian gan brocio nid yn unig ei ofid am ddyfodol Ewrop ond ei holl deimladau ynglŷn ag Ilse hefyd. Cafodd ei hun yn mynd yn ôl dros atgofion y gwyliau pell hynny, atgofion a oedd wedi hen bylu a bron wedi'u dileu o'i gof. Ar y dechrau, roedd meddwl yn ôl yn codi cywilydd mawr arno. Ni allai ddeall sut y gallasai fod wedi mopio fel 'na. Syrthio dros ei ben a'i glustiau am rywun nad oedd wedi'i gweld ond rhyw ddwywaith. Bellach, ni allai weld unrhyw ddyfodol i'w berthynas ag Ilse, beth bynnag. Roedd pen Ilse yn llawn o ryw freuddwydion am America a byw'n foethus mewn *apartment* yn edrych dros Central Park a phethau eraill nad oedd ganddo rithyn o ddiddordeb ynddynt. Ac eto i gyd, buont yn gariadon pa bynnag mor aflwyddiannus ac roedd yn poeni am ei les a'i diogelwch.

Daliai Hugh i gloffi rhwng pob math o stolion gwleidyddol; yn ffwndro yn ei flaen fel dyn dall yn chwilio am lonydd yng nghanol y ffair; yn credu ym mhopeth ac mewn dim byd am yn ail. Doedd ganddo'r un nod, yr un uchelgais, yr un weledigaeth. Dysgu hedfan, efallai, oedd yr unig ddyhead diamwys a feddai a doedd o ddim yn gwneud dim byd ynghylch hynny'n awr chwaith. Gwell ganddo wrando ar Litherland a'r lleill yn mapio'r chwyldro ar ben byrddau yn nhafarnau Cowley a Jericho.

Erbyn hyn roedd ei lyfrau Cymraeg wedi'u gwthio'n ymddiheurol o'r neilltu, a gweithiau Marx a siacedi melynion y *Left Book Club* wedi cymryd eu lle. Doedd o ddim wedi darllen yn y Gymraeg ers hydoedd. Cadwai draw oddi wrth y myfyrwyr Cymraeg yr arferai sgwrsio â nhw'n rheolaidd.

Bellach, rhyng-genedlaetholdeb oedd yn prysur ddisodli cenedlaetholdeb diwylliannol Cymreig i Hugh. Yn sicr, doedd gan Alun fawr o feddwl o ramant na chenhadaeth y Cenedlaetholwyr na'u hapêl at y glendid a fu nac at yr oesoedd a ddêl chwaith:

"I don't know anythin about 'em, and I'm as Welsh as any of 'em. More than some of 'em, I expect. But we can't go back to the middle ages, for God's sake. Owen Glyndower, lovely man as he was, is no use to you when you're up against Fascist bombers now, is he?"

Ac roedd rhaid i Hugh gytuno. Dechreuodd ailgwestiynu ei holl safbwynt ynglŷn â'r ysgol fomio hyd yn oed. Os oedd rhyfel yn anochel, oni fyddai angen hyfforddiant ar y rheini oedd yn mynd i atal lluoedd Ffasgaeth rhag ymdaenu dros bob cwr o'r cyfandir?

Ond er iddo geisio ei ddarbwyllo'i hun ei fod wedi gadael y tu ôl iddo bethau bachgennaidd a'i fod yn torchi llawes yn y frwydr fawr, roedd y trên meddyliau a gychwynnodd yn sgil y newydd am Hagelstange yn dilyn lein go gwmpasog ac nid dyma'i phen draw o bell ffordd, ac ni fyddai na Chymru nac Ilse'n gadael llonydd i'w gydwybod am yn hir.

Yn ôl yn y dafarn roedd y pregethwr yn mynd i hwyl.

Onid oedd pawb yn gwybod bod cadfridogion Franco wedi bod ym Merlin yn siarad â swyddogion Natsïaidd? Ffaith i chi oedd bod bwledi o'r Eidal wedi'u darganfod yn swyddfeydd cwmnïau llongau'r Eidal yn Barcelona. Ac os oes eisiau mwy o brawf byth arnoch, ddiwedd mis Gorffennaf dyna lle'r oedd awyrennau o'r Eidal wedi plymio i'r ddaear yn Algeria... ar eu ffordd i Morocco... cadarnle Franco.

Roedd Alun yng nghanol ei berorasiwn a phawb yn gorfod gwrando ar y llais nerthol. Fel arfer byddai Hugh yn gwrando'n astud ar eiriau Alun fel pe bai o dan ryw swyn, gan ryfeddu at huotledd telynegol ac angerdd di-gêl y llefarydd. Heno, llifeiriai'r geiriau heibio i'w glustiau heb iddo sylwi. Delwai o flaen tân y dafarn gan syllu ar y fflamau.

Brynhawn ddoe bu'n cerdded yng ngerddi'r Coleg Newydd ar ryw berwyl neu'i gilydd pan glywodd Gymraeg yn cael ei siarad y tu ôl iddo. Arafodd a gwrando. Dau fyfyriwr o'r gogledd oedd yno'n trafod hanes y Tri:

"Mi gafodd Valentine andros o groeso lawr yn y Sowth, glywis i."

"Taw sôn."

"Do. Mae Cymru gyfan ar dân, achan."

Gwyddai Hugh nad oedd y gosodiad ola yma'n agos at y gwirionedd. Roedd gan Gymru gyfan bethau amgenach i boeni yn eu cylch. Ond roedd clywed y lleisiau'n trafod y digwyddiad yn peri rhyw deimlad rhyfedd yn ei ddŵr. Cerdded yn ara deg oedd y ddau Gymro, ac roedd Hugh yn gorfod smalio cymryd diddordeb anghyffredin mewn rhai o'r llwyni ar ochr y llwybr er mwyn dal ati i glustfeinio.

"Pryd mae'r achos yn Llys y Goron?"

"Dwn 'im, 'sti."

Fe wyddai Hugh yr ateb. Wynebodd y ddau ddyn ac roedd o ar fin dweud "trennydd" pan sylweddolodd nad oedd yn cofio'r gair Cymraeg. Ni allai gofio chwaith sut i ddweud y "trydydd ar ddeg". Stopiodd y ddau gan edrych yn chwithig ar y dyn a oedd fel pe bai ar fin cael rhyw fath o ffit o'u blaenau.

"Are you all right, old man?" meddai un ohonynt mewn acen frawychus o Seisnig.

Amneidiodd Hugh a rhuthro i'r cyfeiriad arall.

Dydd Mawrth! Diawl! Gallasai fod wedi dweud dydd Mawrth, er mwyn popeth. Edrychodd yn ôl ar y ddau a oedd wedi ailgydio yn eu cerddediad araf ar draws y gerddi, un ohonynt yn cipio draw yn nerfus dros ei ysgwydd arno. A ddylai redeg yn ôl atynt dan gyhoeddi "Dydd Mawrth! Dydd Mawrth!" wrth fynd. Na, roeddent eisoes yn meddwl mai rhyw hen dw-lal oedd o. Daria! Roedd ei Gymraeg wedi rhydu'n uffernol. Ceisiodd feddwl am y geiriau Cymraeg am bopeth a welai o'i gwmpas a chael bod ei gof yn methu â chyrchu llawer iawn o'r geiriau symlaf.

Roedd hyn yn peri cryn dipyn o bryder iddo. Yr holl ymdrech dros y blynyddoedd diwethaf i feistroli'r iaith a gollwyd gan ei gyndeidiau. Cofiai'r boddhad a deimlai wrth dorri gair hefo hwn a llall o gwmpas y Plas ac o feithrin cyfeillgarwch drwy gyfrwng yr iaith; y wefr wrth i ystyr geiriau'r hen gyfrolau yn y llyfrgell ddod yn eglur fel datgloi drws hynafol. Yn sydyn, roedd ei ben yn llawn sŵn y Gymraeg, yn dylifo drwy ei feddwl fel hen ffynnon yn dod yn fyw.

Eisteddodd ar fainc dan gysgod ceiriosen yn ei lifrai hydrefol, y dail yn troelli i lawr am ei ben, er mwyn ceisio sadio'i feddyliau.

Cofiodd yn ôl i sgwrs a glywsai yn y fan hon yr wythnos diwetha. Dau Sais yn lâ-di-dâian am eu gwyliau. Bu un ohonynt yn Aberdyfi.

"Of course, it rained the whole time. But that's Wales for you, for God's sake."

A'r llall yn brefu fel asyn mewn ymateb i'r ffraethineb treiddgar hwn.

Hyd yn oed ar y pryd roedd y sylw wedi'i ddigio. Cymru – lle trist a glawog; lle estron yn llawn *Untermensch* doniol, sych-dduwiol; lle i'w osgoi a'i esgeuluso; lle delfrydol ar gyfer ysgol fomio.

Erbyn hyn roedd yr atgof yn dân ar ei groen.

Yn ôl yn ei lety, agorodd lyfr Cymraeg am y tro cyntaf ers wythnosau – wel cyfrol ddwyieithog a dweud y gwir. *The Poems of Taliesin* ond cyfrol a oedd yn cyffwrdd â hanfod hynafol iaith a diwylliant, yn dynodi'r llinyn arian di-dor a apeliai gymaint at ymdeimlad Hugh â'r ysbrydol. Trawodd ei lygaid ar y geiriau:

"Bûm yn lliaws rhith, cyn bûm disgyfrith..."

Cododd ar ei draed a mynd at y drych triphlyg gyferbyn â'i wely. Yn blentyn hoffai effaith y drychau hyn, y ffordd y byddent yn sgwaru'i lun yn rhesi diddiwedd i bob cyfeiriad a'r ffordd roeddent yn galluogi'r gwyliwr i edrych arno'i hun wysg ei ochr neu o'r tu cefn. Plygodd yn ei flaen a chraffu ar ei wyneb. Yn aml, teimlai mai edrych ar ddieithryn ydoedd yn y drych, ond roedd hynny siŵr o fod yn wir am bawb ar ryw adeg. Edrychodd wedyn i'r dde a'r aswy gan ystyried ei osgo a chael ei siomi ar yr ochr orau gan wydnwch annisgwyl y ffordd y daliai'i ysgwyddau. Câi bregeth yn yr ysgol pan oedd o cymaint yn dalach na'i gyd-ddisgyblion oherwydd ei fod yn dueddol o wargrymu wrth siarad â nhw, ond heno roedd ei osgo'n ei blesio.

Doedd y drych, wrth gwrs, ddim yn datgelu'r "lliaws rhith" mewnol. Dyna lle'r oedd yn anfodlon ac yn ei deimlo ei hun yn wan ac yn ansefydlog. Pe gallai'r drych triphlyg ddatgelu'r mewnol, fe ddichon mai digon afrosgo fyddai'r gwahanol ddelweddau a welid ym mhob panel.

Aeth i gysgu'n gynt nag y disgwyliai y noson honno ond bu'n breuddwydio ar hyd y nos, a'r breuddwydion hynny wedi'u saernïo yn ei gof yn y bore.

Roedd o yn ôl yng Nghymru, wedi teithio yno gyda thrên a adawsai ryw orsaf o dan Lyfrgell y Bodley. Ceinwen a'i mam a ddaeth i gyfarfod ag ef ar ben draw'r lein a'i hebrwng i weld Hywel Wmffra yn Seilam. Parablent yn Gymraeg a hynny'n swnio'n gwbl gyfarwydd a naturiol – ac eto ni allai Hugh ddeall yr un gair a ddywedent. Penderfynodd y byddai'n well iddynt ysgrifennu popeth ar bapur. A dyma fo'n ceisio ysgrifennu "Ble mae Ilse?" ond roedd hi'n glawio a'r inc yn rhedeg a'r papur yn toddi wrth iddo ysgrifennu arno.

A dyma Alun Litherland yn cyrraedd gan gyhoeddi bod Plas y Morfa wedi'i droi'n orsaf radio propaganda i Ffasgwyr Ewrop ac y byddai'n rhaid iddynt fynd draw i'w ailgipio.

"Ble mae Ilse?" gofynnodd Hugh yn Gymraeg. Ond doedd neb fel pe bai'n gallu'i ddeall. Mi ofynnaf yn Saesneg, meddyliodd, ond ni allai gofio sut.

Pan gyrhaeddon nhw'r Plas, a edrychai'n debycach i orsaf reilffordd Rhydychen, dim ond Peter oedd yno, ac fel y digwyddai bob amser pan welai Peter yn ei freuddwydion, dyma Hugh yn ei gael ei hun yn noeth heblaw am grysbas a oedd yn rhy fyr i orchuddio'r mannau priodol faint bynnag y tynnai arno i guddio'i gywilydd. Teimlai'n oer iawn hefyd.

"Have you seen Ilse?"

Ond cyn cael ateb roedd Hugh wedi deffro gan synnu gweld bod y wawr wedi torri. Roedd y canfasau'n bentwr am ei draed a rhywsut roedd wedi diosg siaced ei byjamas yn y nos. Roedd o'n oer. Tynnodd y blancedi'n ôl amdano orau y gallai gan bendwmpian am ryw awran fach cyn mentro codi o'i wâl.

Ar ôl codi, penderfynodd fynd draw i'r llyfrgell i geisio gwneud rhyw ychydig o waith. Dilyn ei gwrs mewn enw yn unig oedd Hugh erbyn hyn, ond weithiau cynigiai'r gwaith coleg ryw fframwaith i'w ddiwrnod, ac os oedd yn llwyddo i gyrraedd y llyfrgell, golygai, gan amlaf, na fyddai'n tywyllu rhiniog tafarn tan y gyda'r nos.

Cyn gadael y tŷ edrychodd i weld a oedd yna bost iddo. Dim byd. Suddodd ei galon. Os na chlywai fory, byddai'n ffonio. Doedd dim awydd ganddo ddefnyddio'r ffôn cyn heddiw. Doedd o ddim yn hoff iawn o'r teclyn beth bynnag, ond roedd yn rhaid iddo siarad â hi nawr.

Roedd ei freuddwydion wedi aflonyddu'n fawr arno. Am Ilse y meddyliai o hyd wrth sylweddoli o'r newydd pa mor ddirdynnol o anodd a hegar y bu ei sefyllfa ers ffoi o'r Almaen. Cysurodd ei hun drwy feddwl o leiaf ei bod yn ddiogel lle'r oedd hi ac na fyddai'n rhaid iddi boeni am arian.

Hwyrach y gallai ddod i'w charu o'r newydd fel y gwnaeth yn y dyddiau penysgafn hynny ar ôl dod yn ôl o'r Almaen y llynedd. Ond a allai fod yn siŵr ei bod hi'n ei garu yntau? Aeth ias drwyddo. Doedd o ddim wedi ystyried hynny o'r blaen. Wrth gwrs nad oedd hi. Cyd-ddigwyddiad yn unig a oedd wedi'u hyrddio at ei gilydd. Rywsut, roedd sylweddoli hyn, sef na allai fod yn sicr ohoni, wedi rhoi tro yng nghynffon yr holl hanes.

Ond beth wyddai ef am gariad, beth bynnag? A oedd caru gwlad, caru iaith, caru bro yr un fath â charu rhywun cig-a-gwaed? Pwy garodd o erioed – o blith ei deulu, er enghraifft? Neb. Ac os oedd Hugh yn caru gwlad ac etifeddiaeth fel y tybiai, sut allai fod wedi cefnu arnynt fel y gwnaeth? A beth am ei gredo newydd? Cariad at y dosbarth gweithiol ac unbennaeth y proletariat? Pa mor ddwfn oedd y cariad hwnnw, tybed? Deilliai ei ymlyniad, bid siŵr, yn fwy o'i anghysur yng nghwmni'r dosbarth uwch nag unrhyw awydd i uniaethu â'r dosbarth gweithiol.

Serch hynny, teimlai'n fwy cyfforddus wrth gymysgu â'r hogiau yn y dafarn nag yr oedd yn awyrgylch crachaidd y Chwith yn y coleg. Ond ni fedrai werthu'i enaid i'r achos hwn chwaith.

Gyda'r ffasiwn fwrlwm yn ei ben, doedd ryfedd na allai aros uwch ei lyfrau yn y llyfrgell. Toc cyn cinio cafodd ei hun yn cerdded ar hyd y gamlas i gyfeiriad Thrupp gan groesi'r rheilffordd ger Hampton Gay. Ni chymerodd fawr o sylw o'r wlad o'i gwmpas wrth gerdded, a'r meddyliau a'r cynlluniau'n cordeddu a datgordeddu yn ei ben bob cam o'r ffordd. O'r diwedd, eisteddodd wrth yr hen eglwys Sacsonaidd a chodi'i olygon i'r awyr lwydaidd.

Roedd eisiau bwyd arno. Doedd o ddim wedi cael unrhyw frecwast ac roedd cinio wedi mynd yn angof wrth ddechrau ar ei daith gerdded fympwyol. Ond erbyn hyn, gallai deimlo rhywbeth arall yn ei grombil heblaw am gnoadau eisiau bwyd.

Aeth yn ôl i'r tŷ. Roedd y llythyr yn ei ddisgwyl ar yr ail bost.

27

Rhoddodd Selwyn ei getyn yn ôl yn ei boced. Doedd dim awydd smôc arno. A dweud y gwir, roedd o wedi colli pob blas ar yr hen getyn ers tro bellach. Ryw unwaith yr wythnos y byddai'n trafferthu i'w lenwi'r dyddiau hyn. Roedd fel pe bai'n colli pob awch a blys, a phob gorchwyl a defod yn ei ddiflasu.

Dyma oedd ei hoff adeg o'r dydd hefyd. Yn aml ar ddiwedd diwrnod da o waith a'r machlud yn gruddio'r gorwel a phob man fel pe bai'n ymlacio wrth ffarwelio â'r haul; neu yn nhywyllwch miniog y gaeaf â'r awyr yn fregus fel gwydr a theilchion y llwybr llaethog ar daen uwchben, byddai Selwyn yn llochesu ger un o'r tai allan, yn ymdoddi i'r cysgodion, dim ond oglau'r baco'n datgelu'i bresenoldeb – yn anweladwy fel llwydyn yn y gwyll.

Fel hyn y daliai glecs y fro wrth glustfeinio ar leisiau'r gweision yn y llofft stabal, neu ar barablu Ceinwen wrth ollwng cathod y naill ar ôl y llall o'i chwdyn diwaelod o straeon-bôn-clawdd yng nghwmni'r morynion eraill yn y gegin nes i Blodwen ddechrau dwrdio a mynnu bod pawb yn canolbwyntio ar eu gwaith.

Ystyriai'r weithred hon fel rhan o'i ddyletswydd fel rhyw benteulu answyddogol ar weddill y staff, er mwyn cael gwybod beth oedd yn eu poeni, pwy i'w amddiffyn rhag mynd yn ormod o gocyn hitio, pa rai i fod yn ofalus ohonynt. Fel hyn y cadwai un cam ar y blaen bob amser.

Clustfeinio a hel meddyliau.

Ond heno doedd yr un achlust i'w chlywed yn unman; roedd y buarth fel y bedd a'r unig sïon oedd murmur y tonnau ar y traeth yn y pellter a'r ceffylau'n ffroeni yn y stabl. Y distawrwydd anghyfarwydd yma fu'n teyrnasu ers tipyn bellach – ers marwolaeth mam Ceinwen a bod yn fanwl. Am bythefnos ar ôl hynny, bu hyd yn oed y cymeriadau mwyaf garw ymysg y gweithwyr yn siarad ar osteg braidd.

O feddwl am y peth, roedd yna lai o hwyl yn y gwaith yn gyffredinol y dyddiau hyn o'i gymharu â phan ddechreuodd o yn y Plas. Roedd pawb wedi diflasu ar ymddygiad ac ymarweddiad di-foes Syr David. Roedd wedi ymbellhau ac yn fwy tueddol o weithredu ar fympwy; yn llai ystyrlon o drallodion ei denantiaid a chan amlaf yn rhy feddw i wybod ble'r oedd o. Gallai Selwyn weld fod ymdrechion y perchennog i gadw llong y stad ar wyneb y dŵr yn hollol seithug erbyn hyn a suddo dan y don a wnâi llinach ac etifeddiaeth Plas y Morfa fel ag y gwnâi cynifer o stadau gogledd Cymru y dyddiau hyn. Pe bai'r Hugh 'na'n tynnu'i ewinedd o'r blew hwyrach y gallai yntau wneud rhywbeth ohoni ar ôl i'w dad yfed ei ffordd i'r bedd. Roedd yna ryw ruddin hoffus yn Hugh. Yn fwy felly nag yn y bwbach Peter 'na. Roedd 'na ryw elfen ddiafael yn hwnnw; ym marn Selwyn, roedd yn ddyn peryglus, anwadal a ffuantus.

Treuliai Peter ei gyda'r nosau draw hefo Capten Bellamy, hen ddiniweityn awtocrataidd a oedd yn byw ar gyrion Rhoshirwaun. Roedd Bellamy yn gyff gwawd i bawb yn y fro. Rhedai'i dŷ fel sefydliad milwrol a'r unig ffordd y gallai'i staff ddygymod â'r ynfydrwydd hwn fyddai drwy gogio eu bod yn chwarae'r un gêm. Dim ond iddynt adleisio ac adlewyrchu meddylfryd militaraidd Bellamy ac fe gaent faddeuant diamod am bob math o droseddau.

Mae'n debyg bod Peter yn treulio ei nosweithiau yn nhŷ Bellamy yn ceisio darbwyllo'r hen foi mai gormod o Iddewon yn y Swyddfa Ryfel yn Llundain oedd wrth wraidd problemau'r byd. Dyna'r Hore-Belisha 'na, *Yid* o'r iawn ryw, y Gweinidog Rhyfel ei hun, yn cael ei dalu o goffrau'i feistri ym myd busnes a masnach i wanio'r hen drefn er mwyn llenwi'r lluoedd arfog â chymaint o Iddew-addolwyr ag y gallai. Roedd Bellamy wrth ei fodd gyda'r syniad o gynllwyn a ffug-gyfrinachedd ac yn fwy na pharod i lyncu unrhyw sothach y gallai Eldon-Hughes ei ddyfeisio ar ei gyfer.

Yn ôl Peter, ni ddylai neb wrando chwaith ar yr holl bropaganda yn erbyn Hitler a Mussolini a'r gwyrda eraill a oedd wrthi'n amddiffyn Ewrop rhag y Bolsieficiaid. Iddewon oedd perchnogion y wasg i gyd ac ni ellid disgwyl ond celwyddau ganddynt am y neb a safai o blaid gwir dreftadaeth y Cyfandir.

Chwarae cardiau fyddai Peter a'r Capten a hynny tan oriau mân y bore am symiau sylweddol o arian. Yn ôl cefnder Selwyn a weithiai i Bellamy, tra gwrandawai'r hen sowldiwr yn hygoelus gegrwth ar holl ddatguddio a darogan ei westai, byddai Peter Eldon-Hughes yn ei flingo am gannoedd o bunnoedd wrth y bwrdd cardiau.

Roedd Bellamy yn frwd dros ddatblygu Penrhos. (Hoffai weld bomio'r Gwyddelod ac adennill yr *Irish Free State* fondigrybwyll yn ôl i'w phriod le o fewn i gorlan yr Ymerodraeth Brydeinig. Cawsai'r Capten amser anhapus yn Tipperary ar ddechrau'r 1920au ac roedd rhai o'i gymheiriaid wedi'u bomio allan o'u plastai ym mynyddoedd Wicklow a mannau tebyg.) Pan glywodd am hanes llosgi Penyberth, bron nad aeth Capten Bellamy yr un mor wenfflam â'r cytiau a daniwyd. Pe bai'r awdurdodau wedi gwrando ar farn Bellamy, byddai

Saunders, Valentine a D.J. a'u holl gefnogwyr wedi mynd yn sglyfaeth i'w gŵn hela enwog, ac ar ôl cael eu llarpio gan y bytheiaid, byddai eu pennau wedi'u gosod ar bicyll yng nghanol y maes ym Mhwllheli *pour encourager les autres*.

Ymbalfalodd Selwyn am ei getyn ym mhoced ei siaced a'i sodro rhwng ei ddannedd heb ei danio. Arferai'r pren llyfn rhwng ei wefusau deimlo mor gysurus â diti yng ngheg baban, ond heno blasai'n oer a chwerw. Roedd busnes Penyberth yn peri cryn benbleth i Selwyn Ifans. Pa bynnag ffordd yr edrychai arni, roedd y sefyllfa'n ei anghysuro'n fawr. Roedd dros fis wedi mynd heibio ers y digwyddiad ac roedd yna ryw newid yn y ffordd y chwythai'r gwynt hefyd. Roedd yna lawer llai o'r brygawthian bygythiol a glywid adeg y gwrandawiad cynta, pan oedd cymaint wedi'u dychryn a'u digio, yn enwedig o glywed am y driniaeth a gafodd y gwarchodwr druan.

Roedd Selwyn ei hun wedi mynd i sefyll y tu allan i'r llys ym Mhwllheli ar gyfer yr ail wrandawiad tua mis yn ôl. Y tro hwn pan ddaeth y tri o lys yr ynadon i'r awyr agored, bu cymeradwyaeth ac ysgwyd llaw, a hynny gan rai o'r ynadon hyd yn oed. Pan ddaeth erlynydd y Goron o'r llys, dyn o'r enw Paling, roedd hyd yn oed bwian i'w glywed, ychydig yn llai croch efallai na'r bonllefau dirmygus a hyrddiwyd at yr amddiffynwyr bythefnos ynghynt, ond anghymeradwyaeth ddigamsyniol, serch hynny.

Mae'n debyg iddi fynd yn ffrae go ddifyr yn y llys rhwng y Sais o erlynydd a chlerc yr ynadon ynghylch ym mha iaith y dylid cofnodi geiriau'r Tri. Roedd y Sais, yn ei anwybodaeth, wedi sangu lle na ddylsai a thalodd y pris am gymryd gormod yn ganiataol. Gyda chefnogaeth yr ustusiaid, y clerc a enillodd y dydd ac fe gofnodwyd geiriau'r Tri yn eu hiaith eu hunain yn eu gwlad eu hunain. Buddugoliaeth, meddai'r Cenedlaetholwyr.

Ffroenodd Selwyn yn ddiamynedd a chwilota am ei faco.

Fory roedd yr achos i'w gynnal yn Llys y Goron yng Nghaernarfon. Ddylai o fynd i fan'no hefyd? Gormod o waith ganddo. Wel, nag oedd mewn gwirionedd. Pam ddiawl ei fod o am ganlyn rhyw ddihirod fel y rhain o gwmpas y lle? A doedd hynna ddim yn wir chwaith, nag oedd? Achos nid dihirod mohonynt. Diawl, mi oedd dau ohonynt wedi gweld yr ymladd yn y Rhyfel Mawr.

Tybed beth ddywedai Syr David pe gwyddai fod ei ben garddwr yn galifantio hefo'r Cenedlaetholwyr yng Nghaernarfon? Go brin y byddai'n ddigon sobor i sylweddoli. Erbyn hyn llac iawn oedd y drefn ar y stad, gyda llawer iawn o'r staff yn canolbwyntio ar eu tyddynnod er mwyn cynilo rywfaint ar gyfer y dyddiau anodd a fyddai'n siŵr o ddilyn dryllio'r stad.

Taniodd ei getyn ond tagodd ar y mwg a chododd y blas fymryn o bwys arno. Bwriodd y cetyn yn erbyn wal yr adeilad a sathru ar y gawod o wreichion a dasgodd ohono.

Efallai'r âi i Gaernarfon o ran 'myrrath. Pwy a ŵyr? Yn wir, yn y pen draw, doedd o ddim o blaid yr erodrôm 'ma, nag oedd? Gyda'r holl helbul yn Sbaen roedd y syniad o ail ryfel byd yn dynesu ar garlam. Gallai Selwyn deimlo'r chwys ar gledrau'i ddwylo wrth feddwl am y peth. Dyna beth oedd wrth wraidd yr hen felan byth a beunydd, mae'n siŵr. Doedd bod yn isel ddim yn ddiarth iddo. Pesimist oedd o yn y bôn. Ond y tro hwn, roedd yr iselder fel pe bai'n ddiwaelod ac na feddai ar y nerth na'r gallu i ymgodi o lwnc y gors.

Ochneidiodd a cheisio anadlu'n ddwfn ac yn rheolaidd. Roedd hi'n dechrau nosi'n gyflym rŵan, a lleuad dryloyw i'w gweld fatha gwyfyn llwydlas uwchben Carn Fadryn.

A ble, tybed, oedd Huwcyn bach yn hyn i gyd erbyn hyn? Byddai rhywun yn disgwyl iddo fod wedi codi'i babell y tu allan i'r llys ers tro byd. Argol! Ha diwetha roedd o fel dyn gwallgo o gwmpas y lle, yn tynnu nythod cacwn ar bob tu. Yr adeg honno, fuasai Selwyn ddim wedi synnu pe bai Hugh ei hun wedi rhoi bom dan faes awyr Penrhos. Ond digon od oedd ei ymddygiad y tro yma. Yn ei heglu hi fel 'na gan adael yr hogan fach Jyrman ar ei phen ei hun yma. Doedd o ddim wedi disgwyl hynny gan Hugh rywsut. Meddwl bod yna fwy o ddal ynddo na hynny. Ond eto hefo'r sinach o frawd 'na o gwmpas y lle, doedd Selwyn ddim yn synnu bod Hugh fel gafr ar dranau. Ei hambygio wnaeth hwnnw erioed, a byddai rhuddin Hugh yn dueddol o wywo braidd pan fyddai Peter o gwmpas.

Sgrech tylluan.

Yn sydyn gallai Selwyn glywed camau'n dynesu o gyfeiriad y rhodfa. Yn reddfol, gwasgodd ei hun yn dynnach i'r cysgodion gan graffu i'r gwyll cynyddol. Hi oedd hi siŵr o fod. Ia. Hi oedd hi. Roedd o wedi'i gweld hi'n dechrau ar ei ffordd tua chanol y prynhawn. Ilse. Ar ei ffordd i ymweld â Ceinwen.

Rhyfeddai Selwyn at y ffordd roedd y ddwy yna wedi closio dros yr wythnosau diwetha. Ar y dechrau roedd o'n meddwl bod y ferch estron ychydig yn ormod o ledi, ond erbyn hyn roedd yr Almaenes wedi ennill ymddiriedaeth y staff i gyd bron. Roedd yna ryw wydnwch siriol yn ei chylch ac o gael ei thraed dani roedd hi wedi dechrau ymlacio a blodeuo.

Bob prynhawn âi Ilse draw i weld Ceinwen a gwelid ill dwy yn aml yn cerdded y wlad hefo'i gilydd. Roedd hyn yn gysur i Selwyn. Roedd yn poeni'n arw am Ceinwen.

Roedd mwy nag un ymhlith y staff wedi mynegi'r un dyhead ag y coleddai Selwyn ei hun, sef y byddai Hugh yn dod yn ôl ac yn priodi ag Ilse gan sicrhau etifeddiaeth y stad. Byddai Hugh yn gosod Plas y Morfa yn ôl ar y map fel un o stadau bach pwysica'r rhan yma o'r byd ac ni fyddai'n rhaid i'r tenantiaid fyw eu bywydau mewn ansicrwydd o hyd.

A oedd Ilse'n disgwyl i Hugh ddod yn ôl, tybed? Doedd dim llythyrau wedi dod gan Hugh ers amser rŵan, er ei bod hi wedi danfon sawl un ato ef.

Gallai glywed ei bod yn canu cân fach iddi'i hun wrth gerdded. Swniai fel emyn o ryw fath. Yn sydyn, dyma'r canu'n peidio.

"Pwy sy 'na?" meddai Ilse, ei sirioldeb di-hid wedi'i ddisodli gan bryder amlwg.

Sut mae hi'n gallu 'ngweld i? meddyliodd Selwyn. Rhaid ei bod hi fatha ystlum yn y tywyllwch. Roedd o ar fin ei ddatgelu ei hun a chamu allan tuag at y fynedfa i'r buarth, pan ymrithiodd ffigwr tal yn nes o dipyn at y fan lle y safai Ilse.

"Dim ond fi sy yma."

Peter, myn diawl! Ers faint roedd hwnnw wedi bod yn llechu fan 'na? Doedd Selwyn ddim wedi clywed na gweld dim.

"O, chi... Be 'dach chi'n 'i neud fan'na?"

"Disgwyl amdanoch chi."

"Wel, dyma fi... Nos dawch rŵan."

Camodd Ilse yn ei blaen ond dyma Peter yn gafael yn ei braich.

"Ilse. Mae'n rhaid i ni siarad."

Swniai'n daer. Doedd Selwyn erioed wedi'i glywed wedi'i gynhyrfu cymaint. Camodd yn ei flaen ychydig er mwyn peidio â cholli dim o'r geiriau.

Llwyddodd Ilse i dynnu'i braich yn rhydd a dechreuodd am y tŷ.

"Ddaw o byth yn ôl, w'chi. Dwi'n 'i nabod o. Llipryn bach ydi o."

Cododd Ilse ei llaw heb droi'n ôl gan arwyddo'n glir nad oedd ganddi ddiddordeb yn yr hyn a ddywedai. Aeth i mewn i'r tŷ a chau'r drws yn dynn.

Gwyliodd Selwyn wrth i Peter godi'i ddyrnau mewn rhwystredigaeth gan gicio'n ddiamynedd at ychydig o dail sych ar y buarth. Yna, bwriodd ei law dde sawl gwaith i gledr ei law chwith a throi am y rhodfa. Ar ôl ychydig lathenni, fodd bynnag, trodd ar ei sawdl a brasgamu'n ôl tua'r tŷ.

Arhosodd Selwyn yn hir cyn symud. Be goblyn oedd yn mynd ymlaen fan hyn? Roedd o wedi sylwi bod Peter wedi dawnsio gormod o dendans ar Ilse o bryd i'w gilydd dros yr wythnosau diwetha, ond doedd hi ddim fel pe bai'n sylwi.

Moelodd ei glustiau ond ni allai glywed dim smic o'r tŷ. Dim ond synau'r nos oedd i'w clywed bellach.

28

Cyn troi'i sylw at y gwaith pacio, tynnodd Ilse y llenni melfed trwm yn ei hystafell gan graffu am ennyd i'r tywyllwch wrth wneud. Roedd lleuad lawn yn cipio drwy frigau'r coed yn yr ardd, ei golau llwydlas yn rhaeadru i lawr y llethrau i'r lawnt.

Chymerodd hi fawr o dro i bacio. O'i gymharu â'r llwyth a oedd ganddi pan gyrhaeddodd gyntaf, digon ysgafn a disylwedd oedd ei baich erbyn hyn. Bu'n gorfod gadael rhyw drywydd o fanion dianghenraid ar ei hôl fel malwen ym mhobman lle y bu'n aros ers glanio ym Mhrydain.

Gwrandawodd. A allai glywed camau ar y grisiau? Peter? Ble'r oedd o erbyn hyn? Yn stelcian yn y buarth? Yn gwylio'i ffenestr? Hwyr i'w wely fyddai Peter fel arfer, yn mynd i weld y Bellamy ofnadwy 'na, i chwarae cardia dan berfeddion. Wel, erbyn iddo godi bore fory, byddai'i golomen wedi hedfan. Fyddai hi ddim ar gael i fod yn rhan o'i gêm fach.

Crychodd ei thalcen yn ddiamynedd wrth gofio am y prynhawn hwnnw ar ôl iddi adael ei llythyr ar ei hanner a mynd am dro ar ben y gelltydd.

Roedd Ilse wedi ymlwybro'n ôl i'r plas y prynhawn hwnnw â'i phen yn y gwynt. Roedd yr amser a dreuliodd gyda Ceinwen ac Eirwen Mai wedi'i llonni drwyddi.

Gwelsai Peter yn y pellter ar y llwybr ar hyd y clogwyni, ond doedd ei bresenoldeb ddim yn mennu dim ar y bodlondeb cysurus a deimlai yn sgil ei hymweliad â chartref Ceinwen.

Pan gyrhaeddodd wal yr hen berllan, bu bron iddi anghofio'r blwch ysgrifennu a adawasai yno yn ei brys yn gynharach y bore hwnnw. Ond roedd rhywun wedi'i symud o'r gilfach yn y wal lle'r oedd hi wedi'i osod. Fe'i hagorodd a gweld bod rhywun wedi sgrifennu rhywbeth ar ben y ddalen ucha yn y blwch. Cododd y ddalen bapur a llamodd ei chalon wrth weld geiriau Almaeneg.

Herz, mein Herz was soll das geben?
Was bedränget sich so sehr?...

Roedd hi'n nabod y pennill yn dda; cerdd gan Goethe oedd hi, "Cariad Newydd, Bywyd Newydd": "O fy nghalon, beth yw ystyr hyn? Be sy'n amharu arnat cymaint? Beth yw'r bywyd newydd yma? Dwi ddim yn dy nabod bellach."

Yn yr ysgol roedd hi y tro diwetha y darllenasai'r geiriau hynny a'i chalon a'i phen yn llawn cariad dilyffethair tuag at Eugen Stern, cawr eurben, llygatlas ryw ddwy flynedd yn hŷn na hi a oedd wedi gwenu arni ddau fore'n olynol wrth gyrraedd yr ysgol.

Gwridodd Ilse. Dim ond un person a allai fod wedi ysgrifennu'r geiriau yma – Peter. Y diawl digywilydd! Roedd o siŵr o fod yn ei gwylio y funud hon. Cipiodd o'i chwmpas, ei bochau'n fflamgoch rhwng anniddigrwydd a syndod. Ni allai weld neb ond gwyddai ei fod o yno rywle. Fe'i temtiwyd i weiddi'i enw, i'w herio i ddangos ei wep. Ond yn lle hynny roedd hi wedi cau'r blwch yn ofalus gan gerdded yn ôl drwy'r ardd tuag at y tŷ fel pe na bai dim wedi digwydd.

29

Teimlai Hugh yn hynod effro wrth iddo ddynesu at Blas y Morfa ychydig cyn deg o'r gloch ar fore Mawrth 13eg o Hydref – diwrnod achos y Tri yng Nghaernarfon a'r diwrnod y diflannodd Ilse. Hwn hefyd fyddai'r tro olaf iddo weld ei dad a'i frawd. Ond am y tro edrychai pethau ar i fyny.

Roedd wedi cychwyn o Rydychen oddeutu hanner nos ac roedd wedi troi'r car yn ôl i gyfeiriad y dre honno ychydig cyn cyrraedd Bridgnorth. Ar ôl hanner awr o deithio'n ôl ar hyd y ffordd y daethai, roedd wedi tynnu oddi ar y lôn i garthu'i feddyliau. Yn y fan hon, yng ngolau sigledig ei dortsh, roedd wedi darllen llythyr Ilse am y trydydd tro, a'i ddarllen a'i ailddarllen drachefn a thrachefn – patrwm a rhythm y geiriau'n cael eu naddu i'w feddwl.

F'anwylaf Hugh,

Gan dy fod wedi cadw draw oddi wrthyf gyhyd, bûm rhwng dau feddwl a oedd diben ysgrifennu'r llythyr hwn ai peidio; a oeddet yn ei haeddu, neu a fyddai'n fwy priodol, yn fwy gweddus hyd yn oed, i encilio o'th fywyd heb ffarwél, fel cath ddu i'r nos...

Yn y pen draw, anelu o'r newydd am y gorllewin ddaru Hugh ac fe welodd y wawr yn torri yn ymyl Llynnoedd Mymbyr yr ochr draw i Gapel Curig. Safai'r Wyddfa a'i chriw yn wylaidd bron wrth gael eu trochi yng ngoleuni pelydrau cynta'r haul. Arafodd Hugh y car, ond fiw iddo ddiffodd yr injan yn gyfan gwbl. Doedd ei thraw ddim yn swnio'n rhy iach ers stopio am betrol yn Llangollen.

Ger Llyn Gwynant fe'i temtiwyd i stopio drachefn, i ddrachtio o'r harddwch a gofyn maddeuant i'r mynyddoedd am ei anwadalwch a'i anffyddlondeb dros yr wythnosau diwethaf. Ond cadw i fynd oedd raid, a hynny mor gyflym ag y meiddiai i lawr y lôn gul a throellog o Benygwryd.

> ...Ar ôl ystyried popeth sydd wedi digwydd imi er pan orfu imi ffoi o'm mamwlad ynghyd â rhai profiadau anffodus sydd wedi dod i'm rhan fan hyn ym Mhlas y Morfa, mi benderfynais dy fod yn haeddu rhyw gydnabyddiaeth gen i. Dwyt ti ddim yn ddyn drwg, Hugh, ac mi wnest dy orau o dan yr amgylchiadau. Gwn dy fod wedi sylweddoli na fedret fy ngharu wedi'r cwbwl, a bod gormod o heyrn yn y tân gen ti yn dy feddwl i greu gofod i mi yno, heb sôn am greu lle imi yn dy galon.
>
> Dwi ddim yn siŵr a allwn i fod wedi dod i'th garu di chwaith er imi fwynhau dy gwmni a theimlo'n bur agos atat ambell waith.

Wrth ddarllen y geiriau hynny roedd y cen fel pe bai wedi syrthio o'i lygaid. Sut allai fod wedi ymddwyn fel y gwnaeth, rhedeg fel bachgen bach i'w guddfan, cymryd arno ei fod yn graig anhygyrch, anghyffwrdd, ddideimlad? Dylai fod wedi aros yn driw i'r weledigaeth ramantus gyntaf, y bwrlwm digywilydd roedd wedi'i deimlo yn ei ddŵr wrth gerdded yn eira glaswyn yr Almaen y llynedd. Ni ddylai fod wedi cael ei lygad-dynnu gan bob chwiw a gadael i'w ben gael ei wyro gan bob gwynt croes. O gael ei wrthod, roedd yn dechrau hiraethu o'r newydd.

Wrth ddarllen y llythyr yn y dafarn neithiwr, roedd wedi penderfynu: rhaid iddo fynd yn ôl y noson honno, y funud honno. Ac eto roedd wedi addo i Alun y byddai'n cymryd rhan mewn protest yn erbyn y Gymdeithas Natsïaidd yn y brifysgol, a oedd yn cynnal cyfarfod ar y cyd â'r Clwb Eidalaidd ac aelodau blaenllaw o'r BUF i drafod gorymdaith o blaid Franco y penwythnos canlynol.

"So we'll take young Hugh along with us as a decoy. Our very own Trojan 'Orse. 'E can do the talkin if we meet any posh dons on the way."

Yn ei gwrw echnos roedd Hugh wedi cytuno'n frwd i gymryd rhan yn y cyrch. Heno, fodd bynnag, roedd ei feddwl ymhell o frwydrau'r du a'r coch ar strydoedd Ewrop:

...Dwi'n mynd i ffwrdd. Dwi'n mynd i aros gyda rhai o'm pobol fy hun – Iddewon dwi'n feddwl y tro yma – nid Almaenwyr. Dyma'r tro cyntaf imi ddweud peth felly – Almaenes oeddwn i gynt. Mae honno'n ffaith ddiymwad, ac yn dal i fod yn wir o hyd, am wn i, ond mae amgylchiadau wedi dangos imi'r gwahaniaeth rhwng y rhisgl a'r rhuddin...

Yn y diwedd nid oedd rhaid i Hugh ond hebrwng mintai o ddynion heibio i gaban y porthorion ac wedyn roedd Alun wedi penderfynu y byddai'n well pe na bai Hugh yn cael ei weld yn y ffrwgwd ei hun rhag ofn bod eisiau ei ddefnyddio eto i gynnal reiat ar eiddo'r brifysgol.

Ar un olwg roedd yn anodd gweld perthnasedd yr holl gynnwrf wrth iddo yrru'r milltiroedd olaf drwy gefn gwlad Llŷn a'r defaid a'r gwartheg yn pori mor ddiddig yn y caeau ar bob tu. Eto i gyd, o fewn muriau'r plasty lle y'i ganed, ymresymodd, roedd ffoadures yn ffoi oddi wrth ffasgaeth, ac, yn ei frawd, gefnogwr pybyr y gred honno. Draw ger Penyberth roedd yna baratoadau dieflig a diegwyddor ar droed i ymladd y rhyfel nesaf; rhyfel yn deillio o amharodrwydd pobl i weithredu; rhyfel lle y byddai'r diniwed yn cael eu targedu'n fwriadol gan y ddwy ochr ar raddfa nas gwelwyd erioed o'r blaen.

Er hyfryted y wlad; er mor werthfawr, hanfodol ac anhepgor ei diwylliant a'i hiaith; er gwaetha'r rheidrwydd diamheuol i ymddihatru o iau llywodraeth Lloegr, roedd yn rhaid wynebu'r behemoth draw a'i drechu. Mater o flaenoriaethu oedd hi yn y bôn. Heb drechu hwn, ni fyddai modd adfer dim.

Oedd, mi oedd pethau'n edrych yn gliriach ac roedd Hugh yn sicrach ynglŷn â'i deimladau tuag at Ilse. Roedd wedi'i cholli, yn hiraethu am sirioldeb ei chymeriad, ei hymateb di-lol, diachwyn i'w hamgylchiadau anodd ac annheg a hynt a helynt y byd o'i chwmpas. Roedd wedi colli'i gwên a gwydnwch ei chorff ac oglau'i gwallt a stwythder ei bysedd... Efallai na fyddai'n rhy hwyr...

Cipiodd yn y drych a dychrynodd. Y tu ôl iddo roedd injan dân yn llenwi'r lôn ac erbyn hyn gallai glywed cnul carlamus y ddwy gloch. Sbiodd i bob ochr ond ni allai weld adwy yn y clawdd. Gwasgodd y sbardun i'r llawr ond nid oedd yr hen gar yn fodlon tynnu fel y dylai ac yn fuan iawn roedd yr injan dân fel tarw am ei din. Y corn a'r clychau yn canu yn ei glustiau. Gallai weld wynebau dicllon a dirmygus y dynion tân yn sbio'n hyllach bob eiliad arno o'r cab.

Gwyddai nad oedd ond chwarter milltir o'r troad i'r Plas ac felly daliodd ati gan sticio'i fraich drwy'r ffenest agored gan arwyddo ei fwriad yn y ffordd briodol i ddangos ei fod yn troi i'r chwith. Bu'r tro pedol yn drech na'r car bach a bu'n rhaid iddo ymladd â'r llyw gan adael i'r car redeg i'r llwyni wrth waelod y rhodfa. Ond yn lle rhuthro yn ei blaen, dyma'r injan dân yn arafu'n ddestlus ac yn troi'n urddasol am y Plas gan basio'r cerbyd yn y clawdd, y criw yn codi eu dwylo'n hy wrth fynd heibio.

Am ennyd, sbiodd Hugh yn hurt ar yr horwth coch yn diflannu rownd y tro yn y rhodfa. Wedyn cododd ei olygon ac fe welodd strem y mwg yn llifo i'r awyr uwchben y Plas. Ceisiodd danio'r car ond roedd hwnnw wedi nogio ar ôl stopio mor ddiseremoni. Gwthiodd Hugh y drws yn agored a hyrddio'i hun o'r car gan redeg yn lletchwith ar goesau anystwyth yn sgil y siwrnai hir.

Wrth gyrraedd pen y rhodfa a rhedeg draw am y tŵr, golygfa afreal megis breuddwyd a'i hwynebai. O ffenestri'r llyfrgell ymroliai tonnau o fwg llwydlas gan ymledu fel carthen bŵl dros y gerddi yn yr awyr lonydd. Roedd dynion brigâd dân Pwllheli'n rhedeg pibellau dŵr o'r injan ar draws y lawnt ac yn dadlwytho ystolion yn erbyn muriau'r tŵr. Ger y stablau roedd sawl aelod o'r staff a rhai o'r gweision wedi ymgasglu gan wylio'r syrcas yn lled ddifater, bron fel pe bai'r holl ddigwyddiad yn rhan annatod o ryw Ragluniaeth Fawr, er bod llais Blodwen i'w glywed yn porthi'n wichlyd o bryd i'w gilydd.

Ar y lawnt, eisteddai Syr David, côt nos amdano a honno'n agored led y pen, ei goesau ar daen o'i flaen ac yn pwyso'n ôl ar ei ddwylo a oedd y tu ôl i'w gefn.

"Burn the bards! Burn their books! Mealy-mouthed Methodist doggerel gibberish! Rape and pillage! Scourge of the land! God Save Our Gracious King, Long Live Our Noble King..." a sŵn cwareli gwydr yn malu yn y gwres a rhu cynyddol y fflamau yn gyfeiliant i'r canu croch.

Safodd Hugh yn syfrdan. Ac wedyn roedd Peter wrth ei ochr. Olion mwg a huddyg ar ei wyneb a'i grys. Heb feddwl symudodd Hugh gam neu ddau oddi wrtho.

"He's been drinking since Sunday, poor old sot."

"Where's Ilse?"

"You don't need to worry about her, Hughie bach."

"Is she safe?"

"She's not been incinerated yet, if that's what you mean."

Ar draws y lawnt llenwodd y pibellau dŵr gan droi'n nadroedd gwinglyd yng ngafael y dynion tân. Eisoes roedd y mwg yn troi'n stêm.

"Where is she, though?"

"It doesn't seem too serious, does it? You may save a couple of penny readings yet."

Yn sydyn, roedd Hugh yn gynddeiriog. Bwriodd Peter i'r llawr, neidiodd ar ei ben a dechrau pwyso ar ei bibell wynt â'i holl nerth. Fflapiodd breichiau Peter fel lleden ar draeth a daeth sŵn rhwng sgrechian a sgyrnygu ohono.

"'Dan ni'n colli pwysa'r dŵr!" gwaeddodd un o'r dynion tân. Trodd y jet pwerus yn ffrwd fach lipa. Daeth cymylau o fwg drwy'r ffenest drachefn a thrwy gil ei lygaid fe welodd Hugh gochni'r tân yn llamu o'r newydd yn y düwch. Llaciodd y pwysau ar wddf ei frawd.

"Where is she... you... you... Fascist?" gofynnodd rhwng ei ddannedd.

Synhwyrodd Peter fod y gwaethaf drosodd ac er na fedrai symud roedd yn weddol siŵr na wnâi Hugh ddim rhagor iddo nawr. Llyncodd yn galed a charthu'i wddf cyn ateb.

"She's fucked off, old boy. Gone to look for some Yiddish boys to seduce... But I've been keeping her amused for you while you've been away. Very accommodating..." a dechreuodd wenu cyn i ddwrn Hugh gysylltu â'i ben ac i'r llen ddisgyn am y tro.

30

Pan adawodd Ilse Blas y Morfa ar fore'r tân, cafodd ei hun unwaith eto'n camu i'r anhysbys, yn codi'r angor gan adael i'r lli fynd â hi fel y mynno. Ond y tro hwn roedd hi'n ymwybodol o ryw wahaniaeth sylfaenol yn ei sefyllfa. Erbyn hyn roedd ei chroen yn dewach, ei meddwl yn llymach, roedd hi'n fwy o gwmpas ei phethau'n gyffredinol, yn llai goddefol. Hi oedd wedi penderfynu gweithredu y tro hwn, gan adennill rhyw rithyn o reolaeth wrth wneud.

Roedd hi wedi ysgrifennu at y teulu Kablinski yn Nhrefriw ers tro gan gyfeirio'r llythyr yn syml at Mr Joseff Kablinski, Trefriw, gan dybio na fyddai yna ormod o deuluoedd â chyfenw o'r fath yn y rhan yma o'r byd.

Hyd yn hyn doedd hi ddim wedi cael ymateb ganddynt, ond teimlai na allai aros eiliad yn fwy ym Mhlas y Morfa. Ni allai ymddiried yn Peter bellach ac nid oedd diben iddi ddisgwyl rhagor gan Hugh; gwell fyddai terfynu pethau rhyngddynt. Roedd yn bryd iddi weithredu ar ei liwt ei hun yn hytrach na chael ei golchi o fan i fan fel darn o wymon.

Dim ond wrth Ceinwen roedd hi wedi sôn am ei bwriadau. Roedd honno wrth ei bodd â'r syniad bod Ilse yn cymryd y goes fel hyn ac wedi tyngu llw cris-croes-tân-poeth na fyddai hi'n yngan yr un gair wrth neb. Rywle hefyd teimlai Ceinwen fod yna fagnïen o obaith y gallai hi ailgynnau rhyw dân ar hen aelwyd, ac Ilse bellach yn gadael y Plas.

Holodd Ceinwen o gwmpas ei cheraint a'i chydnabod i gael gwybod beth oedd y ffordd orau i Ilse gyrraedd Trefriw – doedd hi, Ceinwen, erioed wedi clywed am y lle – ond ddeuddydd ynghynt roedd Ceinwen wedi dod â newydd o lawenydd mawr i Ilse. Roedd brawd un o gymdogion chwaer Ceinwen yn y gwaith alwminiwm yn Nolgarrog a gwyddai hwnnw'n iawn am y Kablinskiaid a'r tŷ lle'r oeddent yn byw. I Ilse, roedd yn ymddangos fel pe bai'r coelbren wedi'i fwrw'n ddigamsyniol o blaid ei bwriadau ac roedd pob arwydd erbyn hyn yn pwyntio tua Dyffryn Conwy a theulu hen gwsmeriaid ei thad. O'r fan honno efallai y byddai'n medru mynd i'r afael â'r dasg o gael ei rhieni allan o Ewrop cyn i'r argae dorri.

Roedd hi'n weddol sicr na fyddai Joseff Kablinski'n ei throi ymaith pe bai'n glanio ar stepen ei ddrws. Roedd yna fyrdd o bethau na feiddiai roi ystyriaeth iddynt, pe bai hwn, pe bai'r llall, ond roedd hi'n ifanc ac yn optimistaidd ac er y pyliau tywyll a digysur, doedd dim amheuaeth ganddi y deuai eto haul ar fryn.

Yn ei blyg o'i blaen yn yr orsaf yn awr roedd dyn yn codi tocyn wrth ffenest y bwth. Ni chymerodd fawr o sylw ohono a hithau ar goll yng nghyffro'i hantur, ond wrth iddo ymsythu a throi ati cafodd ei hun yn edrych i lygaid gleision, glynol Selwyn.

"Wannwyl! Ilse. 'Dach chi'n blygeiniol iawn. Mynd i weld Hugh 'dach chi?"

Edrychodd i fyw ei llygaid a deallodd Selwyn yn syth nad i Rydychen roedd hi'n mynd. Roedd Ilse'n ysu mynd at y bwth i godi'i thocyn hithau, ond doedd hi ddim eisiau i Selwyn glywed lle'r oedd hi'n mynd. Fel pe bai'n synhwyro hynny ciliodd Selwyn i ryw gongl gysgodol i danio'i getyn.

Wedyn safodd y ddau ar wahân ar y platfform – er yn llygadu'i gilydd yn slei bach pryd bynnag y tybient nad oedd y llall yn sylwi.

Roedd y trên yn gymharol wag ond er iddynt fynd iddo drwy ddrysau gwahanol, dyma nhw'n taro ar ei gilydd drachefn. Byddai'n blentynnaidd braidd iddynt beidio ag eistedd wrth ymyl ei gilydd o dan yr amgylchiadau.

"'Dach chi'n mynd ymhell?" holodd Ilse ar ôl ennyd ac yna ei diawlio'i hun ei bod yn mynd â'r sgwrs i ddyfroedd dyfnion.

"Caernarfon."

Ni ddywedodd ragor. Gwyddai Ilse na fyddai Selwyn yn gofyn dim byd ynghylch ei siwrnai bellach; byddai'n gallu darganfod perwyl ei thaith drwy ei ddirgel ffyrdd arferol. Holi'r dyn yn y bwth tocynnau, siŵr o fod. Doedd Selwyn yn nabod pawb?

Chwiban gan y giard a dyma'r trên yn hercian yn ei flaen, y stêm yn chwipio'n ôl heibio i'r ffenestri, ei oglau'n cosi'i thrwyn.

"Caernarfon?" holodd hi a difaru'n syth. Pam na allai roi clo ar ei thafod? Os mai cael gwybod popeth oedd camp Selwyn, eisiau gwybod popeth oedd gwendid Ilse.

"I weld achos llys."

"Be?" Cofiodd yn sydyn. "Y Cenedlaetholwyr 'na?"

"Ia."

Bu tawelwch am ychydig. Selwyn yn ymhél â gwleid-yddiaeth? Selwyn yn cefnogi'r llosgwyr? Efallai mai mynd yno i'w gweld nhw'n cael eu cosbi roedd o.

"Dwi'n synnu nad ydi Hugh ddim wedi dod adra i'w gweld nhw," meddai Selwyn wrth lanhau'i getyn â thwca poced.

O glywed enw Hugh, ni allai Ilse guddio'i hanesmwythyd. Agorodd ei cheg i ymateb ond syrthiodd ei gên yn llipa ac yn sydyn roedd hi'n methu â siapio'r geiriau. Roedd ei chynlluniau fel pe baent yn mynd o chwith o'r cychwyn, ei hyder newydd ar chwâl i gyd. Pam ar wyneb y ddaear fod hwn yn busnesu fel hyn?

Tremiodd Selwyn yn ddi-weld drwy'r ffenest. Yn ddistaw bach, roedd wedi gobeithio y deuai Hugh adra ar gyfer yr achos, wedyn hwyrach na fyddai yna reidrwydd iddo yntau wneud y daith i Gaernarfon. Roedd y sefyllfa'n hollol hurt, ond rywsut, teimlai ei fod yn gorfod dirprwyo dros fab y plas yn hyn o beth. Ond ai dirprwyo yr ydoedd? Roedd rhywbeth am y weithred a oedd wedi'i ddwysbigo, wedi peri iddo gwestiynu lle na bu'n cwestiynu o'r blaen.

Digon llac oedd pethau yn y gwaith. A dweud y gwir doedd gan Syr David fawr o glem ynghylch cyflwr y stad na faint o waith oedd i'w wneud, ac er bod Peter fel pe bai'n poeni rhywfaint yn fwy am y sefyllfa ariannol, gwyddai Selwyn nad oedd rhaid iddo boeni am unrhyw gerydd ganddo. Roedd gormod o ofn ar hwnnw i ymyrryd.

Bob hyn a hyn, gallai weld llun wyneb Ilse yn y ffenest. Doedd hi ddim yn edrych yn hapus iawn. Beth yn union oedd gêm yr hogyn Hugh 'na? Doedd Selwyn erioed wedi meddwl y byddai'n sathru ar deimladau fel hyn. Un bach digon sensitif fu Hugh pan oedd yn iau, yn wahanol i lanciau'r un oed ac o'r un dras a chefndir ag ef a dueddai i fod yn swniog o orhyderus a rhodresgar i'r eithaf. A ddylai holi mwy o'r eneth yma? Efallai, wedi'r cwbwl, ei bod ar ei ffordd i Gretna Green i neidio'r ysgub gyda Hugh. Na, go brin... nid dyna steil Hugh, a fyddai ddim o'r fath dristwch i'w weld yn ei llygaid os dyna ddiben ei thaith.

Drwy gil ei lygaid, cipiodd Selwyn ar fagiau Ilse. Roedd hon ar ffo, doedd dim dwywaith am hynny. Cofiodd yn ôl i'r olygfa y tu allan i'r stablau neithiwr. Peter oedd y drwg yn y caws fan hyn, yn ddi-os. A oedd y sglyfath wedi bod yn poitsian hefo hi? Beth yn union oedd wedi digwydd?

Siawns y dylai ddweud rhywbeth wrthi. Gofyn iddi... egluro iddi.

Âi'r gorsafoedd heibio fesul un... Ynys... Pen-y-groes... Dinas – yr un gair rhyngddynt o hyd. Roedd y trên wedi llenwi erbyn hyn nes bod yna ormod o bobl o'u cwmpas iddo ddweud dim byd, beth bynnag. Gallai glywed un dyn yn sôn am yr achos llys, yn amlwg yn awyddus i fod ar y blaen o ran taenu'r sïon diweddaraf. Clywodd ambell un yn porthi wedyn o blaid y Tri yn wahanol iawn i'r hyn a glywsai ar y stryd ym Mhwllheli.

Caernarfon yn barod. Edrychodd Ilse a Selwyn ar ei gilydd – hithau mewn braw ac yntau mewn penbleth.

"Wel... dydd da, Ilse," clywodd ei hun yn ei ddweud. "Mi wela i chi eto ryw ddiwrnod..."

Fe'i bwriwyd oddi ar ei echel yn llwyr wrth i Ilse roi cynnig ar blannu cusan ar ei foch, ond tynnodd Selwyn ei ben yn ôl mewn syndod wrth sylweddoli beth oedd yn digwydd, a glaniodd y gusan ychydig o dan ei wefus isa. Chwarddodd rhywun a bustachodd Selwyn ar ei draed gan ruthro'n anurddasol o'r cerbyd. Roedd yr orsaf dan ei sang ac fe'i llyncwyd gan y dorf. Ceisiodd Ilse ei ddilyn â'i llygaid wrth iddo ymweu drwy'r holl bobl ar y platfform ond roedd yn amhosib. Daeth cwmwl o stêm rhyngddi a'r platfform a phan gliriodd doedd dim golwg arno. Roedd Ilse wedi gresynu pan welsai ef wrth y bwth y bore yma. Pa hawl oedd ganddo i amharu ar ei chynlluniau fel hyn? Ac yn awr, hebddo, teimlai'n ansicr, yn unig ac ar goll.

31

Doedd ei thaith ddim yn un hir. Buan iawn roedd wedi mynd ar hyd arfordir y gogledd i Gyffordd Llandudno o ble y daliodd drên i fyny dyffryn Conwy gan gyrraedd gorsaf Llanrwst yn hwyr y bore. Roedd smwclaw ysbeidiol yn y gwynt wrth iddi groesi'r bont o'r naill blatfform i'r llall a bu'n rhaid iddi ddal ei het yn sownd am ei phen. Yn ôl y cyfarwyddiadau a gawsai, roedd rhaid iddi adael y trên yn Llanrwst ac yna cymryd bws dros afon Conwy gan ddilyn y ffordd yn ôl i'r cyfeiriad y daethai yr ochr draw i'r afon i Drefriw.

Ond, erbyn iddi gyrraedd Llanrwst, roedd ei hyder ar drai. Curai'i chalon yn wyllt ac ni allai fagu digon o blwc i holi neb. Safodd wrth fynedfa'r orsaf gan edrych yn ddryslyd o'i chwmpas.

"Alla i helpu, *miss*," meddai rhywun mewn Saesneg clapiog.

O'i blaen safai procer o ddyn tal – Jac y cariwr oedd hwn a gludai negesau a nwyddau'n ôl ac ymlaen o'r orsaf bob dydd o'i fywyd. Roedd Jac yn nabod pawb ac yn gwybod yn iawn am deulu Kablinski:

"Un arall? Ew! Mae'n lle poblogaidd ar y naw! Gweitiwch rŵan. Daw rhywun draw'n sbesial i chi." Ac i ffwrdd ag ef i wneud galwad ffôn o swyddfa'r orsaf-feistr.

Ar gais gwraig yr orsaf-feistr, cafodd Ilse ei hun yn eistedd ym mharlwr bach eu cartref a safai ychydig y tu hwnt i'r stesion wrth aros am gludiant i Drefriw– paned yn ei llaw a phlataid o fara brith wedi'i dorri'n denau, denau o'i blaen. Hwb mawr i'w hysbryd oedd caredigrwydd y ddynes fach hon â'i llygaid cyrans duon. Dyma'r lluniaeth cyntaf a gawsai ers y noson cynt a theimlai'n bur benysgafn erbyn hyn.

Daimler gwyn, sgleiniog a ddaeth i'w nôl hi o'r stesion, cerbyd digon crand i droi pennau pobl dda Llanrwst wrth iddo ganu grwndi ar hyd Ffordd yr Orsaf i'r sgwâr ac i lawr am y Bont Fawr. Teimlai Ilse fel rhyw dywysoges neu frenhines wrth weld y bobl yn ffurfio rhesi bach bob tu i'r ffordd a mentrodd godi'i llaw'n urddasol ryw unwaith neu ddwy dan wenu'n slei iddi'i hun.

Nythai'r Wern, cartref Joseff a Céline Kablinski, mewn llannerch yng nghanol y goedwig tua chwarter milltir uwchlaw cyrion pentre Trefriw. Islaw'r tŷ ymestynnai dyffryn hardd, gosgeiddig afon Conwy tua'r aber lydan a môr Iwerddon. Cartref perchennog un o'r hen weithfeydd plwm oedd y Wern yn wreiddiol. Roedd hwnnw bellach wedi dychwelyd i Sheffield ar ôl i'r hwch fynd drwy'r siop ar ddechrau'r tri degau. Golwg eithaf di-raen oedd ar y lle erbyn hyn – clamp o annedd hirgul wedi'i amgylchynu gan glwstwr o dai allan afrosgo a oedd wedi'u troi'n llety i ffoaduriaid o bob cwr o Ewrop. Ond o'r edrychiad cyntaf roedd Ilse wrth ei bodd a theimlai ei chalon rywfaint yn ysgafnach.

Roedd naws y lle'n hollol wahanol i Blas y Morfa. Yn lle'r awyrgylch bregus, ansicr, anghofiedig, roedd y Wern yn llawn bwrlwm cyfoes parhaus. Yn ogystal â Joseff a Céline Kablinski a'u dau blentyn, roedd llif cyson o ddieithriaid yn mynd a dod yno, rhai'n aros am flynyddoedd gan fwrw gwreiddiau, eraill yn adar unnos yn unig. Twr Babel o le ydoedd na fyddai byth yn cysgu.

O dras Tsariaid Rwsia yr hanai Céline, ac er na chafodd

Ilse erioed wybod union natur gwaith Joseff, Iddew Almaenig o Hamburg, roedd yn amlwg yn ddyn dylanwadol tu hwnt a feddai ar gyfoeth dihysbydd a rannai'n hael ac yn helaeth ddihafal. Cymysgai â gwladweinyddion a phobl bwerus o bedwar ban byd ac roedd ei fys ym mhob briwes o bwys ar bum cyfandir. Bendithiwyd Joseff Kablinski â rhyw anian a oedd yn pendilio rhwng yr awtocrataidd eithafol a'r anarchaidd di-lol, ac unwaith i rywun sylweddoli mai cyfarth rhagor na brathu oedd ei duedd, yn fuan iawn yr aent o dan gyfaredd ei ddyngarwch rhadlon a diffuant.

Ymhlith trigolion y Wern yr adeg honno roedd yna rai a oedd wedi eu herlid gan y chwith a'r dde wleidyddol, pobl a chanddynt ddigon o reswm i fod yng ngyddfau'i gilydd. Yn aml, atseiniai'r creigiau yn y coed i ddadleuon croch a thanbaid, ond o dan lywodraethiad yr hen Kablinski gwyddai pawb lle'r oedd y terfynau a phwy oedd yn cadw to uwch eu pennau ac nid âi neb dros ben llestri.

Dros amser bu cymodi a chlosio rhwng y preswylwyr tymor-hir; profiad eu halltudiaeth o'u teuluoedd a'u cynefin yn dwyn pawb yn nes at ei gilydd.

Yn y tŷ hwn y cafodd Ilse ei gwir loches gyntaf ers ffoi o'r Almaen. Yma y cafodd gyfle i ymlacio ac atgyfnerthu ac ystyried o ddifri beth i'w wneud am y gorau.

Ar ôl cyrraedd y Wern, roedd hi hefyd wedi cael cyfle i fynd ati'n ddyfal i ddwyn pwysau ar ei rhieni i godi pac a symud i Brydain. Teimlai ei bod wedi llaesu dwylo ynghylch y mater yn rhy hir, ei bod wedi chwarae gêmau gwirion yn hytrach na chanolbwyntio ar yr hyn a oedd yn wirioneddol bwysig.

Doedd ganddi ddim rheswm dros beidio â gofyn yn blwmp ac yn blaen i Joseff Kablinski am gymorth ariannol ynglŷn â'r rheidrwydd i noddi pob perthynas a ddeuai draw i ymuno â hi, a chytunodd yntau'n syth i'w helpu. Cytunai na ddylai'r ddau aros eiliad yn hwy nag oedd yn rhaid yn Fiena.

"Dy broblem di, Ilse, fydd eu perswadio i symud. Mae yna filoedd a allai ddod draw fory nesa ond maen nhw'n dal gafael yn y gorffennol, heb sylweddoli'r hyn a allai ddigwydd iddyn nhw os byddan nhw'n aros."

Ni chredai y byddai'r Natsïaid yn hir cyn gweithredu mewn perthynas ag Awstria ac roedd yn hen gyfarwydd ag anfodlonrwydd pobl i ffoi'n ddigon pell o'r perygl.

"Dydi pobl ddim yn deall y Trydydd Reich," meddai gan frasgamu'n ôl ac ymlaen ar hyd yr ystafell fyw eang yng nghefn y tŷ, ei ddwylo'n chwifio fel melinau gwynt wrth iddo gynhyrfu fwyfwy.

"Dydi Ffrainc na Phrydain ddim yn deall bwriadau'r Reich yn sicr i chi. Fallai fod Hitler a'i griw yn iawn – bod y gwledydd democrataidd wedi clafychu a dirywio'n ormodol, tra mai'r Almaen sy'n mynd o nerth i nerth, yn ddiwyro tua'r nod. A'r nod hwnnw? Uno holl bobloedd Almaenig Ewrop a chael gwared â ni'r Iddewon."

Ysgrifennodd Ilse at ei chwaer yn Hamburg gan egluro'i sefyllfa newydd.

Pan ddaeth llythyr Suzanne yn ôl drwy ddirgel ffyrdd er mwyn osgoi llygaid barcud hollbresennol sensoriaid ac ysbiwyr y wladwriaeth, roedd y darlun a beintiai o fywyd yn yr Almaen yn dangos gwlad hollol wahanol i'r un a gofiai Ilse. Cyfeiriodd Suzanne at y ffordd yr oedd pawb yn gorfod cyfaddawdu â'r system, a'r ymddieithrio a oedd yn digwydd ymysg eu ffrindiau nad oeddent yn Iddewon – nid bod y bobl hyn yn wrth-Semitaidd nac yn gefnogol i fwriadau'r wladwriaeth hyd yn oed, dim ond bod cymysgu ac ymgyfeillachu ag Iddewon a'r rheini a oedd yn gysylltiedig â nhw bellach yn codi gormod o gywilydd arnynt oherwydd yr erledigaeth a welid ym mhobman.

Roedd cynnal perthynas â'ch ffrindiau Iddewig yn mynd yn embaras ac yn annaturiol i'r ddwy ochr. I ddechrau roedd y sefyllfa yr un mor chwerthinllyd, ac anhygoel i'r rheini nad oeddent yn Iddewon ag yr oedd yn ymddangos i'r Iddewon eu hunain. Beth wnaeth yr Iddewon erioed i haeddu'r ffasiwn driniaeth? Pam dylen nhw adael yr Almaen? Roedd yr holl sefyllfa'n wallgof ac ni fyddai byth yn para. Deuai rhywbeth i'w rhwystro. Ond, wedyn, gam wrth anfoddog gam, deuent i dderbyn y sefyllfa wallgof – yn ddigon anhapus yn ei chylch, hwyrach – ond yn falch os byddai eu hen ffrindiau Iddewig wedi llwyddo i ffoi ac yn ddiogel mewn gwledydd eraill, a heb fod yn pwyso ar eu cydwybod bellach.

Ond paid â phoeni, Ilse fach. Mae'r gŵr yn mynd i roi cynnig ar symud i Tsiecoslofacia yn y flwyddyn newydd. Mae'n siŵr y byddaf i a'r plant yn iawn – dwi ddim yn meddwl y bu hyd yn oed y Natsïaid yn hambygio gwragedd a phlant. Fyddai pobol yr Almaen ddim yn gadael iddynt.

Llifodd rhibidires o ddelweddau annisgwyl i ben Ilse – atgofion o ddathlu *pesach* – y pasg Iddewig – pan oedd hi'n ferch fach, a'i holl symboliaeth ynglŷn ag alltudiaeth, ffoi ar frys a cholli gwaed y diniwed. Gan nad oeddent yn Iddewon uniongred, rhyw swper fach yn nhŷ un o'u perthnasau fyddai swm a sylwedd y dathlu iddynt. Achlysur teuluol hapus, arwyddocâd yr ŵyl ar goll ac yn ddiystyr i ferch ifanc, ddibryder.

Darllenodd ymlaen. Bu'r frawddeg nesaf yn ergyd ac yn siom bellach iddi. Roedd Suzanne yn bwriadu dwyn perswâd ar ei rhieni i ddod o Fiena... ati hi a'i gŵr yn Tsiecoslofacia.

Ni allai Ilse gredu'r hyn a ddarllenai. Ar ôl ystyried am ychydig, gwasgodd y papur tenau'n belen fach heb orffen gweddill y llythyr, er yr ymataliodd rhag ei luchio i'r tân, gan ffroeni'n uchel. Ei hymateb cynta oedd dicter. Yn union fel y dicter a deimlai'n ferch fach pan fyddai Suzanne fel pe bai'n cael blaenoriaeth o ryw fath. A oedd ei rhieni'n sylweddoli faint roedd hi, Ilse, wedi gofidio amdanynt dros y ddwy flynedd ddiwethaf? Mae'n amlwg eu bod wedi penderfynu bod Ilse fach bellach yn ddiogel yng ngofal Joseff a Céline Kablinski ac felly doedd dim rhaid iddynt boeni amdani bellach. Am faint byddent yn fodlon iddi bydru fan hyn?

Nage, nid pydru. Roedd mwy o siâp i'w bywyd erbyn hyn. Bellach roedd hi'n gweithio bob awr o'r dydd, a'r nos yn aml, i gynorthwyo Joseff a Céline yn eu hymdrechion i arbed cynifer o Iddewon ac unigolion eraill ag y gallent rhag eu tynged ar gyfandir Ewrop. Câi, fe gâi ryw foddhad ei bod yn gallu helpu rhai, ond dim ond ychwanegu at ei gwewyr personol a wnâi hyn mewn gwirionedd, gan na fedrai wneud dim i achub ei hanwyliaid ei hun, a hynny oherwydd nad oedden nhw'n fodlon cymryd sylw ohoni.

Gweithiai Joseff a Céline yn ddiflino heb gyfri'r gost iddynt eu hunain, yn ariannol nac yn emosiynol. Roeddent yn ceisio cynnal rhwydwaith a allai gynnig cymorth sylfaenol i'r rheini a geisiai loches. Dau gymeriad hollol anghymarus oedd penteulu Kablinski a'i wraig yn ôl pob golwg. Yntau'n gorfforol fawr ac yn filain bron yn ei ymwneud â'r byd a'i broblemau, er, gan amlaf, wrth gwrs, lles ei gyd-ddyn, y diniwed a'r amddifad oedd yn cymell ei weithredoedd. Roedd Céline, ar y llaw arall, yn greadures bruddglwyfus iawn, yn fewnblyg ac yn eiddil i'r eithaf o ran ei chyfansoddiad corfforol, yn boenus o sensitif a dihyder, ac eto'n wydn ac yn unplyg ym mhopeth a wnâi.

Gallai rhywun synhwyro'r gagendor rhwng y ddau bob tro y deuent i gysylltiad. Serch hynny, rywfodd rywsut, byddai'r gwrthdaro rhyngddynt yn creu deinamig hynod gynhyrchiol a hynod fuddiol i'r ffoaduriaid a ddibynnai arnynt.

Deilliai eu huniad annhebygol fel gŵr a gwraig o drefniant a wnaethpwyd wrth i'r Fyddin Goch orchfygu lluoedd y Gwynion yn Rwsia ar ddiwedd y Rhyfel Mawr. Roedd teulu Joseff ymhlith y cyfoethocaf yn Hamburg ac yn ôl pob sôn roedd ganddynt eu cysylltiadau eu hunain â theuluoedd brenhinol a phendefigaidd Ewrop.

Dim ond un ar bymtheg oed oedd Céline ar adeg y briodas, a heb gwrdd â'i darpar-gymar. Sut allai peth felly weithio? meddyliodd Ilse. Sut allent fod wedi closio digon i gael dau o blant? Ac wedyn meddyliodd amdani hi a Hugh. Rhyw fath o berthynas gyfleustra fu ganddyn nhw hefyd. Ni fu closio'n ormod o broblem iddynt hwythau ar un wedd, a doedden nhw chwaith ddim yn debyg o ran anian. Ac eto roedd hi wedi cael ei denu at Hugh o'r cychwyn cyntaf, er nad yn yr un ffordd bendramwnwgl ag yr oedd o wedi mopio â hi. Daliai i feddwl amdano ac nid oedd yr atgof ohono'n pylu chwaith. Tybed lle y byddent arni pe bai hi wedi cael plentyn ganddo? Yn aml rhwng cwsg ac effro yn y boreau wrth wrando ar synau'r mynydd – y nant, y gwynt yn y coed, y defaid ar y ffridd, sgrech y boda – a'r rheini wedi'u hatalnodi gan gri ambell blentyn neu fabi yn y Wern – chwaraeai'r drychfeddyliau ysmala hyn drwy'i phen. Weithiau, byddai'n ystyried ailgysylltu ag o, ond erbyn iddi godi byddai'r ffasiwn syniad wedi distyllu'n llwyr fel gwlith y bore o'r lawnt dan ei ffenest.

Erbyn hyn, a'r rhyfel cartref blin a phellgyrhaeddol yn Sbaen yn rhygnu rhagddo ers bron i flwyddyn, brithid y broc dynol cynyddol a ddeuai i'r lan ar riniog y Wern gan rai a oedd yn ffoi o arswyd newydd yr oes, ffoaduriaid yn rhedeg rhag bomio o'r awyr. Plant a wlychai'u gwelyau feunos wrth i gysgodion adeiniog a ollyngai wae a distryw oddi fry ruo drwy eu breuddwydion, eu llefain truenus yn atseinio yn y nos, yn adlais i gri'r llwynogod ar lethrau'r Carneddau ac ym mhlygion y coedwigoedd du gerllaw.

Roedd yna un ferch fach yn arbennig, Antonia, a ddaeth yng nghwmni'i hewythr oedrannus, a fu gynt yn was sifil yn llywodraeth y Weriniaeth ym Madrid. Roedd rhieni'r fechan wedi'u lladd mewn cyrch awyr, a bu Antonia'n gaeth am ddeuddydd yn y seler lle gorweddai cyrff ei mam, ei thad a'i dau frawd. Pan gyrhaeddodd y Wern, nid oedd wedi yngan yr un gair wrth neb ers tri mis. Glynai wrth ei hewythr fel gelen, gan gladdu ei phen yn ei gesail bob tro y deuai rhywun diarth yn agos neu pan geisiai rhywun ymgomio â hi.

Roedd yr ewythr yntau ar ben ei dennyn, yn fusgrell ac yn benisel, ei lygaid yn ddilewyrch a difywyd, wedi methu'n lân â diddyfnu'r fechan o'i ystlys, er mwyn ceisio ailennyn hyder ei henaid bach briw, i godi gwên, neu i liniaru rywfaint ar yr artaith a gadwai'i hwyneb prydferth yng nghudd rhag pob llygad ddiarth a'r panig a phryder parhaus a feiniai'i gwedd. Ond, seithug fu'i holl ymdrechion ac nid oedd pall ar y mudandod byddarol, symudiadau defodol y bysedd bach ar hyd defnydd côt yr henwr, na'r ochneidio cryn.

Roedd bwrlwm y gwaith yn cadw ymennydd Ilse'n brysur fel na châi gyfle i hel meddyliau am yr hyn a welai weithiau. Yn wir ar brydiau teimlai'n rhyfeddol o siriol er gwaetha popeth, fel pe bai'r holl ddrama'n gweithredu fel cyffur yn ei gwythiennau. Penderfynodd, ar ôl pwyso a mesur un diwrnod, ei bod yn optimistaidd o hyd. Optimistaidd am bob dim bron. Am oroesi, am weld ei theulu eto, am groesi i America ryw ddydd ac am achub ei hieuenctid; ynghyd â bod yn hapus. Ac wedyn gwelai'r henwr ac Antonia yn uffern eu hunigrwydd diddeall, a byddai'r sirioldeb yn cael ei ddisodli gan bryder obsesiynol a ymdreiddiai i bopeth a wnâi. Byddai'n gorfod gwirio ac ailwirio'r pethau symlaf – rhoi stamp ar amlen, diffodd lamp neu gloi drws, a phob tro âi'r ymdrech yr oedd ei hangen i orchfygu'r iselder yn fwyfwy anodd ac roedd y pyliau yn y felan yn ymestyn yn hirach ac yn ddyfnach wrth i amser fynd rhagddo.

Un bore barugog ac eira'n caenu'r Carneddau, methwyd â deffro'r ewythr. Roedd ei flinder a'i ofid wedi mynd yn drech na'i gorff lluddedig. Yn naturiol ddigon, poenai pawb am sut y byddai'r fechan yn ymateb. Yn ôl pob golwg ni fu unrhyw newid yn ymddygiad Antonia, dim ond mai ar ei phen ei hun yr eisteddai bellach.

Wedyn, ar ôl ychydig wythnosau, dechreuodd y ferch grwydro'r adeilad a'r gerddi yn chwilio, yn union fel y gwnâi ci bach am ei feistr coll. Digwyddai hyn unrhyw awr o'r dydd neu'r nos a bu'n rhaid cadw llygad barcud arni o'r herwydd. Yn anochel, un prynhawn awelfain ym mis Mawrth, aeth Antonia ar goll.

A'r gwyll gaeafol yn dechrau byseddu'r awyr o gwmpas y Wern dyma ryw bedwar, pump o'r preswylwyr a'r staff, plismon a dau fugail lleol yn dechrau ar y dasg nodwydd-mewn-tas-wair o chwilio amdani. Roedd yr awyr yn fregus a'r oerni'n pylu'r synhwyrau wrth iddynt ymbalfalu drwy'r coed o gwmpas y tŷ, y bugeiliaid yn cribo'r ffriddoedd a'r mynydd a'r plismon yn holi mewn tai gan fynd ar hyd y ffyrdd cul, llithrig uwchben y dyffryn ar gefn ei feic. Bron nad oedd pawb wedi llwyr ddigalonni erbyn i'r rhimyn olaf o olau yn y gorllewin ddechrau ildio i'r cyhudd o'r dwyrain. Ac yna, a hynny o fewn golwg i'r Wern ei hun, dyma Ilse'n croesi llannerch gyfyng yn y goedwig gan faglu dros foncyff yn y crawcwellt a dyfai yno... boncyff a wichiodd ac a wingodd wrth gael ei gicio.

"Antonia!... O, Antonia... Mae hi yma! Mae hi yma!"

Ond mogwyd ei bloeddio-gwynt-yn-ei-dwrn gan frigau'r pinwydd. Cyrcydiodd gan geisio cysuro'r ferch fach.

"Helô!" gwaeddodd eto. "Mae hi'n ddiogel!"

Dim ond tincial nant fechan dan yr eira yng nghwr y coed oedd i'w glywed, ac efallai llais yn y pellter yn galw enw Antonia wrth chwilio amdani.

"Sdim ots, 'y nghyw i. Mi a' i â chdi'n ôl."

Cododd y ferch yn ei breichiau gan ddychryn wrth deimlo mor ysgafn a sgythrog oedd ei chorff. Trodd yn ôl am y tŷ gan araf gamu'n ofalus drwy'r ffeg a'r drysni. I ddechrau gorweddai Antonia'n llipa ac yn ddisymud. Yna, ar ôl tua munud dyma hi'n codi'i breichiau, mor denau â phegia, a'u lapio'n dynn am wddf y ddynes ifanc. Cafodd Ilse lond ceg o wallt du, trwchus, priddlyd ei flas. Gwthiodd y llywethau o'r neilltu a phlannu cusan ar y talcen. Daeth ochenaid o'r swpyn crebachlyd – ochenaid o ryddhad, y tro hwn.

Yn mwynhau'r ddrama erbyn hyn, bustachodd Ilse i'r tŷ gan gyhoeddi bod Antonia'n ddiogel. Yn y cyntedd safai Joseff â'i wyneb fel ffidil.

"Mae hi'n iawn. Dwi'n meddwl y daw hi'n well 'fyd."

Daliai Joseff i syllu arni'n hurt.

"Be sy? Mae hi'n hollol ddianaf," mynnodd Ilse eto.

"O, Ilse fach," ochneidiodd Joseff. "Dyma ddiwrnod du."

Safodd Ilse yn syn. Am be oedd o'n hefru?

"Du?"

"Mae Herr Hitler wedi symud i mewn i Awstria."

Yn sydyn teimlodd ei baich fel llwyth o blwm yn ei breichiau. Wrth i'w phengliniau blygu tani, rhuthrodd rhywun ymlaen i ddal Antonia rhag syrthio i'r llawr.

Draw yn Fiena, gwyliai tad Ilse drwy gil ffenest y fflat a oedd yn guddfan iddo ef a'i wraig, wrth i dorf o gefnogwyr Natsïaidd ddylifo tua swyddfa dwristiaeth yr Almaen a fuasai, gyda'i lun mawr o Hitler dan dresi o flodau Alpaidd, yn gysegrfan Natsïaidd ers misoedd bellach. Cododd bonllefau'r haid afreolus fel ergydion i'w glustiau.

"*Sieg Heil!*"

"*Heil Hitler!*"

"Croged Schuschnigg!"

"*Ein Volk, Ein Reich, Ein Führer!*"

A'r heddlu'n sefyll o'r neilltu dan wenu'n rhadlon. Ni wyddai tad Ilse yn iawn beth oedd wedi digwydd ond fe allai ddyfalu. Trodd yn ôl o'r ffenest a chau'r caeadau ar y sŵn. Yn y gwyll gallai weld amlinelliad ei wraig yn lled-orwedd ar y *chaise-longue*. Doedd hi ddim yn hanner da; yn methu cysgu a phoenau yn ei pherfedd a'i phen, meddai hi.

Y tu allan, cyrhaeddodd hysteria'r dorf *crescendo* newydd. Faint bellach y gallent redeg? Beth fyddai pen draw'r gwallgofrwydd hwn? Agorodd ei wraig ei llygaid, wrth iddi ddeffro o ryw hepian anesmwyth.

"Be sy 'na? Carnifal yn barod?"

32

"Dwi eisiau i chi ddod i Rydychen hefo fi yfory."

Edrychodd Ilse arno'n ddiddeall.

"I gymryd nodiadau," ychwanegodd yn ddiamynedd braidd.

"Nodiadau," petrusodd Ilse â'i meddyliau'n gawdel o hyd.

"Mae petha'n symud o'r diwedd. O'r diwedd hefyd. Mi fasech chi'n meddwl bod y wlad dan ei sang â ffoaduriaid weithiau, y ffordd maen nhw'n siarad. Rhyw ddeng mil sy yma… Deng mil, 'na i gyd… Ond mae petha'n symud, Ilse."

Dechreuodd Antonia dynnu ar ei braich. Eisiau iddi fynd i'r ardd i godi dyn eira. Doedd Antonia ddim yn hoffi Joseff, a doedd Joseff ddim yn dda o gwmpas plant, er yn frwd dros eu buddiannau. Ceisiodd Ilse ddal ei thir tra tynnai'r fechan fel merlen, ei thraed yn llithro ar deils y cyntedd.

"Ond… Rhydychen… dwi ddim yn deall. Paid, Antonia! Mi ddo i mewn munud."

Llaciodd yr halio taer ac aeth Antonia draw i chwarae'n bryfoclyd â'r trugareddau bregus eu golwg ar ben cist dderw ger y drws.

"Mae sôn bod can mil o blant yn cael dod i mewn i'r wlad 'ma… o Awstria a'r Almaen. Mae rhai grwpiau'n dod at ei gilydd ddydd Iau yn Rhydychen i drafod y sefyllfa a gwneud trefniadau. Mae angen ysgrifenyddes arna i. Mae

Céline yn brysur. Felly, bydd yn rhaid i chi ddod hefo fi. Mi fyddwn ni'n gadael am bump."

Ac i ffwrdd ag o gan frasgamu i fyny'r grisiau dan weiddi enw'r wraig.

Gadawodd Antonia lonydd i'r trugareddau ar y gist gan duthio'n ôl at Ilse.

"Gawn ni fynd i neud dyn eira rŵan?"

Heb ateb, ildiodd Ilse yr awenau i'r ferlen fach.

"Be oedd *o* eisio?" gofynnodd Antonia wrth gyrraedd yr ardd. Bu'r sgwrs â Joseff yn Almaeneg. Saesneg oedd yr iaith rhwng Antonia ac Ilse.

"Dwi'n gorfod mynd i ffwrdd."

"Pryd?"

"Fory?"

"Ga i ddod?"

"Wel, na chei, cariad. Ond fydda i ddim yn hir... ac mi ddo i â phresant i ti."

Rhuthrodd Antonia ati fel corwynt a bu bron i Ilse syrthio o dan hyrddiad mor nerthol.

"Naaaaaa!!"

Roedd yr wyneb bach wedi'i grychu'n banig gwyllt a'r dagrau'n ffrydio, y beichio afreolus yn swnio'n farwaidd rywsut yn erbyn wadin eira'r flwyddyn newydd – y flwyddyn 1939.

Syllodd Ilse arni mewn braw. Fe'i cofleidiodd gan swsio'i phen.

"Iawn, 'mechan fach i," sibrydodd yn wyllt. "Mae hi'n iawn. Wna i ddim mynd, wsti. Paid â phoeni."

Roedd Rhydychen yn oerach na Dyffryn Conwy. Chwythai rasal o wynt cryf yn ddiatal o'r dwyrain, fel na allai Ilse feddwl yn iawn nes iddi gyrraedd y gwesty yn Stryd Beaumont, lle'r oedd y cyfarfod i'w gynnal.

Gorweddodd ar y gwely yn ei hystafell gan gau'i llygaid. Gwrandawodd ar sŵn y stryd. Doedd hi ddim wedi clywed sŵn felly ers dwy flynedd a rhagor. Ymlaciodd ychydig. Roedd hi wedi ei magu i gyfeiliant synau'r ddinas. Teimlai ei bod yn ei chynefin.

Cynefin iddi hefyd fu'i thaith o'r orsaf i'r gwesty. Clytwaith o olygfeydd cyfarwydd a barodd i'r atgofion lifo. Doedd hi ddim ymhell o Stryd Sant Ioan lle'r oedd hi a Hugh wedi lletya. Efallai'r âi draw i weld a oedd o yno.

Ac wedyn roedd hi'n crio. Doedd hi ddim wedi crio ers sbel. Roedd ei chyfnod yn y Wern yn gyfnod cymharol ddiddagrau. Hanes trist oedd gan bawb a basiai drwy byrth y tŷ hwnnw, nes iddi deimlo nad oedd ganddi'r hawl i golli dagrau ragor.

Antonia, er enghraifft, ac wrth feddwl amdani dyma deimlo mwy o ddafnau poeth yn treiglo hyd ei gruddiau. Antonia druan. Pa fath o blentyndod roedd hi'n ei gael? Yn gorfod wynebu trais ac angau ac unigrwydd dirdynnol cyn cyrraedd pen ei seithmlwydd. Erbyn hyn, byddai Antonia'n gwybod bod Ilse wedi dweud celwydd wrthi ddoe. Gallai hi bellach ychwanegu twyll a dichell at restr trallodion bywyd.

Ond peidiodd dagrau Ilse'n gynt nag y gwnaent erstalwm, a gwyddai ei bod yn gryfach erbyn hyn.

Cododd o'r gwely a mynd at y ffenest. Gyferbyn â'r gwesty gallai weld Amgueddfa Ashmole. Cofiodd i Hugh sôn unwaith, yn llawn brwdfrydedd, am ryw Gymro a oedd yn geidwad cyntaf yr amgueddfa. Doedd hi ddim wedi gwrando ar hanner y pethau roedd Hugh wedi eu dweud wrthi. Bu ei meddwl yn rhy -lawn o hiraeth am ei theulu a'i chartref.

Rhyfedd, meddyliodd, wrth i'r atgofion hoffus ohono ruthro i'w phen, mor fuan mae rhywun yn anghofio'r drwg, neu'n mynd yn groendew i'r boen a achoswyd. Yn sydyn, rhoddai Ilse y byd i'w weld o. I gael dotio at ei frwdfrydedd rhamantus, ei natur foneddigaidd, drwsgl, ei dynerwch diffuant, annisgwyl.

Cofiai nofio yn yr afon; dwyn afalau o berllan ar y ffordd adre... yfed gwin ar doriad y wawr ar lawntiau'r Coleg Newydd...

Daeth cnoc wrth y drws.

"Wer is' da?"

"Ilse? Swpera yn yr ystafell fwyta ymhen hanner awr. Peidiwch â bod yn hwyr."

Teimlodd Ilse ei gwrychyn yn codi... ac wedyn yn cilio a dechreuodd chwerthin. Chwythodd ei thrwyn gan droi'i sylw at y dadbacio.

"Rydych chi'n edrych yn hardd iawn, Ilse."

Cochodd Ilse. Nid bod bwrdwn y sylw'n mennu cymaint a chymaint arni – un i ddweud yn union beth oedd ar ei feddwl oedd Joseff, ond oherwydd mai yno yng ngwisg ei wraig roedd hi. Heb fawr o ddillad i'w henw bellach, roedd Ilse wedi ceisio pledio na allai hi ddod i Rydychen am y rheswm hwnnw – ond yn ofer. Dyma Céline yn mynd yn syth i chwilota drwy ei wardrob helaeth gan ddychwelyd â dwy ffrog laes osgeiddig o sidan. Felly, wrth ddod i mewn i ystafell fwyta'r *Randolph*, roedd Ilse'n ymwybodol iawn o'i dillad benthyg.

Er mawr syndod iddi, roedd Joseff yn gwmni da. Am unwaith roedd fel pe bai'n cymryd diddordeb ynddi. Hyd yr adeg honno, rhyw gyfarth arni fel y gwnâi ar bawb fu hyd a lled ei gyfathrach â hi. Ond heno roedd gwedd arall, dynerach o lawer i'w gymeriad.

Dechreuodd sôn am yr hen ddyddiau pan oedd Ilse yn ferch fach a phan fyddai'n galw yn y siop yn rheolaidd.

Roedd Ilse yn synnu faint y cofiai Joseff am yr ymweliadau, hyd at fanylion y ffrogiau y byddai hi'n eu gwisgo a sgyrsiau roedd o wedi'u cael â hi. O'i rhan hi, ni fedrai Ilse gofio bron dim am yr ymweliadau na'r dyn ei hun nes ei bod yn hŷn o lawer, a'r adeg honno roedd hi'n ei ystyried fel un o ffrindiau ei rhieni; dyn braidd yn biwis weithiau, ac o'r braidd ei fod yn cydnabod ei bodolaeth.

"Mae bob amser yn werth achub y plant, 'dach chi'n gweld. Lle bynnag bo argyfwng, mae'n ddyletswydd arnon ni i achub y plant."

A gwelodd Ilse fod ei lygaid yn llaith.

Cyrhaeddodd y cwrs cyntaf a llwyddodd Joseff i adennill ei hunanfeddiant yn ogystal ag arthio ar y gweinydd druan er bod hwnnw'n cyflawni'i ddyletswydd yn ddi-fai.

Bu tawelwch am ychydig.

"Glywsoch chi am *hachschara* erioed, Ilse?"

Roedd Ilse wedi clywed rhai o'i chyd-Iddewon tra oedd hi yn Rhydychen o'r blaen yn sôn am y mudiad i baratoi Iddewon ifainc ar gyfer mynd i Balesteina.

"Do," meddai'n ofalus.

"Wel, gan fod yr awdurdodau Prydeinig o'r diwedd yn tynnu'u bodiau o'u tinau... maddeued imi am fod mor amrwd... mae 'na fwriad i sefydlu rhai gwersylloedd dan ofal yr *hachschara* ar gyfer rhai o'r plant sy'n dod draw. A dyma un rheswm pam ein bod ni yma yn Rhydychen... i gwrdd â rhyw *meilord* Saesneg sydd wedi cynnig ei gastell i ni i sefydlu un o'r gwersylloedd."

"Lle mae'r castell 'ma, 'te?"

"Ddim ymhell o le ydan ni yng ngogledd Cymru."

Dechreuodd ymhelaethu ar waith yr *hachschara*, gan adael ei fwyd heb ei dwtsh ar ei blât, tra oedd Ilse wedi clirio pob sgrepyn.

Wrth iddo fynd i hwyl am y bwriadau i sefydlu'r Israel

newydd, cafodd Ilse fod ei meddwl ar grwydr o hyd. Bob tro y deuai rhywun newydd i'r ystafell fwyta, craffai i weld a oedd hi'n ei nabod. Llamodd ei chalon unwaith pan welodd rywun a oedd yn edrych yr un ffunud â Max. Beth tasa Ledbury yn dod i mewn? Be tasa Hugh yn dod i mewn?

Daeth hi'n ymwybodol o ryw doriad yn y llifeiriant geiriau. Sylwodd fod Joseff yn edrych arni, ei aeliau trwchus wedi'u crychu yn siani flewog fawr fygythiol uwch ei lygaid.

"Ilse?"

"O, sori... be ddwedsoch chi?"

"Gofyn oeddwn i a hoffech chi weithio i'r *hachschara*?"

"Ym... o, mae arna i ofn y bydd yn rhaid i chi f'esgusodi. Dydw i ddim yn teimlo'n dda..."

Yn syth, roedd Joseff yn llawn consýrn.

"Mae'n ddrwg gen i. Mae'n siŵr eich bod wedi blino'n lân ar ôl y daith. A dyma fi'n paldaruo am ryw bethau diflas o hyd..."

"Na, mae'n iawn. Mae'n iawn. Ylwch, mae'n rhaid imi esgusodi fy hun."

Baglodd ar ei thraed a hanner cododd Joseff hefo hi. Mwmiodd Ilse ychydig ragor o esgusodion a throi gan frasgamu gyda'r hyn o urddas a feddai am y drws.

Yn y cyntedd trodd am y grisiau ac wedyn newid ei meddwl. Aeth at y brif fynedfa.

"Mae hi'n oer allan fan'na, miss," meddai'r gwas yn ei siaced sgarlad.

"Ydi," meddai gan geisio swnio'n ddidaro.

Sylweddolodd y gwas ei fod yn bwriadu mynd allan a rhuthrodd i agor y drws trwm iddi.

"Ddylech chi ddim gwisgo côt, miss, rhag i chi starfio yn yr oerfel 'na?"

"Fydda i ddim yn hir…"

"Ond, miss…"

Eisoes roedd hi'n croesi Stryd Beaumont ac ar ei ffordd i Stryd Ioan.

Dim ond wrth gyrraedd y tu allan i dŷ Sophia y dechreuodd yr oerni grapio i'w hesgyrn go-iawn. Petrusodd. Efallai na fyddai Sophia yn ei chofio, neu ddim eisiau ei nabod hyd yn oed. A be haws fyddai hi o gael hyd i Hugh? Be mwy allen nhw gynnig i'w gilydd rŵan?

Dal rhwng dau feddwl roedd hi wrth dynnu ar y gloch.

33

Roedd ei llwnc ar dân fore trannoeth a phopeth yn arwyddo ei bod yn hel annwyd neu waeth.

Yr un gwas bach oedd wrth y drws o hyd pan ddaeth hi'n ôl toc ar ôl hanner nos.

"Croeso'n ôl, miss," meddai'n ddireidus braidd. "Ddim wedi dal dim byd, gobeithio."

Gobeithio nad oedd yn fy ngweld i'n rhy lartsh, meddyliodd Ilse wrth redeg yn simsan i fyny'r grisiau gan fradychu effeithiau'r brandi. Roedd hi wedi anwybyddu sylw diniwed y bachgen, ei phen yn rhy lawn o bob math o bethau i hyd yn oed lwyr sylweddoli'r hyn a ddywedodd.

Sut allai hi wynebu'r cyfarfod heddiw? Y cwbwl roedd hi am wneud oedd cau'i llygaid a chysgu tan y prynhawn. Roedd wedi clywed gwahanol glychau'r ddinas yn taro bob awr drwy'r nos bron. Tua'r bore roedd wedi syrthio i ryw gwsg bas yn llawn breuddwydion gwallgo, anghynnes. Beth oedd wedi'i deffro'n awr?

Daeth cnoc eto wrth y drws.

"Ilse?"

Methai â lleoli'r llais.

"Ydach chi'n iawn, Ilse?"

Aeth i ateb y tro hwn ond ni ddeuai'i llais. Llyncodd yn boenus.

"Ilse?" Swniai'n eitha pryderus.

"Dwi'n iawn, diolch," crawciodd.

"Ydach chi'n siŵr? 'Dach chi'n swnio'n gryglyd iawn imi. Mi alwais i heibio neithiwr ond ro'n i'n methu â chael ateb."

"O… mi es i gysgu'n drwm. Rhaid fy mod i wedi blino'n lân."

"Gwrandewch, Ilse. Does dim rhaid i chi ddod i'r cyfarfod heddiw. Efallai y bydda i'n gofyn i chi deipio ambell lythyr imi heno…"

"O, na… na… mi fydda i'n iawn."

"Arhoswch lle ydach chi. Mi wna i drefnu i rywun ddod â brecwast atoch tua'r un ar ddeg 'ma, ac mi wela i chi ar ddiwedd y prynhawn. Cymerwch ddiwrnod i'r brenin yn Rhydychen."

Teimlodd Ilse'r rhyddhad yn ffrydio drwyddi.

"Ydach chi'n siŵr?"

"Yn berffaith siŵr. Gwardiwch yr annwyd 'na rŵan."

Ac i ffwrdd ag ef.

Ochneidiodd Ilse. Teimlodd ei holl gorff yn ymollwng fel pe bai cyffur ymlaciol yn rhedeg drwyddo, pob cyhyr yn ymateb yn ei dro nes ei bod wedi ymollwng yn llwyr.

Doedd hi ddim yn siŵr ar y dechrau a oedd Sophia'n falch o'i gweld hi ai peidio. Rhyw gyfarchiad swta a didaro braidd a'i croesawodd ar y rhiniog, ond meiriolodd agwedd ei hen letywraig ar amrantiad. Rhaid mai bach o sioc iddi oedd gweld yr Iddewes ifanc yn dychwelyd ar ôl cymaint o amser. Neu hwyrach nad oedd wedi ei nabod yn syth.

"Tyrd i mewn! Tyrd i mewn!" meddai hi ar ôl saib fach anghyfforddus. "Maddeued imi! Mae hyn mor rhyfedd, mor rhyfedd! Pwy fasa'n meddwl?"

Dilynodd Ilse hi ar hyd y cyntedd, arogleuon cyfareddol y tŷ'n agor fflodiart y cof.

"Eistedda fan 'na. Gawn ni baned braf o goffi ac mi gei di ddweud dy hanes i gyd wrtha i. Pwy fasa'n meddwl, yntê?"

Ni allai Ilse ddal rhagor.

"Ydach chi wedi gweld Hugh?"

Oedodd Sophia wrth lwyo coffi i'r pot.

"Wel, do...," meddai'n betrusgar gan ddychwelyd at y dasg dan law. "Ddoe, fel mae'n digwydd."

"Ddoe? Mae o yn Rhydychen felly?"

"Wel, dydw i ddim yn gwybod a dweud y gwir. Doeddwn i ddim yn leicio holi gormod."

Anarferol, meddyliodd Ilse.

"A dweud y gwir, doeddwn i ddim yn 'i nabod o yn ei iwnifform..."

"Iwnifform?!"

"Ie, iwnifform y llu awyr – wel, y llu wrth gefn, beth bynnag – adenydd peilot ar ei frest, cofia. Digwydd bod yn y cyffiniau, medda fo, ar gyfer rhyw hyfforddiant neu'i gilydd, a galwodd draw i weld sut roeddwn i. Bobol bach, mae o'n ewin o ddyn wedi mynd!"

"Beth 'dach chi'n feddwl?"

"Yn denau a chaled rywsut. Does dim owns o gig arno fo."

Gosododd Sophia y pot coffi ar y bwrdd ac aeth i nôl potel o frandi o'r ddresel gan dywallt mesur helaeth i ddau wydryn bach tew.

Roedd y penbleth yn amlwg ar wyneb Ilse. Gwyddai'n iawn fod Hugh â'i fryd ar ddysgu sut i hedfan ryw ddiwrnod, ac yn sicr câi wneud hynna drwy ymuno â'r llu awyr wrth gefn – yr RAFVR. Ond wedyn roedd ei wrthwynebiad i'r holl syniad o fomio o'r awyr a rhyfela'n gyffredinol fel pe bai'n gwbwl ddiamwys. Beth am ei holl rethreg ynglŷn â'r ysgol fomio a'i holl lid yn erbyn yr

Ymerodraeth Brydeinig a'r ffordd ddi-hid y byddent yn bomio pentrefi bach yn India a Phalesteina yn enw rhyw gyfiawnder gwyrdröedig?

Eisteddodd Sophia gan graffu'n fyfyrgar ar wyneb Ilse.

"Felly pryd welaist ti Hugh ddiwetha?"

"Ddwy flynedd a hanner yn ôl."

"Mari Fach! Cymaint â hynny?"

Cododd Ilse ei hysgwyddau'n bwdlyd.

"Doedd dim syniad gen i," meddai Sophia, ei hwyneb yn bryderus braidd. Cymerodd lwnc sylweddol o'r brandi gan anwybyddu'r pot coffi. "Roedd o'n ista lle'r wyt ti'n awr ac yn sôn amdanat ti drwy'r amser. Sôn am y dyddia pan oeddech chi'n byw yn y tŷ yma. Am nofio yn yr afon; dwyn 'falau o ryw berllan; yfed champagne ar doriad y wawr yn un o'r colegau…"

"Gwin," cywirodd Ilse gan gydio yn ei gwydryn hithau a'i wagio. Sylwodd ar fymryn o gryndod yn ei dwylo ac fe'u cadwodd o dan ymyl y bwrdd rhag ofn i Sophia sylwi.

"Sori?"

Dechreuodd Ilse egluro mai gwin ac nid champagne a yfwyd ar doriad y wawr yng ngerddi'r Coleg Newydd ond aeth y brandi â'i hanadl a dechreuodd dagu. Pan ostegodd y pesychu roedd y dagrau'n llifo drachefn.

Cododd Sophia'n syth i'w chofleidio. Y mwythau cynta iddi'u cael, ac eithrio gafael gelan Antonia, ers amser maith. Claddodd ei hwyneb yn nhresi brith Sophia. Clywai oglau perlysiau a rhyw bersawr cynnil arall na allai'i henwi ond a oedd yn ei hatgoffa o weirglodd ym mis Mehefin ar ôl cawod drom o law.

"Pam aeth o fel 'na?" Roedd ei llais yn aneglur. Tynnodd Sophia ei phen yn ôl gan edrych i'w hwyneb.

"Be wyt ti'n ddweud, bach?"

Atebodd hi ddim, dim ond twrio'i phen drachefn yn erbyn y fynwes fwythus.

O'r diwedd, wedi dod ati ei hun, ymryddhaodd o afael Sophia. Cododd honno gan dywallt mesur arall o frandi i'w gwydrau. A fan'no y buont tan toc cyn hanner nos, nes bod y botel bron â bod yn wag, a'r coffi wedi oeri heb ei yfed. Sophia oedd fwya llafar o'r ddwy, gan lansio i ryw litani hirfaith am garwriaethau'r gorffennol gan roi manylion pob siom, pob gorfoledd, pob dadrithiad a gawsai yn ei hymdaith ddiderfyn drwy lyn cysgod rhamant. Roedd hi wedi hen benderfynu na fyddai byth eto'n rhedeg ar ôl yr un dyn...

"Gad iddyn nhw wneud y gwaith caled."

Drwy niwl ei meddwdod cynyddol, atgoffwyd Ilse o'r newydd am dreigl gwastraffus ei hieuenctid. Pa straeon oedd ganddi hi i'w hadrodd? Yn ugain oed ac yn gorfod bodloni ar sylw sglyfaethus dynion annigonol fel Ledbury a Peter Eldon-Hughes neu anwadalwch bachgennaidd rhywun fel Hugh.

Y noson ar ôl ei sesiwn hwyr gyda Sophia, dyma ychwanegu cainc arall at ei chofrestr o brofiadau di-alw-amdanynt ers gadael yr Almaen. A hithau unwaith eto'n gwisgo ffrog o eiddo Céline Kablinski, un wen berlog y tro hwn a godai'n llym at ei gwddf, ac wedi derbyn y ganmoliaeth ddisgwyliedig gan ei gŵr, dyma Joseff yn penderfynu agor ei galon iddi – yng ngolau di-gryn y gannwyll ar y bwrdd a sŵn pianydd yn anwesu nodau un o noctyrnau Chopin o ochr draw yr ystafell fwyta. Ond er gwaetha'r allanolion rhamantus hyn, wrth ddatgelu ffaeleddau'i briodas a'i wir gymhellion am ddod â hi, Ilse, ar daith i Rydychen, swniai fel pe bai'n darllen y newyddion neu'n cyflwyno adroddiad blynyddol gerbron bwrdd rheoli rhyw gwmni masnachol, yn hytrach na chyffes i wrthrych ei serchiadau.

"'Dach chi'n gweld, Ilse, dynes go ryfedd sydd gen i acw. Nawr, efallai fod hyn yn swnio'n galed..."

Gellid dweud hynny, meddyliodd Ilse. Gwyliodd ei wyneb pendefigaidd, deallus wrth iddo draethu'n oeraidd resymegol am drallodion ei berthynas â Céline. Wedyn dyma'r masg yn llithro a daeth rhyw nerfusrwydd arteithiol i'r fei gan ddisodli'r ddameg glinigol flaenorol. Yn ofer ceisiai Ilse ddal ei lygaid; roeddent ar wib fel pâr o wenoliaid i bob cwr o'r ystafell, ac wrth siarad gwthiai Joseff gudynnau dychmygol o wallt oddi ar ei dalcen gan graffu ar fysedd ei law'n euog ac edifeiriol bron ar ôl gwneud.

"... a'r gwir amdani... wel, y gwir amdani yw nid yw hi wedi ym... wedi rhannu fy ngwely ers... ers... wel, ers... ym... talwm... ym..."

Sgubai'r cudynnau dychmygol yn ffyrnig o'r newydd a daliodd y ddau lygaid ei gilydd am eiliad dros y bwrdd bach agos-atoch. Roedd ei lygaid a arferai fod mor benderfynol bellach yn ofnus a dryslyd.

Am ennyd daeth pwl o dosturi drosti. Doedd gan y creadur ddim amcan be oedd yn ei ddweud bellach. Roedd hi am ymestyn ei llaw a dweud, "Popeth yn iawn. Sdim eisiau i chi ddweud rhagor. Rwy'n deall yn iawn. Dwi yma i chi."

Roedd hi eisiau rhoi taw ar y geiriau herciog, roedd hi eisiau atal yr artaith iddo.

"Nid fy mod i'n awgrymu am eiliad... hynny ydi... rhag ofn i chi amau..."

"Amau be?" meddai'n bryfoclyd o ddiniwed.

Yn sydyn chwalwyd y tosturi gan ryw chwa o ddiawl-edigrwydd maleisus. Cymerodd lwnc o'r gwydryn gwin a nythai yng nghledrau'i dwylo, gan ymhyfrydu yng ngwres ei flas cyfoethog wrth iddo dreiddio drwyddi. Daeth yn ymwybodol ei bod yn dal i deimlo'n feddw ers neithiwr. Yn llun ei meddwl, gallai weld Sophia'n sibrwd yn gryglyd gynllwyngar, ei llygaid tywyll yn goferu, am ei charwriaeth seithug â dyn a dreuliodd hanner ei oes yng ngharchar am geisio llofruddio'i wraig er ei mwyn hi, yn ôl Sophia, beth bynnag. Pam na allai hi, Ilse fach, yr Iddewes grwydrol, y ffoadures oesol, fynd ati fel Sophia i hel profiadau, i odro'r hyn a fedrai o bob cyfarfyddiad ar hyd y daith?

Meddyliodd am ei chwaer yn briod a dau o blant ganddi. Doedd hi ddim eisiau priodi'n ifanc. Roedd hi am rodio'n falch, yn hel profiadau, yn blasu pob math o winoedd prin a gwaharddedig... ac wedyn dyma'r cymylau'n byrlymu i fyny o'r newydd wrth iddi gofio nad oedd hi wedi clywed gan ei chwaer ers cyn y flwyddyn newydd. A oeddent wedi mynd i Tsiecoslofacia fel y gobeithient, a'r Natsïaid bellach wedi cymryd y wlad honno drosodd? A oedden nhw wedi bod mewn cysylltiad â'u rhieni? Wedi llwyddo i fynd â nhw o Fiena, dim ond i gael eu maglu ym Mhrâg...?

"Rydach chi *yn* deall, on'd ydach chi?"

Doedd hi ddim wedi bod yn gwrando ers meityn, ond amneidiodd yn ufudd, ac wedyn, er gwaethaf pob ymdrech i'w rhwystro ei hun, dyma hi'n dylyfu gên, y blinder a'r alcohol yn sydyn yn mynd yn drech.

"Mae'n ddrwg gen i..." dechreuodd, ond roedd hi'n rhy hwyr. Gwelodd siom ddiamynedd yn tywyllu wyneb Joseff. Pletiodd ei wefusau gan ysgwyd ei ben yn fyfyrgar fel pe bai wedi gwneud rhyw benderfyniad anochel, di-droi'n-ôl.

"Ie, 'nen Duw," meddai fel 'na. Bu saib ond ni pharodd yn hir a chyda medrusrwydd y diplomat newidiodd y pwnc a'r cywair, ac ni chlywodd Ilse ragor o sôn am gyfrinachau calon Joseff Kablinski.

Drannoeth, dychwelodd y ddau i Gymru. Bu Joseff yn ymddwyn fel pe na bai dim wedi digwydd; mewn hwyliau da yn ôl pob golwg, yn amlwg yn hapus â chanlyniadau'i drafodaethau. Yn y cyfamser, ceisiai Ilse benderfynu ai breuddwyd oedd y cwbwl.

Braidd yn anfoddog oedd hi hefyd wrth adael Rhydychen, fel pe bai'r ysbrydion a gynhyrfwyd gan ei hymweliad yn ceisio bwrw rhyw hud drosti i'w chadw yno. Doedd y syniad o ddychwelyd i gefn gwlad Eryri ddim yn apelio ati bellach. Merch y ddinas oedd hi yn y bôn; hoffai fawredd rhiniol a llonyddwch y dirwedd lle'r oedd hi'n byw ond nid oedd yn diwallu ei holl anghenion a chyneddfau o bell ffordd. Lloches dros dro oedd hi. Ond roedd y tros dro'n teimlo'n ddiddiwedd.

Roedd wedi mwynhau moethusrwydd y gwesty dros y ddeuddydd diwethaf. Er gwaetha'r awyrgylch rhyfedd ac anghyfforddus ar brydiau, roedd y swperau chwaethus hefyd wedi taro rhyw dant, heb sôn am y cyfleusterau cyfoes – y trydan, y ceir swanc eu golwg, y gwres cyson. Roedd y syniad o fynd yn ôl at gyntefigrwydd y Wern yn gyrru ias drwyddi.

Edrychodd o'i chwmpas ar y platfform, gan graffu ar wynebau'r dorf. Cofiai sut roedd Hugh wedi taro ar ei thraws ac yntau ar ei ffordd yn ôl i Gymru a sut y penderfynodd ohirio'i daith er ei mwyn hi.

Pe bai'n ymddangos eto a fyddai yna ddigon o sbarc i ailgynnau hen dân? Os tân hefyd. Serch ei hamheuon, teimlai Ilse, pe bai'r annhebygol yn digwydd a Hugh yn camu i'r platfform y funud honno, y byddai hi'n fodlon mynd i lawr ar ei phennau gliniau yn y fan a'r lle o flaen pawb yn yr orsaf gan ymbil arno i'w chymryd yn ôl i'w chadw'n gynnes rhag gwyntoedd y gaeaf, i'w chadw rhag unigrwydd y mynyddoedd. Ac eto, gwyddai drwy aros yn y Wern y byddai ganddi fwy o gyfle i gael hanes ei theulu ac i'w helpu os nad oedd eisoes yn rhy hwyr .

Am y rheswm hwn hefyd, roedd wedi penderfynu ymatal rhag cymryd y goes ar y funud olaf, gan aros yn Rhydychen ar drugaredd ffawd. Roedd hi'n weddol ffyddiog y byddai Sophia'n cynnig lle iddi am ddim am sbel. Efallai y deuai Hugh yn ôl ar sgowt... ond roedd ei chonsýrn am ei theulu'n dal i dra-arglwyddiaethu.

Wrth i'r trên dynnu tua'r gogledd o Rydychen, aethant heibio i'r hen eglwys lle'r oedd hi a Hugh wedi bwyta'r afalau a ddygwyd o berllan yr hen faenordy gerllaw. Aeth rhyw gyffro drwyddi wrth weld dyn ifanc yn brasgamu tua'r groesfan dros y lein wrth i'r cerbydau daranu heibio. Ond, nage, nid Hugh oedd o – er y gallasai fod, a hithau yn ei gwmni. Breuddwyd gwrach. Roedd Hugh wedi cefnu arni. Roedd Hugh y ffantasi a'r Hugh go-iawn yn ddau ddyn tra gwahanol. Dygymod â hynny oedd yn anodd.

Doedd hi ddim wedi ymadael yn llwyr â'i hannwyd na sgil-effeithiau'r brandi echnos a'r gwin neithiwr, ac roedd breuddwydion ei hepian ysbeidiol i gyfeiliant mesmerig y cledrau yn llawn delweddau a drychfeddyliau anghyfforddus ac astrus. Ceisiai ddychmygu beth y bu Hugh yn ei wneud ers iddynt weld ei gilydd ddiwetha. Mewn dwy flynedd a hanner roedd wedi newid o fod yn ymgyrchwr yn erbyn milwriaeth a'i lach yn drwm ar holl ddichell a gormes llywodraeth Lloegr, i wisgo iwnifform lluoedd wrth gefn y Brenin a dysgu medrau'r awyrennwr rhyfel.

Mewn un freuddwyd sigledig rhwng Crewe a Chaer fe'i gwelodd yn hedfan uwchlaw'r Wern mewn rhyw declyn a edrychai'n debycach i feic tair-olwyn nag awyren fodern. Ceisiai weiddi arni ond bob tro y deuai'n ddigon agos, byddai'r hen siandri hedegog yma'n ei gipio yn ôl i'r entrychion.

Taranai'r trên tua'r gorllewin, pylodd y freuddwyd a chysgodd yn drwm.

RHAN PEDWAR

34

Mewn cyfnod mor helbulus a chynifer yn wystlon i fympwyon pob math ar strategaeth a thactegaeth, mae'n syndod pa mor gyson y gallai cydnabod a cheraint daro ar draws ei gilydd yng nghanol holl ddryswch y drin.

Ond dyna fel y bu; clywed lleisiau cyfarwydd yn y nos, enwau a rhifau hap ar restr, aduniadau annisgwyl o dan yr amgylchiadau mwyaf annhebygol. Yn yr un modd, wrth gwrs, chwythid rhai a fu'n agos ymhell oddi wrth ei gilydd, i drengi neu ddiflannu'n llwyr ac yn ddi-smic.

Y cyntaf o sawl cyfarfyddiad o'r fath i Hugh oedd yr achlysur hwnnw pan glywodd Weddi'r Arglwydd yn cael ei mwmial yn y Gymraeg mewn ystafell aros anghofiedig mewn gorsaf reilffordd ddinadman nid nepell o'r ffin rhwng Sbaen a Ffrainc ar ddechrau mis bach y flwyddyn 1937.

Ychydig dros chwe mis yn ôl roedd y wlad honno wedi ffrwydro mewn rhyfel cartref gwaedlyd a digyfaddawd rhwng cefnogwyr y gwrthryfelwr Ffasgaidd, y Cadfridog Franco, a'r Werinlywodraeth a etholwyd yn ddemocrataidd gan y Ffrynt Poblogaidd.

Dwysáu'n ddi-droi'n-ôl oedd argyfwng Ewrop. I filoedd o eneidiau gwrth-Ffasgaidd, rhyddfrydig eu hanian ar draws y cyfandir a'r ochr draw i'r Iwerydd, roedd rhu'r gynnau yn Sbaen yn darogan diwedd ar ddemocratiaeth, diwedd ar hawliau ac yn gnul angau i ryddid ym mhob man.

Mewn trenau, ar longau, ar droed, buont yn tyrru yn eu miloedd o ddwsin o wledydd i ymuno yn y frwydr yn erbyn Franco a'i gynghreiriaid nerthol, Hitler a Mussolini. Merched a dynion o'r ffatrïoedd a'r caeau, artistiaid, beirdd ac awduron, glowyr de Cymru, dynion IRA ar herw, meibion a merched dadrithiedig teuluoedd pendefigaidd... Americanwyr, Eidalwyr, Ffrancwyr, Almaenwyr, pobloedd yr Undeb Sofietaidd. Rhaid oedd atal y cancr unwaith ac am byth neu fodloni ar fagddu rhyw hirnos a allai bara am fil o flynyddoedd yn ôl ymffrost rhai.

Pobl gyffredin oedd y rhain a fu'n ystwyrian ac yn ymwroli, cofiwch, yn wahanol iawn i'w gwladweinwyr. Lle'r oedd y gwladwriaethau a fu mor groch eu hymroddiad dros warineb a rhyddid honedig? Yn lle *non pasaran*', 'dim ymyrraeth' oedd arwyddair Prydain, Ffrainc a gwledydd democrataidd cyffelyb gan wrthod rhoi arfau i'r Weriniaeth i amddiffyn ei hun rhag y pwerau anfad a fyddai'n eu gorchfygu bron un ac oll cyn bo hir. Bu'r Undeb Sofietaidd, ar y llaw arall, yn barod iawn ei gymorth, ond roedd cymhellion Stalin strywgar, stumddrwg yn fwy cyfrwys bellgyrhaeddol na helpu pobl Sbaen yn unig.

Newydd gyrraedd y fangre hon oedd Hugh ar ôl taith hir a ddechreuwyd yn Rhydychen ryw bythefnos ynghynt.

Cyrcydiodd Hugh wrth y man lle gorweddai'r Cymro yng nghwmni dau arall a oedd yn hollol lonydd, ac wynebau'r tri ohonynt yn gwbl anweladwy yn yr ystafell lom, ddiolau â'i hunig ffenest wedi'i chysgodi gan goeden fawr y tu allan. Roedd traw llif cytseiniaid a llafariaid cyfarwydd y weddi fel cortyn yn plycio yng nghof Hugh gan beri rhyw euogrwydd annisgwyl:

"…yn oes oesoedd, Amen."

"Amen," meddai Hugh yn reddfol.

"*Who's there?*"

"Cymro."

"O ble?"

"Pen Llŷn."

Dim ymateb. Eto, synhwyrodd Hugh fod yr ardal yn gyfarwydd i'r dieithryn.

"O Blas y Morfa ger Penrhos," ychwanegodd yn frysiog.

Dim ymateb o hyd. Llyncodd Hugh. Doedd o ddim yn siŵr p'un ai cyffro'r digwyddiad neu'r oerfel a'r blinder oedd yn peri iddo grynu fel y gwnâi. Stwffiodd ei ddwylo difenig o dan ei geseiliau i'w cynhesu ac i reoli'r cryndod.

"Pwy 'dach chi, 'te?" daeth y llais o'r diwedd.

"Hugh… Eldon-Hughes."

"Iesu," meddai'r llall yn dawel a digynnwrf.

Distawrwydd eto. Daeth Hugh yn ymwybodol o gi'n coethi'n wyllt a rhywun yn gweiddi'n groch yng nghyffiniau'r adeilad. Clywodd ergyd gwn a thawodd y cyfarth yn syth.

"Pwy ydach chi?"

"Edward Jones."

Ni olygai'r enw ddim byd i Hugh.

"Ydach chi wedi'ch… brifo?"

Ni chafodd ateb. Roedd y dyn yn amlwg yng ngafael twymyn a'i sugnai rhwng rhith a realaeth fel darn o froc o flaen y llanw. Edrychodd Hugh o'i gwmpas heb wybod yn iawn beth i'w wneud nesaf. Doedd ganddo unman penodol i fynd iddo ac roedd yn benysgafn oherwydd blinder ac eisiau bwyd. Prin y gallai deimlo'i draed yn yr oerni.

Y noson cynt roedd wedi croesi'r Pyreneau yng nghwmni dau Americanwr mewn esgidiau a dillad hollol anaddas ar gyfer taith o'r fath. Roedd yr hen fugail, yn ei siercyn blewog a'i esgidiau a'i het bwrpasol, a'u harweiniodd drosodd, wedi edrych yn gilwgus ar y tri dyn estron – a edrychai'n debycach i dwristiaid coll na darparfilwyr gwrth-ffasgaidd. Bu'r daith drwy'r rhew a'r eira'n ddrysfa ddiddiwedd. Cerddasai Hugh rhwng y ddau arall a'r bugail, gan dreulio'r holl amser naill ai'n baglu yn erbyn y tywysydd neu'n derbyn hyrddiadau tebyg ei hun o'r tu ôl wrth i'w gydymdeithwyr hwythau lithro neu ddechrau slwmbran ar eu traed.

Pan fu Hugh wrthi'n ystyried bwrw'i goelbren yn yr ymrafael yn Sbaen yn yr wythnosau yn arwain at y flwyddyn newydd ym 1937, bu'n dychmygu pob math o galedi – syched, lludded, haul tanbaid, gwres affwysol, pryfaid, celanedd yn pydru – ond doedd peryglon ewinrhew a lluwchfeydd eira dudew'r uchelfannau hyn ddim ymhlith yr holl weledigaethau erchyll a lifodd drwy'i ddychymyg.

O leiaf roedd allan o afael y gwynt fan hyn yn yr orsaf. Roedd hi'n dechrau tywyllu a doedd ganddo'r un syniad lle y câi gysgu heno. Efallai y byddai hi'n llawn gystal iddo aros fan hyn yng nghwmni'r triawd gorweiddiog yma.

Bu'r ddau Americanwr ac yntau ar drên drwy'r dydd ar ôl croesi'r mynyddoedd, ond heb fynd ymhell iawn. Mae'n debyg bod y lein wedi'i dinistrio mewn sawl man, ac felly erbyn iddynt gyrraedd y dreflan hon, prin eu bod wedi teithio mwy nag ychydig gilometrau o'r man cychwyn. Roedd o wedi colli'r ddau Americanwr; cawsant eu gwahanu rywsut wrth fynd ar y trên. Rhyw chwilio amdanynt ydoedd pan drawodd ar yr ystafell ddirgel hon â'i phreswylwyr dros-dro.

Ar y trên fe'i cawsai ei hun yng nghanol criw o lowyr o

Asturias – aelodau o POUM, y mudiad Anarchaidd gwrth-Stalinaidd, ar hyn o bryd yn ymladd ysgwydd wrth ysgwydd â Llywodraeth Sbaen, ond cyn bo hir yn achos gwrthdaro a rhwygiadau yn rhengoedd y grymoedd gwrth-Ffasgaidd.

Ni allai Hugh ddeall fawr o Sbaeneg, ond roedd tipyn o Ffrangeg gan ambell un ac roeddent yn garedig iawn wrtho gan rannu'u bwyd, diod a baco ag ef wrth iddynt ryfeddu ac ymgyffroi pan gawsant ar ddeall ei fod wedi cychwyn ar gefn beic yr holl ffordd o Loegr i helpu yn y frwydr yn erbyn Franco.

Wrth i'r oriau dreiglo'n ara', collodd Hugh ddiddordeb braidd yn y gêmau cardiau diddiwedd a cheisiodd gysgu yn sŵn cogor diflino'r lleill, ond roedd oerfel mis Chwefror yng nghysgod y mynyddoedd yn cadw cwsg i ffwrdd. Bu'n hel meddyliau wedyn am ei gymhellion wrth ddewis y llwybr newydd, peryglus hwn.

I'r glowyr, roedd yn arwr, ac roedd hanes ei daith o Loegr i Sbaen ar gefn beic wedi lledu o gerbyd i gerbyd fel tân eithin, a bu'n rhaid iddo gael ei gyflwyno i ribidires o ddynion ifainc, brwdfrydig a afaelai'n dynn yn ei law feddal academaidd gan edrych yn ddwys ddifrifol i fyw ei lygaid wrth wneud.

Ni theimlai'n arwrol iawn, ond bu cychwyn ar y daith yn hwb i'w galon a'i ysbryd. Gwyddai o'r cychwyn cyntaf na fyddai dim troi'n ôl y tro hwn. Wrth ymadael â Rhydychen, a gwibio ar hyd lonydd gweigion y flwyddyn newydd, y barrug yn deifio'i drwyn uwchben y sgarff hirgoch a orchuddiai'i enau, a'r holl yr oedd ei angen arno wedi'i wthio'n dynn i sgrepan fawr ar ei gefn, roedd ei feddwl yn gliriach nag y bu ers amser.

Fis Hydref diwethaf, wrth iddo wylio'r mwg yn

ymbelennu fel cnu budr uwchben y Plas, y diwrnod hwnnw pan oedd wedi gyrru drwy'r nos o Rydychen a chael y llyfrgell a'i holl drysorau'n wenfflam, Ilse wedi ffoi, a'i frawd yn clochdar fel ceiliog dandi, ac wrth i weiddi lloerig ei dad atseinio yn ei glustiau, teimlai ei fod yn gweld y llen yn syrthio ar y rhan hon o'i fywyd. Roedd y moch nid yn unig wedi difetha'i winllan unwaith ac am byth, roedd yr holl hen winoedd wedi'u hagru a bellach nid oedd modd eu mwynhau.

Bu'n rhaid iddo ddal trên yn ôl i Rydychen y dwthwn hwnnw. Doedd dim smic i'w gael o injan y car bach pan aeth yn ôl ato. Y trên araf ar hyd yr arfordir a thrwy'r canolbarth y tro hwn. Syllodd Hugh yn ddi-weld i'r gwyll hydrefol ar hyd y daith hirfaith. Bob hyn a hyn byddai cawodydd trwm a sydyn yn slaesu ar draws y ffenestri. Er ei flinder affwysol, ni allai gysgu, ond roedd ei feddwl yn gwbl stond, yn ddiffrwyth ac yn hesb. Atseiniai lleisiau'i gyd-deithwyr o'i gwmpas, y gwahanol sgyrsiau'n rhedeg fel dŵr drwy'i ymennydd gan gymysgu â synau'r trên a'r cledrau mewn un ddrysfa nadreddog.

Tuag Aberdyfi, sylweddolodd fod y ddau ddyn parchus yr olwg a ddaeth ar y trên yn Nhywyn yn sôn am achos y Tri yng Nghaernarfon. Roedd yr achos bron wedi mynd yn angof ganddo – yr achos a'r holl a olygai iddo ar un adeg.

Hyd y gallai loffa o'u sgwrs, roedd y rheithgor yng Nghaernarfon wedi methu â phenderfynu ar reithfarn, er mawr siom i'r barnwr.

Ceisiodd glustfeinio'n llymach ond roedd ei feddwl ormod ar chwâl a'r dynion yn rhy bell oddi wrtho iddo ddilyn pob gair o'u hymgom, ond gallai glywed y cyffro yn eu lleisiau a fyddai'n gostegu i ryw sibrwd egnïol bob hyn a hyn. Roeddent yn weddol hen, yn siwtiog, yn fwstashiog ac yn amlwg yn dychwelyd o ryw berwyl o bwys. Aethant i lawr yn Abertafol, gan adael y cerbyd yn wag. Roedd stwmp mor drybeilig o chwerw ar stumog Hugh, fel nad oedd mymryn o gysur i'w gael o gyfyng-gyngor rheithgor Caernarfon. Be haws oedd neb o hyn? Faint elwach oedd o fod y deuddeg yn cloffi rhwng stolion?

Roedd o eisiau crio, ond ddeuai'r dagrau ddim.

Sbaen, Sbaen, Sbaen oedd popeth gan Alun Litherland yn ôl yn Rhydychen.

Y diwrnod cyn i Hugh yrru drwy'r nos ar ei siwrnai seithug i'r gorllewin ar drywydd Ilse, roedd y *Comintern* – y corff a weithredai dros Gomiwnyddiaeth Ryngwladol – wedi bwrw ati i drefnu catrodau o wirfoddolwyr i fynd i helpu yn y frwydr. Y rhain oedd y Catrodau Rhyngwladol.

Ond doedd Hugh ddim yn gwrando ar Alun na neb arall ar y pryd. Ar ôl dychwelyd o Gymru crebachodd iddo'i hun fel malwoden i'w chragen. Fin nos crwydrai'r strydoedd gan yfed yn ddyfal, ddiwyro – gan droi'n greadur dywedwst a phiwis a oedd yn dechrau ennill enw drwg iddo'i hun mewn sawl tafarn a chlwb. Yn aml ar ôl meddwi tan *stop tap*, cerddai allan i'r wlad i ymweld â'r mannau lle y bu yng nghwmni Ilse, i syllu'n fud ar ymchwydd gaeafol yr afon wrth iddi grafellu'n farus frochus yn erbyn y torlannau, lle gynt y bu'n llepian yn hafol hamddenol, a phryd y bu oerni cyfrin ei dyfroedd yn wahoddiad gwefreiddiol i gorff ac enaid yn nhes Gorffennaf... oedd, mi oedd yr hiraeth yn ôl – araith y cof yw hiraeth y cyfan, medd y bardd; yr hiraeth am gariad a gollwyd, yr hiraeth am freuddwydion a ddrylliwyd – a'r gwacter ofnadwy wrth sylweddoli bod rhyw gyfnod wedi darfod, wedi'i gipio o'i afael heb iddo lwyr amgyffred ei ddechrau na'i ddiwedd a'i fod bellach wedi'i dynghedu i ddrifftio i ebargofiant heb yr un gwreiddyn i'w ddal rhag y dibyn.

Mewn pentwr blêr y tu allan i'w lety yn Stryd Sant Ioan y cafodd Alun Litherland hyd iddo ryw bythefnos cyn y Nadolig ar ei rownd lefrith. Roedd y tywydd yn iasol ac roedd yn lwcus nad oedd mewn gwaeth cyflwr ar ôl gorwedd mewn cwsg meddw yn y ffasiwn dywydd rhynllyd. Aeth Alun ag ef adref yn syth ar ei drol.

"Look at the state of you, mun. You can't go on like this. You'll end up in the bloody asylum or summat."

Ogleuai tŷ Alun yn llaith er gwaetha'r tân glo cysurus a winciai'n siriol o ochr draw y parlwr cul. Sylwodd Hugh mor lân oedd popeth – o gymharu â'r twlc diffaith yn y tŷ 'cw. Bu Sophia'n dwrdio'n hir ac yn huawdl arno ddoe diwethaf i wneud rhywbeth i wella golwg y lle.

Synhwyrai Hugh ei fod wedi cyrraedd rhyw fan isel iawn yn ei fywyd ond doedd o ddim yn siŵr a oedd yn meddu ar ddigon o grebwyll a hunan-barch i'w atal ei hun rhag mynd yn is y tro hwn.

"Does gen i ddim nod, Alun," mwmiodd o'r diwedd gan syllu i gochni'r fflamau o'r soffa.

"Unbennaeth y proletariat. Dyna yw'r nod," daeth llais yr Hwntw o'r gegin.

"Go brin."

"Wel, o leia smo ti'n fradwr i dy ddosbarth. 'Ni i gyd yn gwpod am 'anes smotie'r llewpart, on'd ŷn ni? O'n i'n gwpod fyddet ti ddim yn para...a 'nôl at dy debyg yr elet ti."

"Gad i ni anghofio am ddosbarth a gwahaniaethau dosbarth am unwaith."

"Anghofio am ddosbarth? Pa ryfyg yw hyn, frawd?" arthiodd y llais o'r gegin.

"Peth digon disylwedd ydi dosbarth yn y bôn," mwmiodd y corff ar y soffa.

"Hugh bach. Beth o'dd yn dy gwrw di ni'thwr, 'te?"

Chwarddodd Hugh yn ddihiwmor. Fiw iddo dynnu gormod ar Alun neu allan ar y stryd fyddai o'n ddigon handi. Caeodd ei lygaid a llyncu'n boenus, ei geg yn hollol grimp.

Dyna be wnâi... ceisio mynd yn ôl i'r dechrau. I ddechrau'i stori i olrhain ei gamau'n ôl at y ffynnon cyn iddi ddiflannu dan y mieri am byth...

Daeth Alun yn ôl o'r gegin i dorri ar draws ei fyfyrdodau, yn gorfod ailgydio yn ei rownd lefrith ar ôl dod â'i gyfaill oddi ar y stryd. Gwelodd fod Hugh fel pe bai wedi llithro'n ôl i gysgu.

"Rip Van bloody Winkle."

Gosododd fŷg tun anferthol ar y llawr yn ymyl y soffa.

"Listen, boy. I gotta go an' earn my crust, so don' be playin silly buggers for a while now yet, in' it? An' watch that tea, it's scaldin."

Fuodd Hugh ddim yn chwarae'n wirion ar ôl y bore hwnnw.

Cafodd waredigaeth. A'r waredigaeth honno oedd Sbaen. Sbaen oedd ei achubiaeth rhagddo'i hun.

Roedd y chwalfa yn y Plas wedi gadael Hugh yn teimlo'n fwy fyth o belican yn yr anialwch. Ac yn sydyn, yn bur ac yn noeth o'i flaen, dyma groesgad barod iddo ymuno â hi. Roedd Sbaen yn dwyn at ei gilydd ei holl ofnau am y dyfodol, ei holl obeithion a chredoau dryslyd a'r damcaniaethu afluniaidd, anorffenedig. Rywsut, gwelai ei dynged ef ei hun ynghlwm â'r hyn a ddigwyddai ym Madrid a Barcelona.

"Rhyfel y Beirdd" y gelwid rhyfel cartref Sbaen. Rhan o

fytholeg hanes yw hynna. Rhyfel eithriadol fudur a chreulon ymysg pobl Sbaen ydoedd, a phobl gyffredin y wlad honno a ddioddefodd waethaf, wrth gwrs. Ond i freuddwydiwr gwamal fel Hugh, roedd yma dynfa ddiwrthdro. Dechreuodd fynychu'r darlithoedd a'r cyfarfodydd, darllen y pamffledi a gwrando ar yr areithiau.

Roedd anogaeth Alun yn daer o hyd.

"Go out there and take a few potshots at some Fascists. It'll do you the world of good."

Doedd Hugh ddim mor siŵr. Doedd maes y gad ddim yn apelio ato. Er bod ganddo deimlad yn ei ddŵr, fel llawer un o'i genhedlaeth, mai maes y gad fyddai diwedd llithrigfa argyfyngus yr oes, doedd o ddim yn ei anian i ladd nac i ymladd. Digwyddiad prin yn wir oedd leinio Peter â'i ddwrn yn ôl ym mis Hydref.

"Go 'n be an ambulance driver then. You won't have to kill no one then..."

Ond gan mai Hugh ydoedd, dilyn ei gŵys ei hun ddaru o yn y diwedd. A heb ddweud wrth neb, wrth nac Alun na Sophia na neb arall, un boreddydd barugog, â'i sgarff hirgoch am ei wddf a'i sgrepan ar ei gefn, i ffwrdd ag o ar gefn beic tua'r de, tua Sbaen a'i holl boen.

Ar gyrion y dre anghysbell lle y safai nawr, roedd Hugh wedi gweld tystiolaeth gyntaf y dinistr a oedd ar fin cael ei ollwng ar draws y cyfandir, a hynny o ffenest y trên wrth gyrraedd. Cyfrannai Hitler a Mussolini yn hael o'u hadnoddau milwrol i. gynnal ymdrechion Franco i ddymchwel y Weriniaeth yn Sbaen. Yn rhyfel cartref Sbaen, bu'r *Luftwaffe* a'r *Regia Aeronautica* yn perffeithio'u crefft. Dim rhaid iddyn nhw fachu rhyw gilcyn o dir mewn rhyw dalaith bellennig, meddyliodd Hugh, roedd ganddynt wlad gyfan a digon o amser ac adnoddau i hyfforddi ton ar ôl ton o beilotiaid. Rhyw dri mis yn ddiweddarach byddai tref fach yng Ngwlad y Basg, Guernica, yn gosod y cywair ar gyfer yr hap-fomio didostur a fyddai'n lladd, clwyfo, dychryn a digartrefu'r miliynau diymgeledd dros y blynyddoedd nesaf.

Roedd Hugh wedi ystyried y rwbel a'r talcenni simsan yn erbyn yr awyr lwydlas, ynghyd â'r trugareddau chwerthinllyd a hongiai oddi ar weddillion rhai o'r adeiladau a'r ystafelloedd cyfain yn agored i'r awyr iach fel ystafelloedd tŷ dol, y waliau allanol wedi'u sgleisio'n ddestlus i ddatgelu normalrwydd truenus eu cynnwys.

Sawl gwaith ers cyrraedd, clywsai sŵn awyren yn y pellter a chraffu fry er mwyn dal cip arni, ond heb lwyddo yn y llwydolau beichus. Rhaid ei bod hi mor hawdd bomio o'r awyr, gan fodloni rhyw ysfa blentynnaidd bron, fel yr awydd i daflu carreg o ben rhyw ddibyn i lyn llonydd islaw, rhyw gast a wnaethai'n aml wrth grwydro yn y mynyddoedd pan oedd yn fachgen. Teimlodd ryw gynnwrf sydyn yn ei ddŵr – roedd o eisiau gweld ymosodiad o'r awyr, eisiau gwylio'r bomiau'n anochel ddisgyrchu i'r ddaear i rwygo pridd a pheiriant a phobl ohoni fel us yn y gwynt.

Crynodd drachefn yn nhywyllwch cynyddol yr orsaf; ni allai gredu bod y ffasiwn chwiw aflednais wedi cael gafael ynddo. Trodd ei sylw yn ôl at y dynion ar lawr yr ystafell. Prin y gallai weld erbyn hyn yng ngwyll y cyfnos.

Yn sydyn, bwriwyd y drws yn agored a daeth tri dyn arall i mewn yn cario elorau. Sais oedd un ohonynt – dyn yn ei ugeiniau cynnar a oedd yn dechrau moeli o flaen ei amser, a siaradai ag acen grachaidd y dosbarth uwch. Sbaenwyr oedd y lleill. Safodd Hugh o'r neilltu, yn ofni cael cerydd neu gael ei holi i be da oedd o yno, ond ni chymerodd yr un o'r tri arnynt eu bod yn poeni dim am y dieithryn di-nod. Safodd yn wylaidd o'r neilltu wrth i'r dynion fwrw golwg dros y tri ar y llawr. Gwelwyd bod un ohonynt wedi marw, ond bod angen symud y ddau arall i'r ysbyty dros-dro ym mhen arall y dre.

"Do you think you might possibly give me a hand here?" gofynnodd y Sais. Am eiliad arhosodd Hugh yn ei unfan a golwg ddigon di-glem ar ei wyneb.

"To shift this chappie over to the hospital."

Gwawriodd ystyr y cais ym mhen Hugh a rhuthrodd i gynorthwyo.

Helpodd y lleill i symud y ddau ddyn byw ar yr elorau gan gario Edward Jones gyda'r Sais allan i'r awyr agored a draw am yr ysbyty.

Rhan o wersyll i ffoaduriaid rhag y brwydro – a gripiai'n nes bob dydd – oedd yr ysbyty. Cafodd Hugh ei siomi ar yr ochr orau gan yr olwg oedd ar y lle. Roedd yr amgylchiadau'n gyntefig ond roedd yn ymddangos fel pe bai rhyw lun o drefn yno a phawb a oedd yn gysylltiedig â'r lle yn rhoi o'u heithaf i'w gadw felly. Ar ôl gadael y cleifion yng ngofal y staff meddygol, roedd Hugh eto mewn penbleth ynglŷn â'r cam nesaf iddo.

"Why don't you stick around, old boy?" meddai Toby, y Sais rhadlon. *"We can always do with a spare pair of hands."*

Roedd Hugh yn falch iawn o dderbyn y cynnig. Cafodd fwyd a dangoswyd lle y câi gysgu – llawr coblog di-fatras.

"It's not as bad as it looks actually. You can get your hip between the cobbles. We're supposed to be getting some mattresses before long – but they haven't materialised yet and those we have got are on the wards, of course."

Di-fatras ai peidio ac er gwaetha'r oerni a dreiddiai drwy'r blancedi annigonol, nid oedd dim byd a allai atal y rhyferthwy o gwsg a ysgubodd drosto a chafodd Hugh sawl awr lle'r oedd yn gwbwl anymwybodol i'r byd a'i derfysgoedd.

Fe'i deffrowyd ar doriad y wawr gyda dwndwr yn ei ben. I ddechrau roedd yn amau mai canlyniad gorffwys ar obennydd gwellt tenau ar lawr caled ac yfed dogn helaeth o win coch a fu'n gyfrifol, ond o dipyn i beth sylweddolodd nad yn ei ben oedd y sŵn ond yn hytrach daran bell y gynnau mawr a oedd yn atseinio'n achlysurol yn ei glustiau – y sŵn a oedd yn gyfarwydd i bawb o'i genhedlaeth a ddarllenasai Owen, Sasoon ac Erich Maria Remarque. Hwn fu'r cyfeiliant di-dor i ddawns angau'r genhedlaeth a gollwyd, is-lais duwiau anniddig yr ugeinfed ganrif.

Rhwng cwsg ac effro, daeth llais Toby i'w glustiau:

"Hello there. Sleep all right?"

Agorodd Hugh ei lygaid gan gael ei ddallu'n syth gan yr haul gaeafol cryf a lifai i'r hen stabl wrth i Toby dynnu'r cyrten a hongiai dros y drws.

Heb aros am ateb, aeth yn ei flaen.

"I wonder could I prevail upon you to give us a hand to unload some medical supplies which have just arrived by lorry... we'll see to some breakfast later. I'll see you down at the stores."

Aeth gan adael y llen yn agored. Yn ddiymdroi taflodd Hugh ei flancedi tila o'r neilltu a chodi'n anystwyth ar ei draed. Gwisgodd ei ddillad gwlyb, oer ac anhyblyg a dechrau ar ei ffordd i helpu yn y frwydr fawr yn erbyn Ffasgaeth.

Roedd y cymorth meddygol cyntaf i Sbaen wedi gadael gwledydd Prydain yn fuan iawn ar ôl dechrau'r rhyfel, a bu Toby ymhlith y garfan gyntaf o wirfoddolwyr. Meddyg dan hyfforddiant yn Llundain oedd Toby a oedd wedi ymateb yn syth i'r alwad. Deuai o deulu tiriog o Swydd Buckingham. Roedd ei dad yn aderyn brith iawn o ran ei wleidyddiaeth, gyda lluniau llofnod o Adolph Hitler yn addurno sawl silff-ben-tân yn y plasty oes Elisabeth a oedd yn gartref i'r teulu ers dyddiau Rhyfel y Rhosynnod.

Ar sail dyngarol roedd Toby wedi ymuno â'r lleng feddygol yn Sbaen, rhagor nag oherwydd unrhyw argyhoeddiad gwleidyddol. Ar ôl chwe mis yng nghanol y brwydro, fodd bynnag, er i'w ymlyniad i'r ochr weriniaethol gael ei atgyfnerthu rywfaint, ei atgasedd llwyr at ryfel oedd ei brif gonsýrn a dwysáu a wnâi'i ddigalondid gyda phob carfan o glwyfedigion a gyrhaeddai'r ysbyty. Aeth Hugh yn hoff iawn o Toby; yn ddiffuant, yn ddiflino ac yn ddiachwyn, ef oedd pennaeth answyddogol yr ysbyty a'r gwersyll er ei bod yn anodd dweud hynny o'i weld wrthi'n sgwrio lloriau neu'n ymlafnio dros injan styfnig rhyw ambiwlans.

Buan iawn y diflannai ffiniau'r hierarchaeth feddygol yn Sbaen. Byddai meddygon yn gorfod gyrru a thrwsio ambiwlans, cludo elorau a labro i godi ysbytai, a gyrwyr ambiwlans yn gorfod helpu i roi anesthetig a meistroli sawl techneg lawfeddygol arall.

Ar ddechrau'i groesgad i Sbaen roedd Hugh wedi dychmygu bod â reiffl mewn ffos yn sneipio at Ffasgwyr wrth iddynt godi'u pennau bach dieflig dros y pared. Doedd o ddim wedi rhag-weld gwagio *bedpans* Ffasgwyr a oedd wedi'u clwyfo yn yr ymladd, ond cyn bo hir iawn sylweddolodd fod cachu pawb yn drewi 'run fath, beth bynnag fo'u credoau gwleidyddol.

Nid oedd Hugh erioed wedi cael y cyfle i weithio fel hyn o'r blaen. Nid oedd bachgen o'i gefndir yntau i fod i weithio drwy chwys ei dalcen. Ni fu'n hawdd iddo ymaddasu bob amser – roedd yn gallu bod yn ddiog ac yn hunanol mewn sefyllfa anghynefin, yn araf i weithredu ac yn gyndyn i dderbyn gorchmynion, ond yn raddol diflannodd y nodweddion anghaffael hyn a dechreuodd ymhyfrydu yn yr hyn y gellid ei gyflawni o gydweithio a dirprwyo'r llwyth gwaith yn gyfartal a heb ragfarn.

Yr ail ddiwrnod iddo fod yno dychwelodd i weld Edward Jones. Digon digyfnewid oedd ei gyflwr. Am y tro cyntaf, gallai Hugh weld ei wyneb yn iawn. Hwyrach fod yna rywbeth cyfarwydd yno, rhywbeth na allai roi'i fys arno. Roedd yn ddigon posib, wrth gwrs, mai un o'r tenantiaid oedd y Cymro anhysbys a'i fod wedi'i weld ar adeg talu rhent neu wrth chwarae neu gerdded yng nghyffiniau'r Plas pan oedd yn iau. Ceisiodd siarad ag ef eto ond dryslyd oedd y dyn o hyd ac aeth oddi yno heb fod dim callach pwy ydoedd.

Fore trannoeth cafodd Hugh ei gyfle cyntaf i weld cyrch awyr.

Tua deg o'r gloch daeth dwy awyren Eidalaidd dros y dre – o'r math a adwaenid fel Crwb y Diafol oherwydd siâp crwca'r corff – gan gylchu'n hamddenol braf uwch y tai, yn drahaus o'r ychydig danio aneffeithlon a godai o ddrylliau'r amddiffynwyr. Roedd Hugh wrthi'n cerdded tuag at yr ysbyty i ymweld eto ag Edward Jones. Safodd yn ei unfan gan syllu ar yr awyrennau fel pe bai allan am dro gartref ac yn gwylio'r awyren gyntaf iddo gofio'n gwibio'n heglog dros Fynydd Anelog un prynhawn heulog ym mis Mai pan oedd tua thair ar ddeg oed.

Cyflymodd ei galon wrth weld y bomiau'n dechrau syrthio fel adar plwm o grombil y crwbyn. Byddai wedi dilyn eu hynt yr holl ffordd i'r ddaear oni bai fod rhywun wedi gweiddi arno a thorri'r swyn a'i delwai yn ei unfan. Y peth nesaf teimlodd y ddaear yn codi o dan ei fol a synhwyrodd fflach a chlywodd oglau llosg ond ni allai gofio ffrwydriad. Chwyrlïodd darnau o bren a metel am ei ben a chlywodd ragor o weiddi drwy'r cwmwl trwchus o lwch a guddiai bopeth.

Ac wedyn ni chlywai ond sŵn yr awyrennau'n cilio i'r pellter. Cododd ei ben a gweld lle y bu un o wardiau'r ysbyty nad oedd bellach ond pentwr o briciau pren wedi'u gwastatáu gan nerth y ffrwydriad. Bustachodd ar ei draed ond cafodd nad oedd ei goesau'n dal oddi tano. Yn sigledig iawn cymerodd gam neu ddau tuag at y llanast a gwelodd ei gorff marw cyntaf heblaw am y ffigwr anhysbys, anweladwy a drengodd ar lawr yr orsaf y noson o'r blaen.

Dyma wynebu angau cignoeth y bom o'r awyr. Nyrs ifanc o Ffrainc a oedd wedi'i gyfeirio at wely Edward Jones y noson cynt oedd wedi'i chael hi. Roedd wedi dotio at ei hwyneb yr adeg honno â'i drwyn smwt a'r wên fingam. Yn rhaca o denau roedd Hugh wedi rhyfeddu at ei chryfder gewynnog wrth iddi symud y cleifion yn eu gwelyau. Roedd ei hwyneb bach doniol i'w weld yn glir yn awr, y llygaid gleision led y pen a'r geg yn ffurfio siâp "o" fach. Gallai hefyd weld bod corun ei phen wedi mynd – mor lân â chorun wy wedi'i ferwi.

Gorweddai Edward Jones yn llonydd o dan ei wely. Edrychai'i wyneb yn ddibryder, ac mewn angau roedd y rhychau a achoswyd gan boenau'i gystudd wedi llacio a diflannu a'i wedd wedi llyfnu a llathru rywsut nes ei fod yn debycach i wyneb merch. Am eiliad cafodd Hugh fflach bellach o adnabyddiaeth, atgof sydyn anghyflawn a fyrstiodd wedyn fel swigen o sebon yn ei ben.

Teimlodd siom yn anad dim. Siomedig na fyddai byth yn cael gwybod hanes y brodor o Lŷn a oedd wedi teithio mor bell dros iawnderau'r bobl.

Wedi'i lapio mewn hen grys budr ychydig lathenni o'r corff roedd gweddillion eiddo'r gwron o Wynedd. Blwch sigarennau gwag; twca rhydlyd; ychydig o arian gleision, a cherdyn adnabod – *Fecha de nacimiento* 29-11-1903; *Logar de nacimiento* England; *Nacionalidad* British; *Profesión*: Miner; *Domicilio: País* South Wales, England; *Pueblo*: Aberdare.

Wel, dyna ran o'r jig-sô. Dyn o Lŷn a aeth i'r Sowth am waith. Yn aelod o'r Blaid Gomiwnyddol, siŵr o fod. Yn ddi-waith fwy na thebyg o ganlyniad i weithgareddau gyda'i undeb llafur efallai... yn hen law ym mudiadau radical y maes glo. Ond nid oedd Hugh yn poeni am ei gefndir cymdeithasol na gwleidyddol fel y cyfryw. Chwilotodd drwy weddill y trugareddau pitw gan obeithio darganfod rhywbeth a'i rhoddai ar drywydd y cysylltiad â Llŷn.

...stwmpyn o bensil, llafnau eillio a wats a'i wyneb wedi'i falu. Dyna'r cwbwl. Ar ei bedwar yn y rwbel gallai Hugh synhwyro ei fod yn cynhyrfu fwyfwy wrth sylweddoli efallai na châi fyth wybod y gwir. Roedd y rhwystredigaeth yn cronni a byddai wedi aros yno drwy'r dydd yn chwilio'n ofer am hanes Edward Jones.

Efallai y gallai ysgrifennu i'r cyfeiriad ar y cerdyn. Fe'i hagorodd eilwaith ac wrth iddo wneud syrthiodd ffotograff allan o un o'r plygion. Cododd Hugh y llun clustlipa gan graffu ar yr wynebau bach siriol...

Amgaeodd y llun hwn yn y llythyr a yrrodd at Ceinwen i'w hysbysu am farwolaeth ei thad.

35

Yn Gymraeg oedd y llythyr. Cymraeg hynod academaidd a ffurfiol ac er i Ceinwen ddeall y rhan fwyaf o'r geiriau, roedd derbyn newyddion o'r fath mewn llythyr, a hwnnw ar ffurf mor anghyfarwydd, yn golygu bod bwrdwn y neges wedi'i bylu rywfaint ar y darlleniad cynta – a'r ail, a dim ond wrth ei ddarllen am y trydydd tro y daeth Ceinwen yn ymwybodol bod ei dwylo'n crynu a bod pwys mawr wedi codi arni.

Roedd popeth am y diwrnod hwnnw wedi bod mor afreal. Roedd tarth trwchus ac oerllyd braidd dros bob man wrth iddi gerdded i'w gwaith yn y plas gan adael Eirwen Medi gydag un o'i modrybedd ar y ffordd. Roedd y fechan heb ollwng eto ond yn cropian fel injan bach i bob twll a chongl nes bod angen llygaid yng nghefn dy ben a'th ben-ôl i'w chadw dan reolaeth. Roedd Ceinwen wedi mynd yn ffond iawn o'i chwaer fach ac erbyn hyn, wrth gwrs, roedd yn amhosib dychmygu bywyd hebddi. Ac eto daliai i'w theimlo'n dipyn o bwn; beth bynnag y byddai Ceinwen am wneud byddai'n rhaid iddi ystyried Eirwen Medi, ac roedd hynny'n dân ar ei chroen, yn hen gosfa barhaus yn ei pherfedd.

Naws hollol afreal oedd yn y Plas erbyn hynny hefyd. Ddydd Nadolig 1936, roedd Syr David wedi marw, ei wythiennau chwyddedig yn methu dygymod mwy â dyfal donc yr alcohol. Selwyn a gafodd hyd iddo yn anymwybodol yn yr ardd, y gwaed yn tasgu o'i geg. O fewn byr o dro roedd wedi darfod.

Prin y gallai'r staff guddio eu rhyddhad o glywed y newyddion, er bod yr ansicrwydd ynghylch eu dyfodol yn peri pryder mawr ar sawl aelwyd. Ond am y tro roedd naws y lle'n ysgafnach o dipyn.

Ers y tân ym mis Medi roedd rhyw dyndra wedi ymdreiddio drwy'r holl annedd, fel oglau'r mwg a lynai'n gyfoglyd wrth bob congl o'r adeilad. Cragen oedd y tŵr bellach, mewn cyflwr peryglus ac wedi'i gau oddi wrth weddill yr adeilad. Roedd y tân fel pe bai'n dynodi diwedd cyfnod, ac ni allai neb ddarogan beth ddeuai nesa ond gwyddai pawb na fyddai pethau fyth yr un fath.

Ar ôl marwolaeth Syr David byddai Peter yn treulio llai a llai o amser yng nghyffiniau'r Plas. Ni fyddai byth yn sôn lle'r oedd yn mynd a byddai'r cyfnodau rhwng ei ymweliadau'n mynd yn hirach ac yn hirach.

Cyn bo hir iawn y staff oedd yr unig breswylwyr. Roedd yr Interegnwm wedi gwawrio.

Ddeuddydd cyn i Ceinwen glywed am farwolaeth ei thad, bu'n ddiwrnod casglu rhenti ac roedd Peter wedi ymddangos ar gyfer yr achlysur. Rhyw ddwywaith y bu yn y Plas ers marwolaeth ei dad. Yr eildro roedd yna griw o ddynion siwtiau llwyd digon anghynnes eu golwg wedi ymgynnull yno yr un pryd, a buont yn seiadu tan berfeddion cyn diflannu gyda gwlith y bore yr un mor ddisymwth ag y cyraeddasant.

Roedd pawb ar bigau pan oedd Peter o gwmpas. Nid ei fod yn ymyrryd â dim byd. I'r gwrthwyneb yn wir. Cyhyd â bod bwyd ar y bwrdd iddo a'i wely wedi'i aerio, prin ei fod yn torri'r un gair â'r staff. Cadwai ei hun ato'i hun yng nghanol pentwr o bapurau cyfreithiol. Ac eto roedd pawb yn gallu synhwyro ei fod yno a bod yna ryw ias yn cyniwair drwy'r lle a fyddai'n diflannu'n llwyr unwaith iddo godi pac.

Cafodd Ceinwen gip arno wrth iddi'i throi ar ddiwedd ei gwaith y diwrnod hwnnw, yn brasgamu dros y caeau i ymweld â Chapten Bellamy fwy na thebyg. Ac yn sydyn dyna hi'n meddwl am Hugh.

Tybed lle'r oedd o erbyn hyn? Y cof diwethaf oedd ganddi ohono oedd yn ymrafael â'i frawd ar y lawnt yng nghanol miri'r tân mawr. Ar ôl llorio'i frawd dan weiddi pob math o bethau hyll arno, roedd wedi sefyll ar ei draed gan edrych yn ddiamcan o'i gwmpas. Roedd eu llygaid wedi cwrdd am ennyd a thybiai Ceinwen iddi weld rhyw fflach o gydnabyddiaeth, rhywbeth a ddynodai nad oedd wedi ymddieithrio'n llwyr, ac y gallai... y gallai... Ond amrantiad yn unig y parodd yr edrychiad ac, ar ôl siarad am ychydig ag un o'r dynion tân a ddaliai bentwr o lyfrau yn ei freichiau, roedd wedi troi ar ei sawdl gan redeg i ffwrdd y ffordd y daethai. Ni welsai ef ers hynny.

Pan gyrhaeddodd y tŷ, cafodd Ceinwen hyd i'r llythyr â'i stampiau estron. Pan welodd enw Hugh ar gefn yr amlen cynhyrfodd drwyddi gan ei hagor â bysedd crynedig.

36

Dal i redeg dros ddigwyddiadau'r diwrnod hwnnw roedd Ceinwen, a hynny bron bum mlynedd yn ddiweddarach, ar ddiwedd 1941, wrth iddi gyrraedd Caer mewn trên ar ei ffordd i ddechrau gyrfa newydd yn y WAAFs.

Daliai i gofio'r stampiau diarth hynny ar yr amlen denau a'r cyffro wrth ei hagor. Gwthiodd yr atgofion o'i meddwl. Roedd ei hysbryd yn ddigon isel heb iddi hel meddyliau o'r fath.

Roedd yna gyrch awyr yn digwydd yng nghyffiniau Crewe, ac felly bu'n rhaid i bawb adael y trên a swatio gorau y medrent drwy oriau digysur y nos yn yr orsaf. Roedd y tywydd wedi troi'n oer yn sydyn a brath go-iawn yn y gwynt gydag ambell bluen o eira'n cyffwrdd â'i thrwyn wrth i Ceinwen ymlwybro'n drymlwythog dros y bompren i'r platfform nesa a'r ystafell aros.

Dyma'r tro cyntaf i Ceinwen fod oddi cartref yn ei bywyd ac eisoes roedd ei hysbryd fel y plwm a'i phlwc fel cannwyll yn y gwynt.

Roedd porthor wrth y drws yn gwarchod y blac-owt. Roedd y lle dan ei sang a phawb yn gorfod sefyll ysgwydd-wrth-ysgwydd yn yr ystafell lom, ddi-wres. Roedd yr awyr yn drewi o dawch iwnifforms llaith, a hongiai mwg sigarennau'n niwlen swrth dros y dorf. Ceisiodd Ceinwen wthio heibio i ddau filwr a safai agosaf at y drws, ond roeddent yn anfodlon ildio'r un fodfedd gan anwybyddu ei *"excuse me"* llais-llygoden yn llwyr.

Trodd Ceinwen ar ei sawdl a gwthio'i ffordd yn ôl drwy'r llen blac-owt.

"*Make up yer bleedin' mind, girl*," mwmiodd y porthor yn hirddioddefus.

Allan eto ar y platfform, craffodd Ceinwen drwy'r tywyllwch gan feddwl ei bod yn gallu gweld rhywbeth a ymdebygai i sedd. Pigiodd ei ffordd draw ati drwy'r düwch gan eistedd arni heb falio am na'i chaledi na'i hoerni am y tro.

Ar ôl cael ei gwynt ati, clustfeiniodd. Yn y pellter gallai glywed rhyw fwstwr aneglur – y cyrch awyr, efallai. Doedd hi ddim yn gwybod. Fuodd hi erioed mor agos â hyn at un o'r blaen er i rai ddigwydd ar stepan ei drws ym Mhenrhos tua blwyddyn yn ôl. Göring yn rhoi mwy o sylw na'i haeddiant i'r ysgol fomio enwog. Yn sydyn fe welodd fysedd hirion pâr o chwiloleuadau'n mwytho'r awyr heb fod ymhell o'r orsaf. Ond fe'u diffoddwyd yn ddigon buan ac roedd popeth yn llonydd drachefn.

Taenodd yr oerni'n gyflym drwy gorff Ceinwen a chrebachodd ei hysbryd ymhellach. Ni phrofasai'r fath unigrwydd ers y dyddiau yn union ar ôl marwolaeth ei mam, pan fu'n rhaid iddi ofalu am Eirwen Medi ar ei phen ei hun a hithau yn un ar bymtheg oed. Yn wir roedd llond afon o ddŵr wedi llifo o dan y bont ers hynny a hithau fel pe bai wedi'i chipio gan y lli a'i chario ymhell o bobman cyfarwydd ac, erbyn hyn, yn llwyr allan o'i dyfnder.

Cododd ei chês i'r sedd a phwyso'i phen yn erbyn y lledr oer. Roedd ei oglau'n gyfarwydd a daeth hynny â rhyw gysur iddi. Yn drugarog ddigon, fe aeth blinder yn drech na'i hoerni a'i hunigrwydd ac fe gysgodd.

Breuddwydiodd am Robin. Roedd hi ar ryw drên ac roedd dau longwr, a wisgai byjamas am ryw reswm, newydd ddweud wrthi bod Robin yn y cerbyd nesaf. Cododd ar ei thraed a cheisio gwasgu heibio i'r holl bobl a safai yn y coridor, ond heb lwyddiant. Ond fe allai weld Robin yn sgwrsio â rhywun ym mhen draw'r cerbyd. Pe bai hi ond yn gallu tynnu'i sylw, gallai ddod draw ati'n haws achos doedd ganddo ef mo'r holl fagiau a oedd ganddi hi i'w cario.

"Robin! Robin!" Ond nid oedd fel pe bai am gymryd sylw ohoni.

Ac wedyn roedd y trên wedi mynd i dwnnel ac mi oedd popeth yn rhuo mewn tywyllwch heb ffiniau.

Agorodd Ceinwen ei llygaid wrth i drên nwyddau daranu drwy orsaf Caer heb stopio. Coswyd ei thrwyn gan y mwg a chododd ar ei heistedd gan besychu. Cymerodd eiliad neu ddwy i ymlonyddu ac wedyn dechreuodd grio wrth sylweddoli mai dim ond breuddwyd oedd o ac roedd Robin wedi mynd – gweddillion ei gorff yn mwydo rhywle yn nyfnderoedd yr Iwerydd.

Ers mis Mai, a bod yn fanwl, pan ffrwydrodd *HMS Hood* mewn brwydr â'r *Bismarck* gan ddiffodd mewn amrantiad fywydau dros bymtheg cant o'i chriw. Tri'n unig a godwyd o'r môr yn fyw.

Pwysai marwolaeth Robin arni feunydd, feunos. Yn bwtyn bach, direidus ei olwg, Robin oedd ei chariad cyntaf go-iawn. Roeddent wedi cwrdd toc ar ôl iddi glywed am ei thad yn colli'i fywyd yn Sbaen, ac oni bai am Robin, byddai Ceinwen druan wedi gwallgofi.

Nid ei bod wedi syrthio i'w freichiau jest fel 'na; hynt digon anwastad oedd i'w charwriaeth – os carwriaeth – Robin yn llawn brwdfrydedd a chanddo gynlluniau mawr i'r dyfodol; Ceinwen, os rywbeth, yn gobeithio y deuai rhywun amgenach heibio ac yn cadw'r prentis cigydd hyd braich braidd, gan chwythu'n oer iawn yn amlach na heb.

Ond yn raddol, roedd ei hoffter ohono wedi cynyddu, heb iddi sylweddoli bron, ac ar ôl yfed gormod y noson cyn iddo fynd i ffwrdd i ymuno â'r llynges ar ddechrau'r rhyfel roedd Ceinwen wedi lled-addo ei briodi ar ôl i'r rhyfel ddod i ben.

O fewn mis roedd hi'n gobeithio am ryfel arbennig o hir.

Draw yn y NAAFI ym Mhwllheli roedd hi y noson y clywodd am suddo llong Robin. Yn cael hwyl diniwed hefo rhai o'r *marines* o ganolfan y llynges ym Mhenychain – dim ond swsio a ballu, pan ddaeth rhyw forwr arall drwy'r drws â'i wyneb llwyd fel ffidil wrth iddo gyhoeddi mewn llais dwfn, trwynol fel o waelod rhyw feddrod:

"*The* Hood's *gone.*"

Ar amrantiad pallodd yr holl siarad croch. Roedd anghrediniaeth i'w darllen ar wynebau pawb. Teimlasai Ceinwen y lliw'n llifo o'i hwyneb fel llanw ar drai a phwys oer yn ei bol. Cododd ei gwydr i gymryd llwnc ohono ond prin y gallai ddal gafael ynddo.

"*You al'right, luv?*"

"*A bit of shock that's all.*"

"*A bit of a shock for everyone.*"

Esgusododd Ceinwen ei hun ac allan â hi i awyr fwyn mis Mai. Efallai, os oedd hi'n fwyn fel hyn lle'r oedd Robin a'i fod o yn y môr, y byddai 'na siawns iddo gael ei godi, cyn i'r gwylanod bigo'r llygaid o'i ben. O nefoedd, na! Robin oedd wedi dweud hynny, y tro diwetha roedd o adra. Ceisio ei dychryn o ran hwyl roedd o'r adag honno.

"Be am briodi y tro nesa' bydda i adra', 'ta?" gofynnodd wedyn, gan godi mwy fyth o ddychryn arni.

Doedd hi ddim wedi ateb, dim ond gwenu'n glên a chwythu swsus wrth i'r trên godi stêm a wyneb Robin ddechrau llithro i'r pellter ar hyd y platfform. Er y gwyddai fod Robin yn dal i godi llaw arni'r holl ffordd nes bod y trên yn mynd o'r golwg, roedd hi wedi troi a rhedeg o'r orsaf fach heb sbio'n ôl.

Ac rŵan roedd Robin, siŵr o fod, wedi marw. Dechreuodd Ceinwen redeg drwy strydoedd llwydolau Pwllheli. Gwaeddodd rhywun arni ond ni chymerodd hi 'run sylw. Dim ond cadw i fynd nes ei bod allan yn y wlad ac wedyn, â'i hanadl yn dynn yn ei dwrn a phigyn yn ei hochor, stopiodd a dechrau mwmian yn uchel.

"'Mond swsio o'n i, Robin. 'Mond swsio..."

37

Ar ddechrau ei bywyd yn y WAAFs, prin y gallai Ceinwen gredu y byddai fyth yn dygymod â'r hiraeth a deimlai am ei chartref a'i theulu. Ond, yn ddiarwybod iddi bron, o fewn rhyw flwyddyn, cafodd fod yr hiraeth wedi cilio i gefn ei meddwl a heb fod yn ymyrryd â hi fel y byddai. Ni chofiai pryd y digwyddodd hynny, ond felly y bu. Serch hynny, gallai ddychwelyd yn hollol ddisymwth fel ci defaid ffyddlon o ben draw'r ffridd, dim ond iddo gael y signal cywir.

Bellach roedd hi wedi dechrau gyrru lorïau trymion a'r gwaith arbennig a oedd ganddi'n gofyn llawer ohoni – yn gorfforol ac yn emosiynol. Roedd blinder penysgafn yn gyflwr parhaol i bawb yn y sgwad, yn ffordd o fyw, ac yn aml teimlai'i bod yn nofio dros afon ddofn a'r glannau'n bythol bellhau. Yn y cyflwr swrrealaidd hwn, byddai atgofion yr hen fyd yn rhuthro'n ôl yn sgytwol o ddirybudd weithiau.

Cofiai adeg yn gynharach eleni yr ochr draw i'r wlad yng Nghernyw. Roedd wedi codi yn y tywyllwch gan yrru'r *lowloader* ddeng milltir ar hugain ar hyd ffyrdd cul anaddas i fwystfil mor anhydrin, nes cyrraedd pen ei thaith ar gyrion rhostir eang, anghysbell o fewn sŵn y môr. Nid aethai i'w gwely tan ar ôl hanner nos y noson cynt, ar ôl dawns yn y pentre cyfagos. Bron na fu'n cysgu wrth y llyw ar hyd y daith.

Pwysai'r tawelwch arni yn sgil rhu'r injan. Teimlai ei

bod am chwydu'i pherfedd. Cododd ei phen o'r llyw gan agor drws y *lowloader.* Llithrodd dros ymyl y sedd ac i lawr i'r glaswellt. Plygodd ei choesau sigledig wrth lanio ac fe'i cafodd ei hun ar ei phedwar a'i llaw wedi'i sodro mewn talp o gachu defaid.

"Go daria!" meddai wrthi'i hun gan sychu'i llaw ar ei hoferôls. Cododd ei bysedd at ei thrwyn gan sawru oglau pigog, asidig y tail. Aeth i'w phen fel cyffur ac wrth gau'i llygaid fe'i sgubwyd gorff ac enaid yn ôl i Ben Llŷn. Sŵn y môr yn ei chlustiau, tyweirch esmwyth tir glas y morfa dan ei thraed noeth. Wrth agor cil ei llygaid gallai weld aur yr eithin a waliau cerrig sychion... Ond penrhyn gwlad Cernyw nid Cymru oedd hon, ac nid morwyn fach Plas y Morfa oedd hi bellach, ond dreifar y *Queen Mary*, sef *lowloader* i gludo olion awyrennau a saethwyd o'r awyr neu a ddaethai i lawr mewn damweiniau.

Ac ni fu ei bywyd erioed yn fwy cyffrous. Ni fu ganddi erioed gynifer o wir ffrindiau na chymaint o ryddid. Roedd y gwaith yn drwm, yn ddirdynnol, yn ddiorffwys bron. Ar adegau byddai'n rhaid defnyddio'r amffetaminau a roddid i'r peilotiaid i'w chadw yn effro wrth y llyw. Roedd hi wedi cymryd peth y bore yma cyn dechrau ar y daith.

Ond roedd byw ar adrenalin a *benzadrine* yn nyddu rhyw we fregus o iwfforia a thyndra na allai ddal y pwysau am byth.

Yn annisgwyl ddigon, dyma rywbeth mor ddiniwed ag oglau cyfarwydd tail defaid yn rhwygo o'r neilltu'r llinynnau brau a'i daliai fry ac fe suddodd i un o'r cafnau erchyll o ansicrwydd a phryder a fyddai'n ei goddiweddyd o bryd i'w gilydd. Byrlymodd yr hiraeth o ryw darddle dirgel yn yr awyr o'i chwmpas gan beri iddi gropian yn ôl at un o olwynion anferthol y *Queen Mary* a phwyso yn ei herbyn i adennill rheolaeth ar ei meddyliau yng ngwres llwynogaidd haul y gwanwyn.

Roedd yr hogiau'n sefyll yn stond o gwmpas twll anferth yn y ddaear y tro hwn. *Whirlwind* – awyren nodedig am ansadrwydd ei chynffon – a oedd wedi plymio wysg ei thrwyn yn syth i'r weryd ar gwr y rhostir digroeso yma uwchben y môr. Y cwbl a oedd i'w weld yn y twll oedd rhyw bentwr blêr o lenni alwminiwm. Yr ochr draw i'r twll, fel darn o gig yn cael ei ddangos mewn siop gigydd, gorweddai llaw chwith ddynol a modrwy am y bys priodasol, wedi'i sgleisio'n lân oddi wrth weddill y corff ychydig uwch y garddwrn.

Doedd dim modd cyrraedd corff y peilot heb gael offer trwm i gloddio yn y ddaear. Ond doedd yr adnoddau angenrheidiol ddim i'w sbario. Daeth cyfarwyddiadau i ddynnu oddi yno gymaint ag y gellid ac wedyn i ail-lenwi'r twll.

Gwyliodd Ceinwen wrth i'r bechgyn lusgo'r metel briwedig o'r ceudwll. Roedd rhywun wedi gorchuddio'r llaw fodrwyog erbyn hyn â darn o darpawlin.

Peth digon cyffredin oedd cael hyd i gyrff yng ngweddillion yr awyrennau, rhai wedi llosgi'n golsyn, eraill wedi'u dryllio neu wedi'u cywasgu mor dynn prin bod modd eu hadnabod fel cyrff dynol; rhai fel pe baent yn gwbwl ddianaf. Cafodd Ceinwen nad oedd yr holl gelanedd yma'n effeithio arni fel y tybiai – fel y dylai, meddyliodd. Efallai y cymerai flynyddoedd cyn i wir hylltra'r hyn a welai ddod i'r fei drwy blygion ei hisymwybod.

Gan mwyaf byddai'r hogiau'n ei hymgeleddu rhag y golygfeydd gwaethaf – yr angen i ddiogelu'i llygaid benywaidd rhag gweld canlyniadau anfadwaith dynion – fel y diogelid merched ar y gynnau *ack-ack*, gan y caent eu hanelu ond ddim eu tanio. Byddai hyn yn eu helpu hwythau i wrthsefyll y pwysau ar stumog a meddwl. Erbyn hyn, daethai Ceinwen i synied am y gweddillion dynol hyn fel rhan annatod o'r broc awyr a'i cadwai yn ei gwaith. Sborion yr un mor ddiwerth bellach â'r metel cordeddog a'u cofleidiai.

Ond roedd y llaw wrthodedig yma wedi aflonyddu arni'n fawr. Cofiodd am Robin; cofiodd am Geoff, y sarjiant-peilot o Swydd Antrim a gollwyd dros Dieppe – ill dau wedi gofyn iddi ei phriodi, a hithau wedi lled-gytuno, a'r ddau bellach yn rhan o aberth eu cyfnod.

Yn aml, roedd y busnes rhyfel yma fel camp a rhemp rhyw freuddwyd ddiddiwedd. Roedd popeth yn newid o hyd – lleoedd, pobl, lliw a llun i'w gweld wedi'u stumio drwy'r adeg. Difreuddwyd fyddai'i chwsg gan mwyaf o'r herwydd, efallai, ond pan gofiai freuddwydio, rhywbeth am yr hen ddyddiau fyddai fo. Neithiwr roedd hi wedi breuddwydio am Eirwen Medi. Safai'r ferch fach y tu allan i Blas y Morfa, wrthi'n clatshio bysedd y cŵn ar gledr ei llaw.

"Cofia olchi dy ddwylo wedyn. Ma'r rheina'n wenwyn," rhybuddiai. Ond troi'i phen i ffwrdd oddi wrthi wnaeth Eirwen a chymryd arni ei bod heb glywed. A dyna Ceinwen yn deffro i sŵn rhywun yn tapio ar ffenest a dyn yn galw mewn islais cryg ar y ferch a rannai ystafell â hi.

"June! June!"

Ond rhochiai June mewn trwmgwsg alcoholaidd ac ar ôl sbel peidiodd y titrwm-tatrwm a'r llais.

Roedd hi'n colli Eirwen Medi. Er bod y ferch fach wedi teimlo fatha bricsen am ei ffêr ar brydiau ers iddi orfod ei magu ar ei liwt ei hun, yn sgil marwolaeth ddisymwth ei mam saith mlynedd yn ôl, ac er i Ceinwen ymddwyn mewn modd llai nag amyneddgar tuag ati, yn ystod y cyfnodau pan fyddai'i hysbryd ar ei hisaf dyheai am gwmni'r un fach a oedd bellach yn byw hefo un arall o chwiorydd Ceinwen, i glywed ei pharablu gloyw, ac ymgalonni wrth weld ei gwên ddiwywo.

Ni fu Ceinwen gartref ers dros chwe mis erbyn hyn ac roedd Eirwen yn prifio ar garlam, fel bod Ceinwen yn colli nabod arni braidd. Cyn y rhyfel, ac Eirwen Medi yn ei chwmni bob dydd, anodd oedd cofio weithiau nad ei merch hi ei hun ond chwaer iddi ydoedd go-iawn. Tybed a fyddai hi byth yn magu'i phlentyn ei hun? Roedd llawer iawn o'i chyfoedion gartref yn Llŷn eisoes yn briod ac yn magu nifer o gywion, llawer ohonynt heb glywed bron dim gan eu gwŷr ers iddynt hwylio ymaith i wasanaethu mewn rhyw gwr pellennig o'r byd. Ni allai ddychmygu priodi ar hyn o bryd – ni allai ddygymod â cholled arall.

Serch hynny, câi gyfle i ddod i nabod mwy o ddynion nag erioed o'r blaen. Roedd llawer iawn o'i bywyd cymdeithasol yng nghwmni'r WAAFs eraill yn ymdroi o gwmpas dawnsfeydd y Groes Goch a'r WRVS a gynhelid yn rheolaidd mewn neuaddau pentref di-liw, dilewyrch lle bynnag roedd yna faes awyr. Dawnsfeydd tebyg i'r un lle y buodd hi neithiwr.

A phopeth ar ddogn, gwnâi pawb y mwyaf o'r hyn a oedd ar gael ac ni chollid yr un o'r dawnsfeydd hyn pa mor anodd bynnag oedd cyrraedd y ganolfan dan sylw a dychwelyd i'r gwersyll mewn pryd, neu beth bynnag oedd y gorchwylion ar y gweill drannoeth.

Ond fe wyddai'n rhy dda am y peryglon o syrthio dros eich pen a'ch clustiau neu hyd yn oed ddechrau mynd yn rhy hoff o rywun amser rhyfel – yn enwedig peilot neu aelod o'r criw awyr. Doedd dim disgwyl iddynt fyw'n hir. Roedd ffrind iddi bellach wedi'i lleoli ar orsaf fomio yn Swydd Lincoln, ac yn gweithio ar yr offer cyfathrebu ac yno byddai'n gorfod gwrando ar negesau brys a bregus y peilotiaid dibrofiad mewn helynt wrth ddychwelyd o gyrchoedd dros Ewrop, cryndod bachgennaidd eu lleisiau'n bradychu'u braw. Sawl gwaith roedd hi wedi colli'r lleisiau truenus hyn wrth i'r awyrennau ddiweddu mewn pelen o dân o fewn golwg i ddiogelwch y maes.

Ar ôl cyfnod maith o wneud y gwaith yma, o fod mewn cysylltiad hyd at yr ennyd dyngedfennol wrth i'w heneidiau ymadael â'r fuchedd hon, daeth yn hysbys iawn ym materion bywyd ac angau fel bron nad oedd y gallu ganddi i rag-weld tynged y criwiau o'i chwmpas.

Y tro cyntaf iddo ddigwydd oedd wrth i'w ffrind ddawnsio gyda pheiriannydd ifanc a oedd newydd ymuno â'r sgwadron. Roedd hi wedi cymryd ato'n arw. Ond wrth droelli yng ngwyll y neuadd fach orlawn, gwelodd yn sydyn fod goleugylch glaswyn wedi ymddangos yn ddirybudd am ei ben. Sbiodd yn chwithig o'i chwmpas ond nid oedd fel pe bai neb arall yn cymryd sylw o'r ffenomen. Edrychodd arno drachefn ac roedd y goleugylch wedi diflannu, ond gwyddai i sicrwydd na ddeuai'r dyn yn ôl o'r cyrch nesaf. Roedd fel dawnsio gydag ysbryd.

Agorodd Ceinwen ei llygaid wrth weld y *Warrant Officer* yn codi'r tarpawlin a guddiai law'r peilot a'i gludo draw at un o'r lorïau eraill fel baban bach yn ei freichiau. Ni hoffai Ceinwen *Warrant Officer* Pemberton. Byddai'n edliw'i hacen a'i thras Gymraeg iddi byth a beunydd, ac er bod gweddill yr hogiau'n ei chefnogi gan ymddwyn yn frawdol iawn tuag ati pan na fyddai Pemberton o gwmpas, byddai bob amser ar bigau yn ei gwmni ac yn gwneud mwy o gamgymeriadau nag arfer wrth ei gwaith.

Cododd Ceinwen ei golygon tua'r wybren. Roedd yn ddiwrnod eithriadol braf ond gallai weld cymylau tywyllach yn cleisio'r awyr i'r gorllewin.

Rhyw ddydd deuai'r rhyfel i ben a beth a wnâi wedyn? Ar y naill law nid oedd hi'n siŵr sut y gallai fynd yn ôl i'w bywyd fel ag yr oedd cyn iddi ymuno â'r WAAFs. Yr hen gyfyngiadau; yn atebol i ryw sguthan rwystredig fatha Blodwen am weddill ei hoes. Eto, yn ddigon aml byddai'n hiraethu am yr hen sefydlogrwydd a sicrwydd. Ond go brin y byddai Plas y Morfa'n dal ei dir am yn hir ar ôl y rhyfel.

Bron dwy flynedd cyn i'r rhyfel ddechrau, roedd Peter Eldon-Hughes wedi gadael ar un o'i fynych deithiau tramor; aeth y misoedd heibio ac nid oedd unrhyw sôn amdano'n dychwelyd i'r Plas. Syrthiodd rhyw anghofrwydd dros y lle. Daliai'r staff i gael eu talu a daliai'r rhenti i gael eu hel gan Mr Hammond, yr asiant. Ond yn raddol, daeth yn fwyfwy amlwg mai cael ei rhoi heibio oedd y stad, ei chadw i aros ei thynged o dan forthwyl yr arwerthwr. Llwyddodd amryw i brynu eu ffermydd ac yn raddol drifftiodd fwyfwy o'r staff i gyflogaeth arall hyd nes nad oedd ond cnewyllyn bach ar ôl.

Roedd pawb yn disgwyl am y dydd pryd y byddai'r cyflogau'n sychu a'r drysau'n cau am byth. Ond treiglodd y misoedd heb i'r dwthwn hwnnw wawrio. Doedd neb wrth y llyw a nofiai'r plas yn ddigyfeiriad ym merddwr ei ddirywiad.

Cofiai Ceinwen y cyfnod fel un dedwydd a diofid ar un wedd. Câi ddod ag Eirwen Medi gyda hi i'r gwaith bob dydd, ac nid oedd hi'n gorfod poeni am lawer iawn o'r tasgau oedd yn wirioneddol atgas ganddi. Roedd hyd yn oed yr hen Flodwen fel pe bai wedi llareiddio o dan y drefn newydd.

Erbyn hyn roedd yr hogiau wedi tynnu'r hyn a fedrent o'r twll ac wrthi'n ei lenwi gorau gallent. Doedd dim

gwaith i'r *lowloader* heddiw. Efallai y byddai siawns am
noson gynnar a gallai sgwennu llythyr at Eirwen Medi.
Meddyliodd am ddal ysgrifbin yn ei llaw a meddyliodd
am y dernyn cnawd diwerth yng nghefn y lorri.

38

Ni allai Ceinwen gysgu. Bu'n effro drwy'r noson cynt yn helpu symud gweddillion awyren a ddaeth i lawr ar gyrion y maes ar ôl methu'r lanfa yn niwl trwchus y bore bach. Tri deg a thri o dunelli o fetel sgrap; saith bywyd arall wedi'u diffodd a'u malurio'n anurddasol yng nghanol artaith y metel llosg.

Yn nes ymlaen yn y dydd bu Ceinwen yn gyrru'r tractor yn tynnu rhaciau o fomiau – y *cookies* fel y'u gelwid – draw at yr awyrennau ar gyfer y cyrch nesaf. Ar ôl gorffen ei dyletswyddau, roedd hi wedi cysgu'n drwm, drwm, ac erbyn hyn roedd hi'n gwbl effro. Ar ôl troi a throsi am awr a hanner, cododd a mentro allan i rewynt y nos gan obeithio y byddai tro bach yn yr oerni'n ei helpu i gysgu rhyw awr neu ddwy cyn codi eto am bedwar.

Doedd Ceinwen ddim yn hoffi'i lleoliad presennol – gorsaf bomwyr o'r enw Wyton yn nwyrain Lloegr. Doedd gwastadeddau Swydd Gaergrawnt ddim yn dygymod â hi o gwbl. A hithau yng nghanol gaeaf, rhuai gwynt traed y meirw'n ddi-rwystr yr holl ffordd o'i darddiad ym mynyddoedd yr Urals draw yn Rwsia bell. Ni wyddai fod y ffasiwn wyntoedd rhynllyd i'w cael nes iddi ddod i fan hyn. Gartref yn Llŷn, byddai mynyddoedd Eryri'n cysgodi'r penrhyn rhag brath gwynt y dwyrain yn y gaeaf. Rhoddai'r byd yn grwn yn awr am wahanfur mynyddoedd ei chynefin a muriau trwchus y bwthyn lle y'i magwyd.

Erbyn hyn roedd Ceinwen wedi rhewi drwyddi ac yn

difaru braidd. Efallai y byddai'n cysgu'n awr. Trodd i gerdded yn ôl ar hyd y ffordd y daeth ond yn sydyn o'r tywyllwch daeth sŵn coethi mawr. Rhegodd Ceinwen. *Great Dane* pennaeth y sgwadron oedd yr udfil yn y nos. Andros o gi mawr hyll a fyddai'n crwydro'r maes awyr bob nos tra hedfanai'i feistr drwy'r awyr dros Ewrop. Doedd dim sôn ei fod wedi brathu neb erioed, ond roedd yn greadur digon hanner pan ei olwg, fel bod pawb yn ei gadw hyd braich.

Rhedodd Ceinwen yn ddall drwy'r tywyllwch, ei chalon yn trybowndio. Toc, fe ddaeth at y brif lôn i mewn i'r maes. Gobeithiai i'r Tad Mawr na fyddai neb yn ei gweld.

Daria! Roedd yna gar yn dynesu. Diolch byth na fyddai goleuadau llygaid-cath y blac-owt yn debygol o'i dal wrth iddi chwilio am le i guddio. Yn y diwedd, roedd ganddi ddigon o amser i guddio y tu ôl i wal o fagiau tywod wrth fynedfa un o'r ffosydd llochesu. Clywodd y car yn dod yn nes eto, ac wedyn yn stopio gerllaw, yr injan yn dal i redeg. Gwasgodd ei hwyneb yn erbyn y sachliain llaith. Roedd yr oglau'n mynd â hi yn ôl i ddiwrnodau gwlyb adra, pan fyddai'r hogiau'n taenu hen sachau blawd dros eu pennau rhag y glaw.

Roedd drws y car wedi'i agor. Clywodd lais Americanaidd yn hollti'r tywyllwch fel arwydd neon.

"Don't mention it. So you take care now, fellas. We'll get your vehicle looked at tomorrow and drive it over later."

Dau lais yn cytganu'u diolch; y drws yn cau a'r car yn troi ac yn mynd yn ôl am y brif fynedfa.

Dowch, hogia, meddyliodd Ceinwen. Am eich gwlâu rŵan. Doedd ganddi fawr o awydd i ddal pen reswm â'r ddau yma yr adeg hon o'r nos. Ond, er na fedrai glywed eu lleisiau yn erbyn y gwynt, roedd yn amlwg eu bod wedi penderfynu mai smôc oedd yr hyn roedd ei eisiau arnynt a gallai glywed sŵn diod yn slochian mewn potel wrth iddi gael ei phasio o'r naill i'r llall. Daethant draw i gysgod y bagiau tywod yr ochr draw i Ceinwen, i danio eu sigarennau. Roedd y lleisiau'n cael eu clustogi'n llwyr. Tybed a allai hi symud oddi yno heb iddynt sylwi? Roedd ganddi fwy o syniad ynglŷn â ble'r oedd hi bellach a gwyddai i ba gyfeiriad y dylai wyro'i chamre i gyrraedd ei *billet* yn ddiogel.

Dechreuodd sleifio o'i chuddfan. Wrth symud o loches y bagiau, daeth lleisiau'r ddeuddyn yn gliriach.

"Ond ar ôl y rhyfal, pa ddyfodol fydd i mi a 'mhlant yn Llanberis, 'dwch? 'D a' i ddim yn ôl i'r chwaral – dim ffiars o beryg."

Llamodd calon Ceinwen a rhewodd yn ei hunfan fel pe bai'r gwynt wedi'i dal yn ei anadl iasoer. Y Gymraeg. Nefoedd yr adar. Haleliwia! Ac wedyn daeth y llais arall.

Roedd yr ynganiad yn gywir ond roedd y traw'n arafach a ron bach yn chwithig. Roedd Ceinwen yn nabod y llais hwnnw. Torsythodd a dechrau cerdded yn ôl.

"Hugh?"

39

Gwthiodd Hugh ychydig o'r llenni blac-owt trymion o'r neilltu gan adael i olau'r lleuad hysio'r tywyllwch i gorneli'r ystafell. Mor ddisglair oedd y lloergan nes i Hugh ofni y byddai'n deffro Ceinwen a chwyrnai'n fwyn ac yn fain yng nghanol y gwely plu pantiog. Roedd tu mewn i gwareli'r ffenest yn farugog, y llwydrew yn haenen drwchus o batrymau chwirligwgan cain. Bu'n eu holrhain â blaen ei ewin gan ymhyfrydu yng nghywirdeb esthetig eu ffurfiau cymhleth. Yn sydyn, dyma'r oerni'n gafael ynddo go-iawn, a dechreuodd grynu'n afreolus. Rhuthrodd yn ôl i'r gwely gwichlyd a cheisio perswadio Ceinwen drwy blygion ei thrwmgwsg i ymadael â'i gwâl glyd yn y canol.

Ond roedd lludded a straen y misoedd diddiwedd o sifftiau hirion a phartïon gwirion wedi goddiweddyd y ddynes ifanc ac nid oedd holl sibrwd taer ei chywely yn tycio dim ar y rhwymau tyn o gwsg a'i daliai. Yn y pen draw, bu'n rhaid iddo fodloni ar hanner rhewi ar erchwyn y gwely.

Un gynnes oedd Ceinwen, hyd yn oed yng nghanol y gaeaf o dan flancedi annigonol mewn llofft stabal o ystafell ddigysur; roedd gwres mawr i'w glywed ohoni bob amser, fel pe bai holl boethder yr haf wedi'i gronni ynddi at hirlwm y misoedd tywyll. Trodd Hugh ar ei ystlys gan osod ei fraich amdani'n drwsgwl o dan y carthenni. Fel yntau, daliai i wisgo'i hiwnifform, y defnydd crafog yn cosi'i fraich.

Doedden nhw ddim wedi caru eto. Ar gyrraedd trothwy'r ystafell wyrgam gyda'i thrawstiau du-a-gwyn isel, roeddent wedi cofleidio'n angerddol fel pe baent am larpio'i gilydd yn fyw yn y man a'r lle. Roedd Ceirwen wedi codi'i sgert at ei chanol ac roedd bysedd Hugh wedi ymbalfalu'n anfedrus ar draws y llain waharddedig o gnawd noeth rhwng pen ei hosan a lastig ei blwmar.

Gwingodd hithau o dan ei fysedd – ond nid mewn pleser.

"Brensiach y bobol bach! Mae'ch bysedd chi fel rhew."

"O... o... mae'n ddrwg gen i. Yndi, mae hi'n oer braidd. Efallai dylen ni fynd i'r gwely i gynhesu ychydig yn gynta."

A dyna a fu. Bu'r ddau'n gorwedd yn llonydd yn eu dillad o dan y canfasau gan ddal dwylo. Yn y pellter gallent glywed llif yr awyrennau bomio yn dychwelyd o'u cyrch beunosol, sŵn eu peiriannau'n peri i'r gwareli ruglo ac i'r trugareddau janglo ar y silff uwchben y lle tân oer.

"Ydach chi'n iawn?" gofynnodd Hugh gan wasgu'i llaw.

"Yndw. Ydach chi?"

"Yndw."

Plethodd Ceinwen ei bysedd gwt yn dynnach am ei fysedd hirion yntau.

Daeth cwsg yn rhwydd i ddau enaid mor flinedig. Deffrodd Ceinwen ryw awr neu ddwy'n ddiweddarach.

Am ychydig doedd dim clem ganddi lle'r oedd hi. Brawychodd – roedd rhyw un yn y gwely hefo hi. Wedyn, cofiodd: gyrru o'r maes awyr i'r dafarn ger yr afon; eistedd a siarad o flaen y tân coed; chwerthin wrth glywed un o'r hen fois lleol yn cyfeirio atynt a'u hiaith estron – *"reckon them 'll be with the Polish squadron over at Rushbridge..."*

Roeddent wedi siarad nes bod y dafarn yn wag a'r tân nemawr fwy na lludw cochlyd yn wincio'n bŵl ar yr aelwyd. Buont yn siarad am bopeth, am bobl, am leoedd, am ofnau, dyheadau, y gorffennol, y presennol a'r dyfodol. Doedd yr un ohonynt wedi siarad â neb fel hyn o'r blaen. Pe baent wedi tynnu amdanynt yn y fan a'r lle ni allent fod wedi ymddinoethi'n fwy.

O'r diwedd, daeth gwraig y dafarn atynt i glirio'r gwydrau, dynes gydnerth, brydferth â'i llygaid dyfrllyd yn llawn hiraeth am ei gŵr a oedd y noson honno mewn gwersyll carcharorion rhyfel rywle yn Silesia. Roedd hi'n genfigennus o'r ddau yma a brwdfrydedd eu sgwrs, eu chwerthin a'u difrifoldeb, er na ddeallai'r un gair wrth gwrs. Roedd pob ystum ac ymateb agos-atoch rhwng y ddau'n atgas ganddi, yn dân ar ei chroen, ond gwyddai bwysigrwydd cynnal fflam a chynnal cariad ar noson ddu.

"*I've got a room,*" meddai mor ffwrdd-â-hi â phe bai'n cynnig paned o de.

"*How much?*" oedd cwestiwn difeddwl Hugh.

Amdana i neu'r ystafell, meddyliodd Ceinwen, ac wedyn sylweddoli nad oedd y dyn ond yn adleisio cywair ffwrdd-â-hi y lletywraig. Mae'n debyg bod y pris yn iawn, beth bynnag, achos cyn pen dim roeddent yn dringo'r grisiau serth anwastad, gan afael yn yr hen raff arw rhag i ansicrwydd eu camau ffwndrus eu hyrddio'n bendramwnwgl yn ôl i'r gwaelodion drachefn.

Rhyfedd eu bod nhw heb 'i neud o hefyd, meddyliodd. Roedd hi'n barod amdani, yn ei flysio go-iawn hyd yn oed, ond rywsut ar ôl dod i'r gwely roedd cymysgedd o flinder ac alcohol wedi mynd yn drech na nhw. Yn y bore hwyrach, meddyliodd eto wrth iddi ddechrau colli gafael ar y byd o'r newydd. Ond bod rhaid iddyn nhw fod yn ôl ar y maes erbyn wyth. Efallai na fydden nhw byth yn ei wneud o. Hwyrach nad oedden nhw i fod i'w neud o... Serch hynny, teimlai'n union fel pe bai hi newydd 'i neud o hefyd. Aelodau'i chorff yn swrth a chlymau'i meddwl wedi ymddatod am y tro cyntaf ers hydoedd... Teimlai'n ddiogel... yn gyfforddus... yn hollol gyfforddus... Rhyfedd meddwl iddi gael cymaint o grysh arno fo hefyd... dydi o ddim byd arbennig... ond mae hyn yn hyfryd... yn gyfforddus braf...

Ac wedyn llithrodd yn ôl yn ddiymdrech i ddyfroedd claear ei chwsg heb symud blaen ei bys tan y bore.

40

Anhunedd a blagiai Hugh, a hynny ers misoedd bellach. Wedi hedfan dros ddeg ar hugain o gyrchoedd erbyn hyn, a'r tebygrwydd o oroesi rhagor yn denau, roedd ei nerfau wedi'u hymestyn fel tannau rhyw delyn ddieflig, a fyddai'n ei fwrw i fyny ac i lawr fel trampolîn o ddydd i ddydd nes bod ymlacio'n amhosib.

Am ba hyd y daliai'r tannau hyn dan y pwysau? Eisoes roedd yna ryw blycio parhaus yn ei lygad chwith a chryndod diderfyn yng nghrombil ei ymysgaroedd.

Ac eto pan fyddai'n mynd y tu ôl i lyw ei awyren a'i ofn yn stwmp ar ei stumog, deuai rhyw hwb nefolaidd o rywle, fel chwistrelliad cyffur i'w wythiennau cyn gynted ag y byddai'r *controls* yn dechrau ymateb, ac yn ddi-ffael, wrth godi i'r awyr, profai'r un wefr ag y cawsai y tro cyntaf iddo hedfan ac fe barai yn y cyflwr perlewygus hwn yr holl ffordd i'r targed a dim ond wedyn y byddai'r rhith yn diflannu a'r realaeth yn tra-arglwyddiaethu o'r newydd.

Dial a diléit – roedd yn gyfuniad pwerus. Y diléit o hedfan a'r awydd i ddial am yr holl a welsai yn Sbaen – y bomio didrugaredd, sinigaidd, y doliau clwt o blant yn y llwch, yr hen bobl ddryslyd, ddioddefus yn ceisio amgyffred eu colledion wrth syllu'n annirnad ar adfeilion eu cartrefi, y mamau'n wylo'n ofer am eu plant a'u hanwyliaid, y cŵn yn cario aelodau cyrff yn llechwraidd o weddillion y tai.

Caledu'n garn fu hanes Hugh yn Sbaen, ei addfwynder

blaenorol wedi diferu ohono gyda'r chwys a dasgai o bob twll yn ffwrneisi brwydr Brunete ar gyrion Madrid. Hon fyddai ei frwydr fawr gyntaf ac olaf yn y rhyfel hwnnw.

Lle digon dymunol oedd Brunete ar yr olwg gyntaf – ardal braf ar gyfer taith ar gefn beic pan ddeuai heddwch eto, meddyliodd. O'r llethrau uwchben y dyffryn gellid gweld lle y llifai dwy afon rhwng torlannau helygog – yn wyrdd, yn llachar ac yn wahoddgar bron. Edrychai'r gwastadedd â'i bentrefi'n sgleinio yn haul y bore yn fangre ddigon clên a phwrpasol at ddibenion lluoedd y Weriniaeth – sef ymosod yn gryf er mwyn tynnu'r pwysau oddi ar bobl ddewr gwlad y Basg yn y gogledd a sigo ymwthiad y Ffasgwyr tua Madrid.

Ond wrth symud o'r bryniau cafwyd mai twyll oedd y cyfan, bod y tir yn hollol ddidostur a diloches. Cyn pen dim roedd glaswellt y caeau'n wenfflam a chodai'r tymheredd yn uwch ac yn uwch drwy'r dydd hyd oni throwyd y wlad yn uffern ar y ddaear yn llythrennol. Byddai'r gwirfoddolwyr dibrofiad yn y catrodau rhyngwladol yn gwagio cynnwys eu poteli dŵr o fewn dwy awr gan ddioddef yn enbyd o'r herwydd. Yn fuan iawn aeth pethau o chwith i'r Weriniaeth.

Llafuriodd Hugh a'i gymheiriaid yn ddiorffwys ymhlith y clafedigion a'r lleiddiaid. Cael y rhai a oedd wedi'u clafychu o gyffiniau'r brwydro cyn gynted ag y bo modd oedd y gamp; dyna'r ffordd orau i arbed bywydau ac osgoi cymhlethdodau clinigol. Roedd gan y Ffasgwyr or-uchafiaeth lwyr yn yr awyr a byddai'r confois meddygol yn ôl i'r theatr lawfeddygol mewn ceunant ddofn ar wely afon Guadarrama a'r theatr ei hun yn darged cyson. Bu'r colledion ymhlith y staff meddygol yn druenus o drwm.

Dan liw nos y byddai'r confois yn rhedeg gan amlaf, ond weithiau, doedd dim dewis ond ei mentro gefn dydd golau. Un bore roedd yr ambiwlans o flaen cerbyd Hugh wedi diflannu mewn pelen o dân o flaen ei lygaid yn ystod ymosodiad o'r awyr. A dyna ddiwedd ar Toby. Ni chafodd Hugh erioed wybod cyfenw'r dyn ffeind hwn, y cyw-ddoctor y bu'i galon yn gwaedu cymaint dros anfoesoldeb pob rhyfel. Toc ar ôl hynny roedd Hugh ei hun wedi torri'i goes ar ôl neidio am loches yn ystod ymosodiad cyffelyb a daeth ei ryfel yn Sbaen i ben.

Ochneidiodd Hugh a thyrchu'n ddyfnach i ystlys Ceinwen yn y gobaith o gael ychydig bach mwy o wres. Caeodd ei lygaid...

...a dyna lle'r oedd o wrth lyw ei awyren uwchben yr Almaen ac roedd hi'n hollol dywyll ac yn hollol dawel, dim smic o'r criw, dim fflac, dim chwiloleuadau, dim adar hela yn sleifio o dan fol diymgeledd ei awyren, rhu'r peiriannau wedi'i ddistewi. Gleidio ydoedd fel gwylan uwch Porth Neigwl neu foda uwchben Carn Fadryn... ond yn ddisymwth roedd o mewn clwstwr o chwiloleuadau a'r rheini'n ei ddallu'n llwyr, roedd yr injans yn sgrechian, y fflac yn blodeuo ac yn ffrydio o'i gwmpas a heidiau helgwn y *Nachtjagd* – helfa nos y *Luftwaffe* – yn gwibio o bob cwr i'w erlid. Gwthio i lawr ar y stic... a bron iddo syrthio o'r gwely. Clywai guriad yn ei arlais a chwys yn pigo'i gledrau a'i dalcen er gwaetha'r ffaith fod ei ystlys chwith fel talpyn o rew. Daliai Ceinwen i feddiannu canol y gwely, ei chwsg yn fytholbarhaus i bob golwg.

Roedd y lleuad wedi mynd erbyn hyn a doedd dim sôn eto am y wawr. Twriodd Hugh i gynhesrwydd Ceinwen a theimlo ymchwydd ei mynwes o dan ei law. Llifodd yr ysfa drwyddo a dechreuodd fwytho'i bron feddal o dan y *battledress* garw. O'r diwedd dechreuodd Ceinwen ymateb iddo gan grintachu'n anfoddog braidd yn ei chwsg ar y dechrau, ond gallai Hugh glywed bod ei hanadl yn dod yn gynt, fel eira'n dechrau pluo'n drymach, drymach, ac yn sydyn roeddent yn caru.

Yn sydyn, fe'i cafodd ei hun yn syrffio ar ryw don ddiwrthdro o emosiwn. Roedd delweddau ac atgofion yn tasgu'n ddiatal drwy'i feddwl. Ceisiodd eu gwrthsefyll i ganolbwyntio ar bleserau'r cnawd, ar gyffro cyfyng y lledddadwisgo a brwdaniaeth yr ymateb oddi tano. Ond wrth i Ceinwen ddechrau lleisio'i hangerdd yn ei Chymraeg croyw, deffrowyd ynddo'r fath ymdeimlad o golled a hiraeth am ei hen gartref, am ei Gymru ddelfrydol, am y weledigaeth bêr, ddiniwed a fu ganddo ac a garthwyd ohono gan farbareiddiwch yr oes. Pe deuai'n ôl o'r gad yn fyw fe briodai â hon a magu llond tŷ o Gymry bach, heini... Rhodient draethau euraid y penrhyn gan ddilyn llwybr tanbaid y machlud dros y swnt i Enlli. Rhedent yn noeth i'r môr er mwyn marchogaeth y ceffylau gwynion. Gallai flasu oglau'r heli a theimlo gwres y pridd dan wadnau'i draed... lle i enaid gael llonydd... ac roedd ei enaid yntau wedi dyheu am y llonydd hwnnw erioed; yn dal i ddyheu amdano o waelod ei galon. Roedd yn ymestyn amdano'n awr, fel pe bai ar bigau'i draed yn ymestyn am y sêr... yn ymestyn amdano â'i holl nerth...

41

Roedd Hugh wedi dychwelyd o'r llanast yn Sbaen yn gynnar ym 1938 i Loegr a ddaliai i hepian yn haul hwyr prynhawn rhyw Sul tragwyddol; gwlad a syniai am yr helyntion dros y dŵr fel pe na baent ond taran yn y mynyddoedd nad oedd diben poeni yn ei chylch.

Heb unman penodol i fynd, cyfeiriodd ei ffyn baglau o Plymouth lle y glaniodd ar ôl mordaith anghyfforddus ar y naw mewn llong nwyddau rydlyd, hynafol, yn ôl i Rydychen gan obeithio ailgysylltu ag Alun Litherland. Ond pan aeth i'w lety, doedd dim sôn amdano a neb fel pe bai'n gwybod lle'r oedd o. Byddai'n rhaid iddo fynd ar drywydd rhai o'i gymheiriaid, ond doedd ganddo ddim awydd gwneud hynny'n syth. Teimlai'n hollol ddiamcan, a dechreuodd golli amynedd ag ef ei hun a'r byd o'i gwmpas.

Herciodd allan o Cowley ac yn ôl i ganol y ddinas i weld be welai. Ar gyrraedd canol y dre a thyrau'r colegau'n codi'n goedwig ar bob tu, fe'i trawyd yn syth mor afreal oedd y syberwyd academaidd, bwrgeisiol yma yn sgil golygfeydd dirdynnol y rhyfel cartref yn Sbaen. Teimlai'r dicter yn codi ynddo a chyflymodd ei hynt ar y ffyn baglau nes bod ei freichiau'n gweithio fel pistonau injan stêm a'r ffyn yn clecian fel gweill prysur ar hyd y pafin.

Roedd yn ymwybodol o ambell ben yn troi wrth iddo sbydu heibio fel rhyw grëyr ar bigau. Yn ffodus bu'r toriad yn ei goes yn un glân ond byddai'n ei boeni am weddill ei oes, gan bylu i ryw wayw gwantan fel curiad drwm o hirbell na fyddai byth yn distewi'n llwyr.

Erbyn cyrraedd Gloucester Green roedd y boen wedi cynyddu fel y gwnâi bob tro y byddai'n hercio'n rhy ffyrnig fel hyn. Pwysodd yn erbyn y wal i gael ei wynt ato a theimlodd chwys yn mwydo'i grys.

Edrychodd o'i amgylch. Doedd ganddo ddim syniad lle'r oedd yn mynd. Sylweddolodd ei fod yng nghyffiniau'r man lle y cawsai hyd i Ilse ar y pafin yr adeg y bwriwyd hi i lawr ac yntau ar ei ffordd i'r orsaf i ddal trên er mwyn achub Cymru.

Doedd o ddim wedi meddwl am Ilse ers amser maith; doedd o ddim yn gallu cofio meddwl amdani o gwbl tra oedd yn Sbaen, ac eto, roedd yn ymwybodol hefyd nad oedd wedi anghofio amdani fel y cyfryw, ei bod yno, yn bresenoldeb parhaus yng nghrombil y cof, gan nofio i'r wyneb yn ei freuddwydion weithiau – dan rith rhywun hollol wahanol ar adegau, ac eto gwyddai'n iawn mai hi oedd yno. Ond dyma'r tro cynta iddi lenwi'i fryd yn llwyr gan wthio pob dim arall o'i ben dros dro.

Fe'i gwelai o'i flaen yn awr, mor hoenus ac mor annwyl, yn union fel y'i cofiai y tro cyntaf iddo'i gweld yn y siop lyfrau ym München, yn sgwrsio â'r llyfrwerthwr, a'i chwerthin soniarus yn llenwi'r awyr.

Bellach roedd yna rymoedd ar gerdded a oedd am roi taw ar y chwerthin hwnnw a chwerthin holl Iddewon Ewrop am byth, pe caent rwydd hynt i wneud hynny.

Pe bai'n ei gweld hi eto, gallai ddatgan â balchder wrthi iddo weithredu yn erbyn y grymoedd hynny – er y bu'r gweithredu'n ofer; a'r frwydr yn drychinebus o unochrog. Ond roedd wedi gweithredu, ac nid chwarae bach â chenedlaetholdeb Cymreig y tro hwn, ond herio'r düwch a herio'i ofnau dyfnaf ei hun – yr ofn nad oedd ganddo

ddigon o iau i weithredu, yr ofn nad oedd ganddo ddigon
o argyhoeddiad i wneud dim byd.

Yn ei feddwl, dychmygai ddweud hyn wrth Ilse. Gwelai'i
llygaid yn llenwi â dagrau o falchder ac edmygedd.

Pwysodd Hugh yn lletchwith ar ei goes wael a chwalwyd
ei ffantasi ddiniwed gan follt o boen a saethodd o'i ben-
glin i'w gefn ac ar draws ei war. Tuchanodd gan faglu'n ôl
yn erbyn y wal. Caeodd ei lygaid gan deimlo rhyw frychni
chwyslyd yn pigo o'r newydd ar draws ei dalcen.

Arwr o ddiawl! Doedd o ddim hyd yn oed yn gwybod
lle'r oedd Ilse Meyer, y ffoadures fach, ifanc ac ofnus a
oedd wedi ymddiried cymaint ynddo. Efallai ei bod wedi
marw; neu efallai fod ei rhieni wedi ymuno â hi erbyn
hyn a'u bod wedi hwylio i America neu'n byw mewn fflat
yn Llundain neu Leeds. Tybiai na welai hi fyth eto, ac yn
sydyn roedd hyn yn ei dristáu.

"Hugh?"

Agorodd ei lygaid.

"Hugh? Ti sy 'na, yntê? Sut wyt ti? Lle gest ti'r lliw haul
godidog 'na?"

Pefriai llygaid Sophia Quintavalla wrth iddi fwrw golwg
gymeradwyol drosto, ei balchder o'i weld yn amlwg.

"Eitha, diolch. Dwi… wedi bod i ffwrdd… Ylwch, dwi'n
meddwl bod arna i rywfaint o rent i chi. Tydi hi ddim yn
broblem. Penderfynu gadael ar frys wnes i ac anghofio
amdano… Mi alla i setlo â chi rŵan hyn…"

"Hidia befo'r rhent, ddyn! Be da wyt ti'n Rhydychen?"

Tynnodd ei hanadl yn ddramatig, gan gogio sylwi ar y
ffyn baglau am y tro cynta.

"Ac wedi dy frifo hefyd! Hugh fach, beth yw dy hanes?"

Edrychodd Hugh o'i gwmpas yn ffwndrus. Doedd o
ddim eisiau dweud ei hanes, ond roedd arno arian i
Sophia ac mi roedd ei gwên yn wahoddgar, ac yn sydyn

cofiodd am oglau coffi bendigedig yr Eidales yn ffrwtian ar y stôf yn ei thŷ. Gallai ei glywed yn ei ffroenau'n barod.

"Oes siawns am baned o'ch coffi chi?" meddai'n ddiniwed i gyd.

Bu Hugh yn lletya yn ei hen lodjin am saith mis ac am ryw fis tua diwedd y cyfnod hwnnw bu ef a Sophia Quintavalla'n gariadon.

Ni ddywedodd y gwir am ei liw haul. Dyfeisiodd ryw stori am fod hefo'i frawd yn Ffrainc a'i fod wedi cael codwm o'i geffyl gan dorri'i goes. Talodd ei ddyledion yn llawn a'i rent ymlaen llaw am chwe mis. Roedd Sophia ar ben ei digon.

Yn yr haf ymunodd â'r RAFVR, yn benderfynol o ddysgu hedfan ac o daro'n ôl pan ddeuai'r dydd. Dewisodd y llu wrth gefn rhagor na'r RAF ei hun oherwydd bod y gwasanaeth llawn-amser yn nodedig am ei snobyddiaeth a thueddiadau asgell dde amryw o'i swyddogion.

Yng nghanol helbul Argyfwng Munich ym mis Medi 1938, dychwelodd Hugh ar ôl sesiwn hyfforddi dros benwythnos yn Hendon, i'r tŷ yn Stryd Sant Ioan. Roedd y ffyn baglau wedi hen fynd ac erbyn hyn gallai gerdded heb fawr o herc. Gwisgai'i iwnifform newydd nad oedd yn tynnu dim o'i wedd olygus. Wrth iddo agor y drws dyma Sophia'n rhuthro ato'n gorwynt o'r gegin, ei gwallt dros ei dannedd dan ubain crio.

"Hugh! Hugh! Roedden nhw'n deud yn y sinema bod rhaid i ni gael masgia nwy. Mae Hitler yn mynd i ddechrau bomio cyn y penwythnos…"

Tagodd ar ei dagrau a chladdu'i phen yn ei fynwes fel plentyn ofnus. Ystyriodd Hugh y tresi moethus. Gallai glywed oglau chwys ei braw yn y llywethau tywyll yn gymysg ag arlliw o frandi ar ei hanadl. Hongiai'i freichiau'n llipa wrth ei ochr o hyd yn dilyn yr hyrddiad cynta. Yn betrusgar ac yn drwsgwl, cododd ei law dde a dechrau mwytho'r gwallt tywyll. Roedd rhywbeth yn y sgegian truenus yma a chryndod ei hysgwyddau a gydiai ym myw ei enaid. Teimlai ddagrau annisgwyl yn llosgi yn ei lygaid yntau ynghyd â rhyw awydd i fwrw gorchudd ymgeleddol dros ei ddoddefaint, fel blanced dros blentyn yn y crud.

"Bydd hi'n iawn," sibrydodd sawl gwaith. Geiriau gwag. Ni ddisgwyliai'r un bom i ddisgyn cyn y penwythnos hwnnw na'r penwythnos wedyn na'r un ar ôl hynny hyd yn oed, ond mi fyddent yn dechrau disgyn ryw ddydd cyn bo hir. Yn Llundain roedd wedi gwylio wrth i ddegau o weithwyr lafurio i baratoi ffosydd yn y parciau, wrth i'r bobl gerdded heibio heb fedru amgyffred yr hyn oedd yn digwydd, y plant yn chwilfrydig, y rhan fwyaf o'r oedolion heb edrych i'r dde na'r aswy. Hyn oll tra awgrymai'r *Times* nad drwg o beth fyddai gadael i Sudetenland gael ei hymgorffori yn yr Almaen wedi'r cwbl, a thra datganai'r *Daily Express* ei ffydd ddi-sigl yn Mr Chamberlain; beth bynnag a wnâi, rhaid oedd ei gefnogi.

Roedd y cyntedd yn dywyll. Roedd oglau llefrith llosg i'w glywed o'r gegin. Cododd Hugh ei law chwith a chofleidio Sophia'n dynn. Trodd hithau'i llygaid ato, yr ofn yn cilio rhywfaint, yn cael ei ddisodli gan ryw lawenydd annisgwyl. Ni allai Hugh gwrdd â'i threm. Dechreuodd Sophia gusanu'i ên a'i fochau, gan ei gwasgu'i hun yn dynnach, dynnach yn ei erbyn. Teimlai Hugh ddafnau ar ei gnawd, a blas hallt ar ei wefusau.

"O, Hugh… achub fi! Achub fi!"

A bu'n rhaid iddo wneud.

Difyrrwch dros dro mewn cyfnod dryslyd a llai nag anrhydeddus yn hanes y wlad oedd carwriaeth Hugh a Sophia. Roedd Hugh yn prysur hyfforddi i fod yn beilot ac yn ceisio helpu rhai o'r ffoaduriaid o Sbaen a Ffrainc a oedd yn ceisio dianc i Brydain yn sgil dymchwel y Weriniaeth. Cataloniaid oedd y mwyafrif ohonynt a oedd wedi ffoi rhag nerth ymosodiad terfynol Franco gan gael eu bomio bob cam o'r ffordd.

Llwyr eu tinau'n unig, dyma'r Ffrancwyr yn agor y ffin i'r llif carpiog yma, gan eu carcharu mewn gwersylloedd gorlawn ac afiach. Treuliai Hugh ei ddyddiau ar y ffôn yn ceisio drwy bob dull posibl i hwyluso mynediad rhai o'r trueiniaid hyn i wledydd Prydain.

Dim ond yn awr y deallai wir ystyr bod yn ffoadur, a'i holl oblygiadau i hyder, sicrwydd a hunan-barch yr unigolyn. Cywilyddiai drachefn a thrachefn wrth feddwl am y ffordd lugoer a di-weld roedd wedi ymateb i sefyllfa Ilse pan gyrhaeddodd gynta – hyd yn oed pan oedden nhw'n gariadon. Bu'r cywilydd yma'n sbardun iddo ymdrechu'n galetach fyth yn yr achos diweddaraf hwn.

Yn hollol luddedig, dychwelai i freichiau croesawus Sophia bob nos lle y câi fwrw'i flinder a'i rwystredigaeth cyn ailafael yn y dasg dan law drannoeth.

Roedd Sophia'n falch o'r cwmni a'r sylw ac o gael cyfle i ofalu amdano am sbel, ond fe'i câi'n greadur ang-hyffwrdd ac yn hynod amddiffynnol ar adegau, a gwyddai o'i hir brofiad yn y materion hyn mai byrhoedlog fyddai'u hymwneud â'i gilydd. Ond mi oedd hi'n chwilfrydig i wybod mwy am y bachgen. Teimlai fod ei dawedogrwydd achlysurol yn cuddio dyfnderoedd mawr a byddai'n dda ganddi pe gallai fod wedi cael cipolwg ar yr hyn a ferwai y tu mewn.

Fe'i holai am Ilse.

"Wnest ti adael Ilse yng Nghymru, 'te?"

"Do."

"A dim mynd yn ôl ati hi?"

"Naddo. Roedd hi'n hollol ddiogel. To uwch ei phen a'i gwala a gweddill o fwyd am ddim." Ceisiai swnio'n ddiddaro ond heb daro deuddeg.

"Hugh! Mae hynna'n beth ofnadwy i'w wneud."

Dim ateb.

"Ac rwyt ti heb fod yn ôl?"

"Aeth hi i ffwrdd ar ei liwt ei hun. Dim fi yrrodd hi i ffwrdd. Mi driais i fynd ati ond ro'n i'n rhy hwyr. Roedd hi eisoes wedi gadael." Teimlai'n swp sâl wrth hel esgusion fel hyn.

"I ble?"

"Dwi ddim yn gwybod. Wnaeth hi ddim dweud. Roedd hi'n gwrthod dweud."

"Wnest ti ddim trio'i rhwystro hi?"

"Do... dywedais i, on'do? Mi es i... adra... ond roedd hi'n rhy hwyr."

"Oeddet ti'n ei charu?"

Bu saib.

"Oeddet ti..." dechreuodd Sophia o'r newydd.

"Dwi ddim yn gwybod. Yli, dwi wedi blino... Rhaid imi fynd i Southampton fory." Roedd ei lais yn dawel ond roedd y neges yn ddigamsyniol a throdd ei gefn ati a thynnu'r dillad yn dynn am ei glustiau.

"Ai dyna pam wyt ti'n gweithio mor galed dros y bobl o Sbaen, 'te? Euogrwydd ar ôl cefnu ar Ilse?"

Dim smic – ac wedyn, yn anfoddog.

"Yn rhannol... efallai."

Gorweddodd Sophia yn y tywyllwch gan syllu ar y pentwr a fudlosgai yn y gwely wrth ei hochr. Roedd hwn wedi'i glymu bob siâp y tu mewn, mae'n rhaid, ac roedd hi'n rhy hen erbyn hyn i ddechrau meddwl am ddatod yr holl glymau fesul un. Doedd dim amser beth bynnag, efallai y byddai bom Almaenig yn eu lladd ill dau cyn bo hir. Waeth iddi fwynhau'r hyn a allo tra gallo – roedd ei thŷ a'i gwely'n llai unig hefo Hugh o gwmpas. Ella y deuai'r bom 'na cyn iddi gael cyfle i ddechrau edifarhau'r tro hwn.

Pan alwodd Ilse heibio i Sophia yn ystod ei hymweliad byrhoedlog â Rhydychen ar ddechrau 1939, doedd Hugh ddim yn byw yn y tŷ bellach. Roedd wedi symud allan cyn y Nadolig. Cyhoeddiad cwrtais ond diwyro un bore dros frecwast. Erbyn y nos roedd ei bethau wedi mynd a neb yn ddiciach.

Penderfynodd Sophia beidio â dweud dim am yr hyn a fu rhyngddi a Hugh wrth Ilse. Pa les a wnâi iddi gael gwybod am y fath beth? Roedd eisiau cynnal gobeithion yn ei sefyllfa hi. Hwyrach pe bai llwybrau Hugh ac Ilse'n croesi eto y byddai Hugh ei hun yn sôn amdani, er bod Sophia'n amau hynny'n fawr.

Beth bynnag, am y tro aeth Sophia ati i nyddu rhyw stori fach ddiniwed am Hugh yn galw'r diwrnod cynt. Doedd hynny ddim mor bell o'r gwir. Roedd Hugh yn dal i fod yn Rhydychen ac roeddent wedi pasio'i gilydd ar y stryd, ill dau ar frys a heb sylweddoli'n iawn pwy oedd yno, ond cofiodd Sophia weld fflach yr adenydd peilot newydd ar ei frest, ac felly dyma hi'n cynnwys y manylyn hwnnw yn ei stori i Ilse.

A pham lai rhoi hwb pellach i Ilse drwy ddweud bod Hugh yn siarad yn ddi-baid amdani? Efallai y byddai hynny o gymorth iddi ryw ddiwrnod wrth geisio torri'r ias. Ym marn Sophia, dyna yr hoffai Hugh ei wneud, siarad am Ilse, ond fiw iddo oherwydd yr holl euogrwydd.

Ond yr hyn na wyddai Sophia nac Ilse oedd bod Hugh wedi gweld Ilse yn mynd at eu hen lety yn Stryd Sant Ioan.

Ac yntau newydd glywed bod Prydain wedi cydnabod llywodraeth Franco yn Sbaen, roedd angen cysur cnawdol a mwythau Sophia ar Hugh i dynnu'r colyn o'r gynddaredd a wingai y tu mewn iddo. Er ei ymadawiad disymwth, teimlai'n weddol hyderus na châi ei wrthod gan Sophia.

Roedd hi'n noson oer a'r gwynt yn fain iawn. Hel meddyliau am yr ysbyty ger y Pyreneau ydoedd wrth ddynesu at y tŷ. Yn sydyn yng ngolau'r stryd, fe'i gwelodd.

"Ilse!" sibrydodd gan stopio'n stond.

Digon tywyll oedd y rhan o'r stryd lle y safai a doedd dim rhaid iddo encilio ymhellach i'r cysgodion. Gallai wylio heb ofn cael ei weld. Pam fod Ilse yn sefyll mewn ffrog laes a'i breichiau'n noeth ar noson mor rhynllyd? Edrychai'r breichiau'n deneuach nag y cofiai hefyd. Yn rhy denau. Ar y dechrau, nid oedd yn ymddangos fel pe bai neb yn mynd i ateb y drws, a theimlodd ei hun yn ymbaratoi i gamu ymlaen i siarad â hi. Ond wedyn, roedd y drws yn agored a gallai weld Sophia ar y rhiniog a chlywodd ei chyfarchiad croesawus. Aeth Ilse i mewn a chaewyd y drws drachefn.

Daeth Hugh o'r cysgodion gan gerdded cyn belled â'r grisiau a arweiniai at y drws. Pe bai'n cnocio wrtho rŵan, be fyddai'i hanes wedyn? Ond fedrai o fyth wneud hynny yng ngŵydd Sophia. Byddai'n rhaid iddo aros nes deuai Ilse allan o'r newydd.

Cafodd hyd i lecyn bach rhwng waliau dau adeilad lle y gallai bwyso'n ôl allan o ddannedd y gwynt ac o wthio'i ben allan bob hyn a hyn, medrai weld pryd y byddai Ilse'n gadael. Yn ei feddwl, ceisiodd lunio gwahanol areithiau i dorri'r garw pan welent ei gilydd. Llifodd yr adrenalin fel y llifai ar faes y gad yn Sbaen a cheisiodd anadlu'n ddwfn fel y byddai'i lais o dan reolaeth pan ddeuai hi i'r fei.

Aeth awr heibio a daliai'r golau i losgi uwchben y drws ffrynt. Gwyddai fod Sophia'n cadw'r golau hwnnw ynghynn nes iddi fynd i'r gwely. Roedd ei gorff wedi cyffio'n lân erbyn hyn a'r hen goes yn dechrau gwyniasu'n arw fel pe bai llygoden fawr yn cnoi ar yr asgwrn. Gwibiai'i feddwl yn ôl i'r brwydro. Caeodd ei ddyrnau a'i lygaid yn dynn gan geisio ymwrthod â'r delweddau anhyfryd. Ceisiodd feddwl am hedfan; ceisiodd feddwl am Borth Neigwl ar ddiwedd diwrnod hirfelyn tesog o haf; ceisiodd feddwl am Ilse yn nofio yn afon Cherwell; yn cerdded yng ngerddi Plas y Morfa; yn chwerthin yn yr eira yn yr Almaen... ond mynnai wyneb mam y baban marw, a'r milwr ifanc heb ei goesau, a'i gyfaill Toby a wynebau degau o rai eraill darfu ar bob dim. Aeth ei ben yn garwsél gwyllt o ddelweddau'n ymladd am y lle blaenaf...

A phan agorodd ei lygaid nesa, roedd yr oerni'n gafael ynddo fel crafanc a'r llygoden fawr bron wedi gorffen cnoi'i ffordd drwy'i goes. Sythodd ei hun yn boenus gan sbecian draw am ddrws tŷ Sophia. Llamodd ei galon. Roedd y llusern uwchben y trothwy wedi'i ddiffodd. Naill ai roedd Ilse'n noswylio yno neu roedd hi wedi diflannu eto.

Symudodd o'i guddfan, ei goes yn sgrechian bob cam o'r ffordd. Safodd am ennyd o flaen y tŷ cyn troi ar ei sawdl a brasgamu i lawr y stryd, yr herc yn fwy amlwg nag y bu ers tipyn.

42

Tra ymlafnai Hugh dros fuddiannau broc dynol rhyfel cartref Sbaen gan geisio sgwrio pob atgof o'i wyliadwriaeth seithug yn Stryd Sant Ioan o'i gof, roedd Ilse wedi dychwelyd o'i gwibdaith i ganolbarth Lloegr, a'i hysbryd yn dra isel, ac erbyn hyn roedd ynghlwm â'r paratoadau i groesawu rhai o'r *Kindertransport*, y plwc olaf o ran cydwybod llywodraeth Prydain wrth dderbyn rhai o'r plant a'r bobl ifanc oedd ar ffo rhag Hitler cyn i'r *Blitzkrieg* dorri yng Ngwlad Pwyl ar ddiwedd yr haf. Cartref newydd y ffodusion hyn fyddai castell gothig ei naws a godwyd gan foneddigion Oes Fictoria ar arfordir gogledd Cymru, ac yn y lleoliad annhebygol yma, byddai teuluoedd Iddewig o Fiena, Prâg, Berlin a mannau eraill ledled yr ymerodraeth Natsïaidd newydd yn llochesu gan sefydlu *Hachschara* – meithrinfa i'r Israel newydd.

Ond prin y câi Ilse ryw foddhad o wybod hynny. Roedd y lle yn oesol fudur ac yn gyntefig o ran ei gyfleusterau, heb na chyflenwad dŵr na thrydan. Bu'n sgrwbio'r lloriau am wythnos gyfan ond dalient i ymdebygu'n fwy i feudy na phlasty heb sôn am feithrinfa'r Israel newydd.

Roedd ei migyrnau'n waedlyd ac yn llosgi ddydd a nos lle y bu iddi'u sgriffinio drwy'r adeg yn erbyn y cerrig anwastad. Am y degfed tro y bore hwnnw collodd ei gafael ar y brwsh bach a dyna fo'n sgathru i'r gongl bellaf. Ochneidiodd gan godi ar ei thraed i'w nôl. Roedd y brwsh wedi diflannu o dan y cwpwrdd trwm ochr draw yr ystafell. Aeth Ilse i lawr ar ei phennau gliniau i sbio i'r hafn tywyll rhwng gwaelod y celficyn a'r llawr. Doedd y brwsh ddim wedi mynd yn rhy bell ond wrth iddi ymestyn amdano dyma hi'n gweld y ddwy lygad sgleiniog wrth ymyl y sgyrtin. Neidiodd yn ôl ar ei thraed dan sgrechian. Saethodd y llygoden fawr o'i chuddfan gan ei choedio hi ar draws llawr y gegin ac allan drwy gil y drws. Rhuthrodd Ilse draw at y drws gyda'r bwriad o'i gau'n dynn rhag ofn y deuai'r sglyfaeth yn ei hôl, ond er mawr syndod a dryswch iddi roedd rhywbeth yn gwthio yn ei herbyn fel na allai'i gau.

Sgrechiodd eilwaith dan weiddi'n uchel.

"Laß mich in Ruhe!"

Meddyliai rywsut fod gan y llygoden fawr ddigon o nerth i wthio'r drws yn agored yn ei herbyn. Roedd ei gweiddi'n mynd yn fwyfwy aflafar a dychrynllyd wrth iddi golli'r frwydr yn erbyn y grym yr ochr draw i'r drws. Yn y pen draw, aeth y grym arall yn drech na hi ac wrth gamu'n ôl baglodd dros y bwcedaid o ddŵr sebon budur. Aeth tonnen fawlyd ar daen i'r pedwar ban a bu bron iddi fynd yn blatsh ar ei thin i'w chanol ond fe'i daliwyd rhag syrthio gan law y sawl a wthiai yn ei herbyn.

"O, mae'n flin gen i, *miss*… doedd gen i ddim syniad be oedd y tu ôl i'r drws. Ro'n i'n meddwl ei fod o'n sownd rywsut. O, sbïwch y llanast dwi wedi'i neud ar ych llawr."

Aeth y dyn draw a chodi'r bwced.

"Mae hi'n hollol wag, mae arna i ofn. Fedra i'ch helpu i sychu'r llawr? Oes 'na gadachau gynnoch chi yn rhywle?"

"Na… mae'n iawn…" a dechreuodd feichio crio.

"O, diar. Arhoswch funud. Hwdiwch." Estynnodd hances glaerwen anferthol o boced frest ei siwt drwsiadus.

"Cymerwch hon. Peidiwch ag ypsetio. O, dwi mor flêr. Mae'n ddrwg gen i…"

Cofiai Ilse hances yr Athro Ledbury ac roedd yn anfoddog i'w chymryd ar y dechrau. Ogleuai'r hances o lafant a rhosod. Oglau anarferol i ddyn canol oed.

"Na... na... nid chi... nid chi sydd ar fai. Mi ges i fraw. Roedd yna lygoden fawr... meddyliais i 'i bod hi'n gwthio'r drws yn agored... ond chi oedd yno."

"Llygoden fawr! Mawredd mawr! Mi fasa angen tipyn o lygoden i wthio hwn yn agored." Sbeciodd y tu allan. "Wel, does dim sôn amdani rŵan," meddai'n smala, a gwên ddireidus yn datgelu rhes o ddannedd gwyn, ceimion.

Ac o'r diwedd, dyma Ilse yn gweld doniolwch y sefyllfa a throdd y crio'n chwerthin dagreuol ac wedyn yn chwerthin go-iawn. Roedd y dyn yn chwerthin hefyd. Chwerthin iach, di-gêl.

"George," meddai'n sydyn wrth ddifrifoli'n annisgwyl, gan gynnig ei law. "George Lovall."

Am ennyd edrychodd Ilse yn hurt ar y llaw – llaw fechan, yr ewinedd wedi'u trin yn ddestlus, a modrwy drom ar y bys canol; modrwy yn rhy fawr i law mor dwt, meddyliodd hi. Ac wedyn roeddent yn ysgwyd llaw'n frwd ac yn ffurfiol, Ilse yn pwmpio braich y dieithryn fel pe bai'i bywyd yn dibynnu arni.

"Ilse... Ilse Meyer. Da gen i'ch cyfarfod."

Ac wedyn roeddent yn chwerthin o'r newydd.

Gwerthwr o ochrau Lerpwl oedd George. Teithiai hyd a lled gogledd Cymru a Sir Gaer mewn fan Bedford wedi'i llwytho ag amrywiaeth rhyfeddol o drugareddau i'r cartref – cysgodlenni lamp, lluniau i'r wal, gorchuddion clustogau, meginau, llestri, sosbenni – popeth dan haul.

Wrth deithio heibio i'r castell roedd wedi sylweddoli mai dyma destun un o'r lluniau olew anghelfydd yr oedd yn eu gwerthu ar y fan. Roedd sawl castell yn y casgliad ynghyd â nifer o drenau, llongau hwylio, merched yn hel blodau a thirluniau. Dangosodd y casgliad i Ilse.

"'Dach chi isio prynu un?"

"Na, dim diolch," meddai'n frysiog.

"Na, dwi ddim yn gweld bai arnoch chi," meddai dan chwerthin. eto.

Doedd dim modd i Ilse wneud paned yn y castell. Roedd hi wedi paratoi thermos cyn gadael y Wern y bore hwnnw ond roedd Joseff mewn hwyliau blin a barodd i Ilse deimlo'n ffwndrus ac yn y pen draw aeth y thermos yn angof ar fwrdd y gegin. Roedd i fod i gwrdd â chriw o wirfoddolwyr eraill yn y castell ond roeddent yn hwyr yn cyrraedd fel y digwyddai'n aml. Bu'n rhaid i Joseff ddiflannu i fynychu rhyw gyfarfod yn y dre. Aeth fel arfer heb air o ffarwél. Druan o Céline, meddyliodd Ilse am y canfed tro, yn gorfod dygymod â hwn am weddill ei hoes.

Yn ffodus, roedd gan George stôf fach *primus* ac o fewn chwinciad roedd paned o de poeth, gorfelys yn ei llaw. Doedd hi ddim yn hoffi'i the fel hyn, doedd hi ddim yn or-hoff o de beth bynnag, ond nid oedd am swnio'n grintachlyd yn wyneb y fath garedigrwydd. Byddai'i hatgofion o'r achlysur yn fythol felys hefyd.

Dangosodd George ddiddordeb mawr yn ei sefyllfa a chydymdeimlad diffuant â'i helyntion. Gwrandawodd a'i ben ar un ochr fel deryn bach gan borthi'n barhaus a chan holi ribidires o gwestiynau. Aeth ei the'n oer ond fe'i hyfodd yn ddiachwyn.

Yn ystod saib fach yn y sgwrs tra cymerai George arno boitsian yng nghefn y fan, cafodd Ilse ei hun yn cipio arno wrth gymryd arni astudio'r dail yng ngwaelod ei chwpan.

Edrychai George fel pe bai yn ei bedwar degau cynnar

efallai, ond ni fedrai hi fod yn siŵr. Roedd yn colli'i wallt a hwnnw'n dechrau britho hefyd ond roedd yr effaith yn eitha dymunol mewn ffordd. Roedd Ilse wastad yn teimlo bod dynion hŷn yn edrych yn well na rhai ifainc – roedd rhywbeth heglog, di-glem am ddynion ifainc. Cofiodd am Hugh gan wrido ei bod hyd yn oed yn meddwl am y ddeuddyn yn yr un modd.

Sawl gwaith fe'i daliwyd gan George yn cipio'n slei bach arno a byddai'n gwenu'n fachgennaidd, braf. Hoffai Ilse ei ddannedd ceimion hyd yn oed. Roeddent yn ychwanegu rhywbeth at ei wên, rhyw elfen ddiffuant efallai. Doedd o ddim llawer iawn yn dalach na hi ac roedd yn cario ychydig bach gormod o bwysau, ond teimlai rywsut y gallai ymddiried ynddo.

"Wel, dyna fo," meddai ar ôl ffureta am sbel ymysg ei stoc. "Mae'n bryd imi fynd rŵan – ennill 'bach o bres. Fyddwch chi'n iawn yma ar ych pen ych hun?"

"Byddaf," meddai, er nad oedd y syniad yn apelio ati.

"Gwatsiwch y llygoden gawraidd 'na," ychwanegodd wrth fynd i'r cab.

"Fyddwch chi'n ôl yma eto?"

"Mi fydda i'n dod ffor' hyn bob pythefnos."

"Efallai y gwela i chi, 'te?"

"Siŵr o wneud," meddai wrth danio'r injan ac i ffwrdd ag ef.

43

Yr eildro i Ilse weld George Lovall oedd ar brynhawn godidog o braf yn Llandudno ychydig cyn diwedd haf 1939. Roedd hi wedi gadael Joseff yn poeri tân yn y castell y bore hwnnw.

"Y Du a'r Coch yn yr un gwely hefo'i gilydd!" Roedd ei wyneb golygus wedi'i stumio'n storom yn ei gynddaredd. "Dywedais i, yn 'do? Molotov a Ribbentrop, y talpiau o gachu ag ydyn nhw, isio rhannu Gwlad Pwyl fatha teisen briodas. Bydd hi'n rhyfel cyn y penwythnos."

Ni feiddiai Ilse ofyn beth yn union oedd wedi sbarduno'r fath ddicter. Eglurodd Céline iddi sut oedd yr Almaen a'r Undeb Sofietaidd wedi arwyddo cytundeb i beidio ag ymosod ar ei gilydd.

"Wnaiff Stalin rywbeth i greu rhyfel yn y gorllewin iddo fo gael llarpio be fedar o," ategodd Céline, ei llygaid hithau rywle rhwng dagrau a gwreichion.

Ac awel gynnes a sŵn plant yn chwarae yn y feiston, bu'n rhaid i Ilse ei hatgoffa'i hun yn barhaus mai ychydig iawn o dywod oedd yn weddill i redeg. Roedd yr egwyl bron â bod drosodd a'r llen ar fin codi ar yr act derfynol.

Dyma'i diwrnod cynta i ffwrdd o fwrlwm y castell ers misoedd. Er mor galed y gwaith, nid oedd wedi llwyr ddiflasu o bell ffordd. Braf oedd teimlo eu bod yn gallu cynorthwyo cynifer o'u cyd-Iddewon fel hyn – y rhan fwyaf ohonynt yn blant neu'n bobl ifainc. Holai bawb o blith yr oedolion a oeddent yn gwybod rhywbeth am ei theulu, ond ysgwyd pen dolurus fyddai'r ymateb bob tro.

Er eu gwaredigaeth, anodd oedd hi i bawb. Digon cyntefig o hyd oedd yr amgylchiadau ac roedd rhai o'r plant yn amlwg yn dioddef yn emosiynol yn sgil eu hymadawiad disymwth â'u gwlad a'u teuluoedd. Roedd eraill wedi cymryd at eu rhyddid newydd, i ffwrdd o ymyrraeth teuluoedd a'r heddlu cudd a'r myrdd gwaharddiadau mawr a mân a amharai ar eu bywydau, ac yn benderfynol o dorri cwys newydd. Danfonwyd y rhai hŷn i weithio ar ffermydd lleol a buan iawn y dechreuodd rhai o'r plant lleiaf ymgymhathu â'r gymdeithas Gymraeg o'u cwmpas.

Ond doedd hi ddim yn sefyllfa ddelfrydol. Bu llawer iawn o ymgecru a chenfigen yn cyniwair ymhlith y ffoaduriaid, a bu rhwyg rhwng y rhai a oedd yn fodlon rhannu a chydweithredu a'r rheini a oedd yn awyddus i dorri'n rhydd o hualau'r drefn.

Yn aml, yn y canol fyddai Ilse ac eraill o blith y gwirfoddolwyr, yn ceisio gweithredu'n deg ond yn cael eu brifo wrth wneud. Roedd yn amhosibl plesio pawb, ac o hyd corddai'r ysfa ynddi i'w phlesio'i hun.

Roedd y diwrnod rhydd yma ar ei phen ei hun yn Llandudno mor werthfawr iddi. Roedd angen y gofod, awelon y môr a'r golygfeydd eang i dawelu'r meddwl ac iddi geisio canolbwyntio ar ei hanghenion ei hun.

Am y rheswm yma, nid llawenydd oedd ei hymateb cyntaf pan ddaeth George ati a hithau'n eistedd ar sedd ar y prom gan adael i ddilyniant y tonnau ar y traeth ei siglo'n eu swyn.

"Ilse!"

Llamodd ei chalon pan glywodd y llais. Roedd cael ei chyfarch fel hyn mewn lle diarth yn codi braw arni. Edrychodd o'i chwmpas yn wyllt a gweld George yn brasgamu tuag ati o'r pafin pella. Suddodd ei chalon.

Ceisiodd wenu a bod yn siriol ond roedd hi'n amhosibl. Ni allai gelu'i siom a dyma George yn cymryd arno y dylai wneud rhywbeth i godi'i chalon drachefn.

"Dewch am baned hefo fi."

"Rhaid i mi ddal trên yn ôl cyn bo hir."

"Faint o'r gloch?"

Mynd yn ôl i'r Wern roedd hi y noson honno a doedd ganddi ddim syniad pryd oedd y trenau'n rhedeg, dim ond bod digon ohonynt i'w cael.

O weld ei hansicrwydd, mynnodd eto, "Dewch ymlaen. Awn ni i *Sumners* neu *Paynes* i gael *knickerbocker glory*."

Roedd *Paynes* yn rhy brysur ond bu iddynt lwyddo i gael bwrdd yn *Sumners*, ond buont yn aros am sbel cyn i'r weinyddes ddod atynt. Bu saib anghyfforddus yn y sgwrs. Fe'i teimlai Ilse ei hun yn aflonyddu. Gwelodd lyfr yn ymwthio o boced siaced George.

"Be 'dach chi'n 'i ddarllen?"

Tynnodd George y gyfrol drwchus o'i boced.

"*Middlemarch* gan George Eliot."

"O, yr un enw â chi."

"Wel, ie," chwarddodd George, "ond dynes oedd hi."

"Dynes? Go-iawn ?"

"Ie – Marian Evans."

"Mae hwnnw'n swnio fel enw o Gymru."

"Cymro oedd ei thad. Roedd hi'n medru'r Almaeneg hefyd," ychwanegodd. "Fe wnaeth hi gyfieithu gwaith Feuerbach i'r Saesneg."

Cofiai Ilse yr enw Feuerbach o'r siop lyfrau yn Hamburg. Roedd ei thad yn ymfalchïo yn y dewis eang o lyfrau athroniaeth oedd ar gael yn y siop a deuai academyddion o bell i bori ar hyd y silffoedd. Edrychodd o'r newydd ar George Lovall. Rywsut doedd o ddim yn edrych fel rhywun a fyddai'n gyfarwydd â Feuerbach, ond gwyddai o'r adeg pan oedd hi'n gweithio yn y siop na fedrech chi fyth ragdybio chwaeth na diwylliant neb ar yr olwg gyntaf yn unig.

"Am be mae'r *Middlemarch* yma?"

"Ieuo anghymharus ymhlith pethau eraill."

Cododd Ilse y llyfr trwm a darllen brawddeg neu ddwy heb gymryd dim o'u hystyr i mewn.

"'Dach chi'n hoff o lyfrau, *Herr* Lovall?"

"George... Ydw, wel, dwi eisio agor siop lyfrau ryw ddydd a dweud y gwir."

"Chi?"

Cododd ei aeliau.

"Ydi hynny'n gymaint o syndod?"

"Na, o, na, nid dyna o'n i'n feddwl," gwridodd gan gau'r llyfr a'i ailosod ar y bwrdd. Rhuthrodd yn ei blaen:

"Siop lyfrau oedd gan fy nhad yn yr Almaen..."

Ac yn hollol ddirybudd fe'i llyncwyd gan ryw eigion o emosiwn. Methodd â mynd rhagddi. Cadwodd ei phen yn isel yn ymwybodol o'r llif hallt yn rhedeg hyd ei bochau gan ymgasglu ar ei gên cyn platshio ar y lliain glân.

"Ilse, 'dach chi'n iawn?"

Nodiodd yn gelwyddog heb godi'i golygon. Ac wedyn roedd y weinyddes wedi cyrraedd. Merch tua'r un oed ag Ilse na fedrai guddio'i rhyfeddod cegrwth wrth weld y ddynes yn ei dagrau wrth y bwrdd.

"Ilse, 'dach chi eisio *knickerbocker glory*?"

Roedd fel rhiant yn gofyn i blentyn anniddig. A doedd Ilse ddim eisiau *knickerbocker glory*. Ceisiodd ynganu'r geiriau "na, dim diolch", ond roedd ei gwddf fel pe bai'n ddiffrwyth. A dyma George yn camu i'r adwy:

"Na, wrth gwrs nag oes. Mae'n iawn," meddai wrth y weinyddes. "Mae fy ffrind dan deimlad braidd. Dwi'n meddwl y byddwn ni'n 'i throi hi."

Daliai'r weinyddes i syllu fel llo cors wrth i George hebrwng Ilse i fyny'r grisiau o'r caffi ac allan i'r stryd.

Yn ôl ar y prom unwaith eto, dechreuodd Ilse egluro.

"Mae'n ddrwg gen i... mae fy rhieni... wedi diflannu..."

"Ro'n i'n amau. A dydi'r newyddion ddim yn rhy glyfar heddiw, nac ydi? Does ryfedd ych bo' chi wedi'ch ypsetio."

Er gwaethaf ei chyflwr emosiynol, bob tro y troai George ei ben i edrych ar y môr, cipiai Ilse arno'n slei bach. Roedd hyn mor wahanol. Mor brin fu'r math yma o ymateb. Cyn lleied o eiriau caredig, diffuant. Cynhesodd ato'n arw ond eto roedd yn cofio twyll Ledbury a fu mor glên wrthi ar y dechrau, tendans gwyrdroëdig Peter Eldon-Hughes, a bwriadau dianrhydedd ei noddwr presennol, Joseff Kablinksi. Roedd ymddiried mewn pobl, yn enwedig dynion, yn mynd yn fwyfwy anodd iddi.

Ar ddiwedd y prynhawn a'r wên wedi'i hadfer i'w hwyneb, dyma Ilse a George yn ffeirio cyfeiriadau. Roedd Ilse yn fodlon ar hyn. Peth da oedd cael rhywun yn barod i wrando, i daro gair bach sydyn ato, heb deimlo bod unrhyw beth arall yn mynd i ymyrryd.

Aeth Ilse yn ôl i'r Wern y noson honno â'i chalon yn ysgafnach er mor ddifrifol y newyddion rhyngwladol. O'r diwedd roedd ganddi gyfaill y tu allan i'w byd caethiwus presennol.

44

Pan ddaeth y rhyfel roedd bron fel rhyddhad, fel storom ar ddiwedd cyfnod mwll, fel mislif yn dod ar ôl hir ymaros. Ac eto yn sgil torri'r argae, llifodd pob math o feddyliau a theimladau o'r newydd i ben Ilse heb unman iddi eu prosesu. Ar ôl hir ystyried, dyma hi'n penderfynu llunio llythyr at ei chyfaill newydd i weld a gâi ryw drefn ar bethau fel 'na.

Llythyr hir a dryslyd ydoedd, lle y ceisiodd grisialu chwalfa'i meddyliau. Rhaid oedd bwrw ei llwyth, ond ni wyddai sut dderbyniad y câi'r llwyth hwnnw. Nid llythyr caru mohono – achos nad oedd hi mewn cariad na dim byd tebyg â'r dyn – roedd hi'n sicr o hynny – ond mae'r enaid unig heb neb wrth gefn yn gallu dyfalu a dychmygu, dyrchafu a dyheu.

Doedd hi erioed wedi sgwennu llythyr caru yn ei dydd o ran hynny. 'Rarswyd! Am wastraff! Am dysteb i'w sefyllfa druenus! Dim ond llythyr yn gorffen pethau hefo Hugh. Cofiodd am ei lythyrau yntau – y rhai a ddanfonasai ati yn yr Almaen. Doedd hi ddim hyd yn oed wedi agor yr ail un ganddo cyn iddi adael yr Almaen. Tybed a oedd yn dal i fod yn y ddrôr? Aeth cryndod drwyddi. A oedd ffrindiau eu rhieni'n dal i warchod y fflat? Efallai, o glywed am dynged Iddewon yn Awstria a mannau eraill eu bod wedi penderfynu adfeddiannu'r eiddo a'i ddefnyddio fel eu cartre eu hunain... Gwthiodd y syniad digalon yma o'i phen, fel y byddai'n rhaid iddi wneud gyda chynifer o feddyliau erchyll cyffelyb pan fyddai'n dechrau hel meddyliau am yr hyn a allai fod yn digwydd gartre ac i'w rhieni a'i theulu...

Trodd yn ôl at ei llith gan fwrw ati fel pe bai'i chyffeswr newydd yn hen gydnabod, yn gyfaill bore oes neu'n ewythr cariadlon, hirgolledig, rhagor na thrafaeliwr di-nod na, wyddai odid ddim amdano.

Ond llwyddodd i'w ffrwyno'i hun mewn mannau. Do, fe soniodd am Hugh, ond heb ddatgelu gormod – dim ond cyfeirio'n fras at "gyfaill agos" a oedd wedi'i siomi.

Soniodd yn fanylach am amgylchiadau anodd y castell a'r Wern ac am ddichell Joseff wrth fynd â hi i Rydychen. Soniodd yn bennaf am ei hunigrwydd a'i rhwystredigaeth o ran symud ymlaen, a bod ei bywyd yn sownd mewn magl.

Oedodd cyn ei bostio. Bu'r amlen drwchus ym mhoced ei chôt am wythnos a hithau wedi cerdded heibio i'r blwch post sawl gwaith gan ei byseddu'n nerfus, ond heb ei thynnu o'i nythfa. O'r diwedd, dyma hi'n magu plwc gan fynd allan yn syth ar ôl codi un bore, a martsio'n ddibetrus at y blwch yn y wal ar ben y bryn a arweiniai at fynedfa'r Wern, gan dynnu'r amlen o'i phoced heb sbio arni bron a'i gollwng yn y blwch cyn bod ganddi amser i newid ei meddwl.

Dim ond ar y penwythnos y byddai hi'n dychwelyd i'r Wern y dyddiau hynny, ac am ryw fis a rhagor ar ôl danfon y llythyr, roedd Ilse yn disgwyl cael ateb gan George. Erbyn mis Rhagfyr, fodd bynnag, roedd hi'n dechrau anghofio ei bod wedi gyrru dim ato. Roedd prysurdeb a phwysau'r gwaith yn mygu pob gobaith.

Ar ddechrau'r rhyfel, er gwaethaf profiadau chwarter canrif ynghynt, roedd yna lawer yn grediniol y byddai popeth drosodd erbyn y Nadolig. Er mor ddigalon a digysur y newyddion, gair yn unig oedd rhyfel o hyd – gair afreal a hirbell. Doedd dim perygl i'w weld – a hynny ar ôl disgwyl rhyw Armageddon diatal yn ystod yr wythnosau cyntaf. Hyd yn hyn y cwbl a olygai "rhyfel" oedd llwyth o fân reolau a dyletswyddau fel y blac-owt a dygymod ag ifaciwîs. Rhyw gyfnos o ryfel oedd hi – saith mis breuddwydiol bron cyn i'r storm dorri yn y gorllewin.

Neu felly y'i gwelwyd gan frodorion gwledydd Prydain; i eraill fel Ilse a Joseff a Céline, roedd y rhyfel yn boeth yn barod – ac wedi bod felly ers blynyddoedd. Ar ddiwedd mis Tachwedd roedd yr Undeb Sofietaidd wedi ymosod ar y Ffindir lle y cafodd y Fyddin Goch ail go hegar yn fforestydd a chorsydd y wlad honno gan fyddin lawer iawn yn llai. Ar y naill law, roedd Céline yn ddigon balch o glywed am drallod y peiriant milwrol a oedd wedi'i gorfodi o'i gwlad yn un ar bymtheg oed, tra, ar y llaw arall, roedd meddwl am fechgyn ifainc Rwsia'n gelain yn yr eira, yn codi'r felan arni.

Un prynhawn, toc cyn y Nadolig, cyrhaeddodd Ilse yn ôl o'r castell am y penwythnos. Yn yr hanner gwyll yn un o'r stafelloedd byw eang, roedd Joseff a Céline yn trafod yn ddwys ddifrifol. Yn Rwsieg oedd eu sgwrs, dyna'u hiaith breifat â'i gilydd bob amser. Gwelodd Ilse fod pen Céline yn pwyso ar ysgwydd ei gŵr. Roedd hynny'n ei phlesio – o leia roedd yr argyfwng rhyngwladol fel pe bai wedi dod â'r ddau'n nes.

Ceisiodd Ilse ruthro drwy'r ystafell ar flaenau'i thraed heb darfu arnynt.

"Ilse... mae 'na lythyr i chi," meddai Céline gan godi'i phen o'i orffwysfa. "Fe ddaeth yn yr ail bost."

"O, diolch," meddai gan fynd draw at y ddresel lle y gorweddai'r post fel arfer. Gwelodd ei henw a chipio'r llythyr gan duthian o'r ystafell ac i fyny'r grisiau i'w llofft.

Doedd hi ddim yn nabod yr ysgrifen ac, am ennyd, doedd ganddi ddim syniad pwy allai fod yn danfon llythyr ati. Roedd hi eisoes wedi darllen y brawddegau cyntaf cyn iddi hyd yn oed feddwl am edrych ar y cyfeiriad na'r llofnod. Llythyr byr mewn llaw ddestlus ydoedd:

Annwyl Ilse,

Diolch am eich llythyr hynod o ddiddorol dyddiedig 18fed Medi 1939.

Maddeued imi am beidio ag ysgrifennu ynghynt. Fel y gwyddoch, byw hefo fy modryb ydw i ac ofnaf fod poeni am y rhyfel yma wedi gwaethygu'i hiechyd yn arw, a bu'n rhaid imi dendio arni am sbel, ac fel y gellwch ddychmygu, nid oedd hyn yn gadael llawer iawn o amser imi ysgrifennu llythyrau na dim byd tebyg.

Dwi'n gwybod nad yw pobl Iddewig yn dathlu'r Nadolig, ond gobeithio na fyddwch yn ddiciach os byddaf yn dymuno 'Nadolig Llawen' a Blwyddyn Newydd hapusach i chi, gan hyderu y bydd y byd yn dod at ei goed cyn bo hir iawn. Dyna'r gobaith ond prin y galla i gredu hynny.

Yn ddiffuant,

George Lovall

O.N. Mae yna wir loches i chi yma bob amser.

Roedd yr ôl-nodyn mor annisgwyl. Bu'n rhaid iddi ei ddarllen sawl gwaith. Hyd at y llinell olaf honno, teimlai Ilse ei bod yn prysur golli amynedd â Mr Lovall. Dim ymateb o gwbl i'r holl roedd hi wedi'i ddatgelu iddo. Fawr o gydymdeimlad na chysur. Roedd ymateb llugoer, cwrtais o'r fath yn fwy poenus na phe bai heb ysgrifennu o gwbwl. A'r cyfeirio trwsgwl at y Nadolig a'r Iddewon... Ac wedyn, y frawddeg ryfeddol yma. Beth oedd yn ei feddwl? Yr hyn a ddywedai? Neu ryw siarad mewn damhegion nad oedd hi'n ei ddeall, a hithau'n estrones?

Gorweddodd Ilse yn ôl ar ei gwely gan blethu'i dwylo y tu ôl i'w phen. Roedd hi'n brynhawn rhynllyd, y barrug eisoes yn ymffurfio y tu mewn i'r ffenest, ond doedd Ilse ddim yn ymwybodol o'i frath. Treiglai geiriau George fel perl rhydd o gwmpas ei meddwl. Ceisiodd Ilse ddal gafael ynddo cyn iddi ei storio'n ofalus lle y gallai ei gyrchu unrhyw adeg pan fyddai'n teimlo'r byd a'i bethau'n mynd yn drech na hi.

Fedrai fyth fynd i Lerpwl, wrth gwrs. Drwy wneud yr hyn a fedrai dros y ffoaduriaid eraill, teimlai ei bod yn rhoi rhyw gefnogaeth i'w theulu a oedd bellach y tu hwnt i bob cymorth. Allai hi ddim cefnu ar bethau fel 'na. Hefyd, fel yr atgoffai ei hun o hyd, dyn mewn oed, cyfaill yn unig oedd *Herr* Lovall a dyna'i diwedd hi. Doedd hi ddim yn gwybod dim byd amdano... na'i fodryb, na neb arall yn ei deulu o ran hynny.

Ond roedd y perl bach wedi'i chynhesu drwyddi. Gallai ysgrifennu'n ôl ato beth bynnag. Byddai hi'n diolch iddo'n barchus am ei gynnig o loches gan egluro na fedrai hi fyth ei dderbyn. Efallai'r âi i ymweld ag ef – a'i fodryb – ryw ddiwrnod.

Dechreuodd ymlacio. Tybed a fyddai gan *Herr* Lovall ddiddordeb mewn mynd i America?

Cysgodd a breuddwydio am gadw siop lyfrau gyda George Lovall, fel partneriaid busnes, yn Lerpwl – ac ymhlith y cwsmeriaid cynta oedd ei rhieni... a Hugh.

45

Dogni siwgr, llefrith a menyn oedd y sgwrs y bore hwnnw. Rhywbeth arall i bobl rwgnach yn ei gylch yn y rhyfel rhwng dau olau yma. Y sôn oedd na fyddai'n hir cyn i gig gael ei ddogni hefyd. "Y Farchnad Ddu" oedd yr hanes ar fin pawb – yn ysgymun gan rai neu'n waredigaeth i eraill. I ddianc rhag yr holl fregliach diderfyn am oblygiadau'r dogni, dyma Ilse yn penderfynu mynd am dro.

Yn gwmni iddi aeth ag Antonia a oedd yn dal i lynu fel gelen, er yn hyfach o lawer o ran ei hanian, ei hofn blaenorol wedi'i ddisodli gan ryw egni bregus ac anhydrin, a Sasha, mab ieuengaf Joseff a Céline – wyth mlwydd oed, llygaid dolurus, dwys ddifrifol a oedd â'i fryd ar fod yn gleddyfwr o fri ac felly byddai'n cleddyfa â gwrth-wynebydd dychmygol ble bynnag yr âi.

Roedd trwch go lew o eira wedi syrthio ac wedi lluwchio dros y dyddiau diwethaf, ac yn ei sgil daethai rhew mawr, dwfn, a'r eira'n troi'n orchudd o ddur claearwyn ar draws y wlad, yn diffeithio popeth. Gyda'r nos byddai pawb yn cysgu ym mhob cerpyn o ddillad a feddent gan gadw i symud yn ystod y dydd rhag rhynnu.

Yn hebrwng y triawd ar eu taith gerdded y prynhawn hwnnw oedd Timoshenko, ci du, siriol, hanner call a dwl a fyddai bob amser yn gysgod aflonydd wrth sodlau Sasha bach.

Synhwyrodd Ilse fod yr heth yn dechrau meirioli ryw ychydig wrth iddynt gychwyn allan o'r Wern toc ar ôl cinio ac nad oedd yr awel yn pinsio mor filain am ei ffroenau. Roedd yr haul yn tywynnu, yr wybren yn las di-dor a'r ffriddoedd gwyn gwyryfol yn ymestyn eu gwahoddiad ar bob tu.

Buont yn rasio'i gilydd, yn taflu peli eira at ei gilydd, yn codi dynion a chreaduriaid eira eraill, yn chwerthin, yn mwynhau, yn ymgolli yn yr amgylchedd unlliw. Gallai Ilse deimlo'i hysbryd yn codi y tu mewn iddi ac, am y tro cynta yn ei bywyd siŵr o fod, teimlodd ryw ysfa sydyn am fod yn fam ryw ddydd, i gael ei phlant ei hun. Roedd yn brofiad newydd, chwerwfelys, annisgwyl. Stondiodd yn yr eira am sbel gan wylio'r ddau fach a'r ci'n mynd drwy'u pethau, a sŵn eu chwerthin yn fwrlwm adfywiol drwyddi.

Dod i lawr y llethr at y coed ar bwys y Wern oedden nhw, a'r machlud cynnar yn gwaedu dros y mynyddoedd. Roedd Timoshenko a Sasha ymhell o'i blaen hi ac Antonia.

Rhuthrodd Antonia heibio iddi â'i bryd ar ddal y bachgen a'r ci. Mewn pwl o anwyldeb, dyma Ilse'n cydio yn y ferch gan ei thynnu ati. Gwingodd Antonia'n anfoddog wrth gael ei chaethiwo.

"Gad fi! Gad fi! Dwi isio mynd!"

Daliodd Ilse ei gafael yn y bwndel bach stranclyd am ychydig eiliadau gan chwerthin cyn gadael iddi fynd. Gwyliodd wrth i'r fechan faglu drwy'r eira dwfn ar ôl y ci a'r bachgen.

Timoshenko oedd ar y blaen dan goethi'n wallgo, ei gynffon yn siglo'n ddi-baid; y tu ôl iddo ymladdai Sasha â gelyn anweledig arall, pren cyll yn gleddyf miniog yn ei law; ac wedyn dyma Timoshenko'n diflannu – ei gyfarth yn cael ei lyncu gan droi'n gipial byrhoedlog.

"Peidiwch â symud chi'ch dau! Arhoswch lle ydach chi!"

Dechreuodd Ilse redeg gynted ag y gallai drwy'r gwynder.

Gwelodd Sasha'n mynd at smotyn du'r twll a oedd newydd ymagor yn yr eira ac i ble y diflannodd y ci.

"Ty'd o 'na! Ty'd o 'na, Sasha! Antonia! Stopia! Stopia! Er mwyn Duw, stopia!"

Daliodd y ferch fach gerfydd llawes ei chôt a'i bwrw i'r llawr. Ar unwaith dechreuodd Antonia grio a nadu. Gafaelodd Ilse ynddi a'i chodi ar ei thraed gan ei gwasgu yn erbyn ei chorff â'i holl nerth.

"Sasha, ty'd o 'na, cariad. Mae'n beryglus iawn." Ceisiodd reoli'r cryndod a'r cyffro yn ei llais rhag ei gynhyrfu'n ormodol.

"Mi alla i 'i weld o… Rhaid imi ei helpu…"

Torrwyd ei eiriau'n fyr wrth i'r crwstyn eira ildio o dan ei bwysau ac wrth iddo lithro o olau gwaetgoch y ffridd i dywyllwch traflyncus y ddaear a'r dŵr iasol ar waelod siafft yr hen gloddfa.

46

Gorweddai Ilse ar y gwely, heb dynnu'i ddillad o'r noson cynt. Roedd y wawr newydd dorri a rhyw lwydolau amwys yn llenwi'r ystafell. Roedd hi heb gysgu, ei meddyliau'n drobwll taranllyd yn rhuo yn ei chlustiau a hwnnw heb lacio dim ers misoedd, dim ers y prynhawn erchyll hwnnw pan fu'n rhaid iddi ddychwelyd i'r Wern, yn swp sâl â sioc, a thorri'r newydd ofnadwy am Sasha. Ar y dechrau meddyliodd y byddai Joseff yn ei tharo yn y fan a'r lle. Gwelodd ei ddyrnau'n cau a'i lygaid yn myllio, ac wedyn y peth nesaf y cofiai oedd y ddau ohonynt a ffermwr oedrannus o dyddyn cyfagos, yn crafangu lithro'u ffordd yn ôl drwy'r eira i'r fan lle y digwyddodd y ddamwain, Joseff yn cario rhaff o'r stablau, Ilse yn ceisio cofio'r ffordd drwy'r ddryswig wen, y ffermwr yn fudan syn.

Tynnwyd Timoshenko o'r siafft yn fyw. Ni chafwyd hyd i gorff Sasha y prynhawn hwnnw. Roedd y siafft yn rhy gul ac mewn cyflwr rhy beryglus i neb fentro i lawr. Ar ôl wythnos cafwyd hyd i gorff y bachgen yn swpyn di-nod yn un o hen byllau'r gwaith – y llif a ddaeth ar ôl i'r eira doddi wedi'i olchi o'i feddrod yng nghraidd y mynydd.

Gallai Ilse glywed Timoshenko'n cyfarth rŵan. Am ddiwrnod neu ddau bu'r ci'n chwilio'n ofer o gwmpas y tŷ am ei ffrind bach, ond erbyn hyn roedd fel pe bai wedi derbyn y newid yn ddidaro ddigon ac yn ymddwyn yr un mor lloerig, dibryder ag erioed fel pe bai'n gwneud hwyl am ben pawb a alarai am Sasha bach.

Lledodd effaith marwolaeth yr hogyn fel haint drwy'r gymuned fach yn y Wern. Siaradai pawb ar osteg ac ni chlywid bellach y lleisiau brwd yn dadlau tan yr oriau mân nac arthio cyfarwydd Joseff Kablinski ar hyd y coridorau tywyll. Prin bod neb wedi gweld na Joseff na Céline ers y ddamwain. Weithiau doedd neb yn siŵr a oeddent yno o gwbl.

Marwolaeth drwy anffawd oedd dyfarniad y cwest, a'r crwner yn llawn cydymdeimlad â'r ddynes ifanc a fu'n dyst i ddigwyddiad mor erchyll. Drwy anffawd, ai e? Ond bai pwy oedd yr anffawd honno? Gallai Ilse weld yng ngolwg y rhieni mai hi a neb arall oedd ar fai. Prin iddynt dorri gair â hi ers y diwrnod hwnnw. Byddai unrhyw gyfarwyddiadau'n ymwneud â'i gwaith yn ei chyrraedd drwy drydydd person. Ac roedd euogfarn y rhieni'n cael ei hadleisio yn agwedd gweddill y preswylwyr, neu felly y teimlai i Ilse. Clywai sibrwd y tu ôl i'w chefn; sgyrsiau'n tewi wrth iddi ddod i'r fei. Fwyfwy y câi ei bod yn bwyta ar ei phen ei hun pan fyddai yn y Wern.

Câi rywfaint o ddihangfa o burdan y penyd yma wrth weithio yn y castell lle nad oedd effaith y digwyddiad mor fyw ac amrwd. Ond nid y dorf gyhuddgar fud oedd yr artaith fwyaf, ond yn hytrach lach ei chydwybod ei hun. Pwy arall oedd yn gyfrifol? Neb. Pe bai'n fwy o gwmpas ei phethau, pe bai ei phen heb fod mor llawn o freuddwydion sgafala am fagu teulu a'r hyn a'r llall byddai Sasha'n dal ar dir y byw ac ni fyddai Antonia wedi dychwelyd i'w chragen.

Roedd Antonia'n dal i gysgu ar wely bach yng nghongl ystafell Ilse, wedi gwrthod cysgu yn unman arall ers y ddamwain. Gwrandawai Ilse ar gryndod anwastad ei hanadl wrth i lanw a thrai ei hunllefau drwytho'i hymennydd.

Roedd Ilse yn hollol effro erbyn hyn er oered y bore. Ochneidiodd. Am naw o'r gloch neithiwr ar y newyddion, clywyd am y tro cyntaf am hanes ymosodiad yr Almaen ar wledydd niwtral Llychlyn. Roedd ton newydd o ddigalondid wedi sgubo drwy'r Wern a morâl yn plymio unwaith eto.

Cododd Ilse a mynd at y ffenest. Roedd yn fore teg. Y llwydolau blaenorol yn ildio i belydrau haul y gwanwyn. Hyd yn oed yn y lleoliad cymharol uchel yma roedd arwyddion o fywyd newydd i'w gweld yn y cloddiau a'r ŵyn yn prancio'n gwbl ddiofid ers tro.

Syllodd am yn hir ar yr olygfa wrth i'r golau gryfhau a'r cysgodion gilio o'r tir. O'r diwedd, trodd o'r ffenest, wedi penderfynu. Aeth draw at y ddesg fach a thynnu papur ysgrifennu ac ysgrifbin o'r ddrôr.

Wrth iddi ddechrau'r llythyr, ystwyriodd Antonia yn ei gwely cyn troi drosodd i ymlacio mewn cwsg llai rhwyfus a brawychus. Ystyriodd Ilse y plentyn bach gan gnoi'n galed ar yr ysgrifbin. Yna, trodd yn ôl at y dasg dan law. Lawr grisiau tawodd Timoshenko a dim ond brefu'r defaid a chrawc y gigfran oedd i'w clywed wrth i'r ysgrifen lasddu ddechrau ymestyn ar hyd y papur.

RHAN PUMP

47

Gorffennaf 1943

JB... JB...

Be uffar oedd gweddill y rhif hefyd? Tapiodd Hugh ben ei fys yn anniddig ar y bwrdd gan edrych ar hyd y sièd am ryw ysbrydoliaeth.

Dim ond Hugh ac un arall oedd yn weddill erbyn hyn. Byddai'n rhaid iddo drefnu rhywle arall iddyn nhw gysgu ar ôl heno. Roedd 'na ben draw i bopeth.

JB...

Doedd hi fawr o daith chwaith. Prawf awyr. Tri chwarter awr yn chwarae mig â niwl y bore dros wlyptiroedd Norfolk. Yn ôl erbyn cinio.

JB 352 C oedd y rhif wythnos yn ôl. JB... Saith dau? Saith rhywbeth. Plygodd ei freichiau ar y bwrdd a gorffwys ei ben arnyn nhw. Caeodd ei lygaid. Gofynnai i rywun yn y mess yn nes ymlaen.

Rhifau...

Roedd ei fywyd yn cael ei reoli gan rifau erbyn hyn. Dawnsient groes ymgroes drwy'i feddwl. Ei rif yn y llu awyr... rhif yr awyren... rhifau map... rhifau llwybrau llywio... rhif y colledigion... saith dau, saith, un, dau, tri, saith namyn chwech a dwy fil ar hugain o filoedd.

Cysgodd, yr holl rifau'n lluwchio o'i gwmpas, a Ceinwen yn eu canol fel pe bai'n brwydro yn erbyn storom o rifau duon, fel haid o stlumod am ei phen.

Rholiodd yr ysgrifbin oddi ar y bwrdd i'r llawr. Sychodd

inc y cofnod destlus yn y lòg, yn gyflawn, yn orffenedig...
heblaw am y rhif...

Yr ochr arall i'r wlad ar gyrion dinas Lerpwl, yn effro drwy'r nos fu Ilse. Roedd George allan ers yr oriau mân yn rhinwedd ei swydd fel gwyliwr tân, er na chafwyd ymosodiad ar y ddinas ers sbel erbyn hyn.

Bu'n chwilboeth drwy'r nos. Gorweddai Ilse yn noeth ar ben dillad y gwely. Meddwl am Blas y Morfa oedd hi am ryw reswm yn ystod y nos. Bu atgofion am y Plas ac am Hugh yn chwarae yn ei meddwl ers wythnos, er pan ddarllenodd yn y papur o dan y pennawd *Guns blazed from stricken plane* am hanes cyflwyno medalau i griw awyren fomio a oedd wedi goroesi sawl ymosodiad penderfynol gan awyrennau'r gelyn ar eu ffordd adre o gyfandir Ewrop. Ymhlith yr anrhydeddau i'w dosbarthu oedd D.S.O. i un Hugh Eldon-Hughes, peilot yr awyren dan sylw. Roedd darllen yr enw wedi'i drysu'n lân. Ar ôl cael rhywfaint o drefn ar ei bywyd a'r gwaddod wedi setlo ryw ychydig, roedd fel pe bai rhywun wedi ysgwyd y cwbl o'r newydd fel na fedrai weld dim yn glir unwaith eto.

Roedd cloch yn canu yn yr ystafell drws nesa ati, cloch law fechan fel cloch allor. Peidiodd y sŵn a gorweddodd Ilse heb symud, gan ddisgwyl y caniad nesa. Fe ddaeth ymhen rhyw funud.

"Dwi'n dod, Anti Edith," meddai'n fecanyddol ddi-rwgnach gan godi i chwilio am ei chôt nos. Wrth ei gwisgo amdani, daliodd ei llun yn y drych. Oedodd a gadael y gôt heb ei chau. Rhoddodd ei dwylo am ei bol a suddo'i bysedd yn ara i wacter y cnawd. Camodd yn nes at y drych i graffu ar ei hwyneb, ond daeth caniad ffyrnig arall o'r gloch y drws nesa a bu'n rhaid iddi gau'r gôt yn sydyn a rhuthro o'r ystafell.

"Dwi'n dod," meddai gan ffrwyno'i diffyg amynedd.

Helpodd Anti Edith o'i gwely a draw i'r closed ac wedyn arwain ei chamau sigledig yn ôl at ei gwely drachefn.

"Dyna ni, Anti Edi. Mi ddo i â thamad o frecwast i chi toc."

"Diolch, 'mach i. 'Dach chi'n ffeind. 'Dach chi'n ffeind iawn." Doedd ei llais yn fawr mwy na sibrwd.

Aeth Ilse yn ôl i'w hystafell i wisgo dan ochneidio. Na, doedd Anti Edith ddim yn anodd i'w thrin; doedd hi byth yn strancio gan fynnu hwn a'r llall drwy'r amser. Doedd hi byth yn chwarae rhyw gastiau diangen. Hen ddynes a oedd wedi'i dychryn am ei bywyd gan y bomiau ydoedd, yn ofni'i chysgod, yn simsan yn ei henaint, yn methu â dirnad ansicrwydd yr oes a mân anhwylderau henaint yn lluosi o'r herwydd. Roedd hi'n addfwyn ac yn gwrtais, ond roedd tendio arni'n mynd yn fwyfwy o fwrn ar Ilse er gwaetha ei hawydd i fod yn ffeind ac i dalu'r pwyth.

Achos bu Anti Edith yn sobor o ffeind wrthi hi pan gyrhaeddodd Stryd Picton, Wavertree, Lerpwl 15, yn llygoden fach ofnus, ei hyder yn yfflon, ei gwydnwch arferol wedi'i sigo'n rhacs. Achubiaeth ar adeg ddu yn wir oedd consýrn George a'i fodryb amdani yn y dyddiau cyntaf hynny.

"Gewch chi aros cyhyd 'dach chi eisio," meddai George wrth ddangos y llofft fach glyd iddi yng nghefn y tŷ. A bu bron iddi daflu'i breichiau am ei wddf yn y fan a'r lle oherwydd yn ystod ei holl grwydriadau ers dod draw o'r Almaen, nid oedd neb wedi cynnig y fath groeso diffuant a diamod iddi.

Y noson honno roedd wedi gorwedd yn gwrando ar siffrwd y gwynt drwy ddail y coed ar y stryd y tu allan, gan glywed clatshian cyfarwydd tramiau yn y pellter a lleisiau meddw, hapus a chwerthin wrth i bobl gerdded adref o'r dafarn drwy'r blac-owt. Roedd oglau lafant ymlaciol i'w glywed ar ddillad y gwely ac roedd Anti Edith wedi torri rhosod cynnar o'r hances boced o ardd' gefn a'u rhoi yn ei hystafell i'w chroesawu a'u sent glwth yn drwch drwy'r noson gyntaf honno. Mor wahanol oedd hyn i'r tai mawr atseiniol lle bu'n aros hyd yn hyn, a lle amrywiai'r croeso o'r llugoer i'r gelyniaethus.

Teimlai'n ddiogel am y tro cynta ers sbel.

Ond roedd y byd mawr y tu allan i glydwch Stryd Picton yn mynd yn llai ac yn llai diogel o ddydd i ddydd. Dyma ddyddiau Dunkirk a goresgyniad Ffrainc ac yn ei sgil ofn gwirioneddol y byddai'r Natsïaid yn glanio yng ngwledydd Prydain ar unrhyw adeg. Ac o'r diwedd roedd glaw du'r bomio wedi dechrau disgyn o ddifri.

Yng nghanol yr holl ansicrwydd, roedd George wedi mentro agor ei siop lyfrau. Gyda'r gwerthiant o deithiau'r fan fach yn gostwng yn wythnosol ar ôl cyhoeddi'r rhyfel a phroblemau gyda dogni petrol, teimlai nad oedd dim i'w golli wrth newid cyfeiriad. Roedd wedi paratoi ers sawl blwyddyn a chanddo stoc helaeth o lyfrau prin a gwybodaeth a chysylltiadau gwyddoniadurol am y byd cyhoeddi. Roedd siop fach i'w rhentu ar y stryd fawr a dyma ragluniaeth yn golchi dros y rhiniog ferch ifanc, ddeallus a chanddi brofiad gweithio mewn siop lyfrau. Credai George fod y duwiau o'i blaid ac na fedrai fethu. Dyma oedd ei awr fawr.

"Mi fydd llyfra'n gwerthu fel slecs," meddai'n llawn ffydd a gobaith heintus. "Pawb yn gorfod lladd amser mewn rhyfeloedd, mwy o ladd amser na phobol weithia... a'r blac-owt – neb yn mentro mynd allan...isio swatio yn y tŷ hefo llyfr..."

Doedd dim pall ar ei frwdfrydedd, ac yn wir roedd y siop fach dwt â'i hen ffenest fwa yng nghanol stryd fawr

Wavertree yn denu tipyn o bawb o bobol y byd, a hynny o'r cychwyn cyntaf.

Drwy weithio yn y siop, daeth Ilse i gysylltiad â phobl go-iawn, pobl â'u traed ar y ddaear. Pobl a chanddynt wreiddiau, rhywbeth amheuthun ar ôl bod yng nghwmni ffoaduriaid eraill, lle'r oedd pawb yn crafangu wrth ryw ynys fach yng nghanol y lli gan borthi ansicrwydd ei gilydd.

Fe'i trawyd ar unwaith mor gyfeillgar oedd y bobl hyn ac roedd y naws gymdogol yn ddigon tebyg i naws hen siop ei thad yn Hamburg erstalwm, er efallai fod chwaeth darllen trigolion glannau Mersi ychydig yn llai uchel-ael na'r darllenwyr a ddeuai at ei thad.

Roedd yn brofiad buddiol hefyd, os rhyfedd ar brydiau, i fod yng nghwmni rhywun mor optimistaidd â George yng nghanol cyfnod mor ddramatig, lle y proffwydai pawb wae yn seiliedig ar y sïon diweddaraf a oedd ar gerdded.

Un si, yn seiliedig fel mae'n digwydd ar y gwir, ac a barodd cryn dipyn o bryder i Ilse a llawer tebyg iddi, oedd honno am dynged estroniaid – Almaenwyr, Awstriaid ac Eidalwyr yn bennaf – a oedd yn byw yng ngwledydd Prydain, rhai ers cenhedlaeth a mwy, gan gynnwys llawer iawn o'r rheini a oedd wedi ffoi rhag Hitler hyd yn oed. Wrth i fygythiadau goresgyniad gan luoedd yr Almaen ddod yn fwyfwy tebygol, aeth presenoldeb y dieithriaid yma'n ofid mawr i'r awdurdodau. O dan orchymyn Churchill *"Collar the lot"*, wedi'i ategu gan ryw fwngial myngus gan rai am fwydo cegau diangen, fe'u cipiwyd yn anurddasol o'u cartrefi ar doriad gwawr a'u carcharu o dan amodau digon anghynnes ac annynol.

Cnoc ar y drws, gorchmynion cwta, agweddau dirmygus – roedd rhai o'r ffoaduriaid wedi'u lladd eu hunain rhagor na chael eu carcharu, gan deimlo bod yr helfa a'u gyrrodd i Brydain yn y lle cynta yn ddiddiwedd ac yn hollbresennol ac mai seithug oedd pob ymdrech i ddianc rhagddi.

"Druan â nhw," meddai Anti Edith, a oedd wedi cael yr hanes gan Sally Walker, gwraig perchennog y siop ddillad drws nesa ond un – Iddewes a gawsai'i geni a'i magu yn Birkenhead. Roedd gan Sally berthnasau a oedd yn byw yn Eastbourne ar arfordir de Lloegr, ac ar ddechrau mis Mai 1940 am chwech y bore ac o dan gyfrinachedd mawr a chyda brys aflednais, roedd yr awdurdodau wedi rhuthro i'w hel at ei gilydd gyda'r bwriad o'u cludo i Ganada a gwledydd tebyg yn yr Ymerodraeth Brydeinig. Yn sicr nid Natsïaid oedd y rhan fwyaf o'r rhai a ddaliwyd yn y rhwyd – er bod rhai a oedd yn cydymdeimlo â Hitler yn eu plith.

"Druan â nhw," meddai Edith eto, "yn cael eu cadw mewn hen ffatri'n llawn llygod mawr ac wedyn eu rhoi ar y llong 'na, a honna'n cael ei suddo."

Aeth ias drwy Ilse. Cyfeirio oedd Anti Edith at yr *Arandora Star* a suddwyd ar ddechrau mis Gorffennaf oddi ar arfordir gogledd Iwerddon, a hithau'n llawn Almaenwyr ac Eidalwyr yn cael eu hallforio i Awstralia. Boddwyd bron saith gant ohonynt. Gwyddai Sally, drwy rywun roedd yn ei nabod a weithiai i lawr yn y dociau, fod y llong yn cario deuddeg cant o 'estroniaid' ar ei bwrdd, wrth hwylio o Lerpwl. Teimlai'n siŵr fod ei pherthnasau yn eu plith ac erbyn hyn roedd yn poeni'n ddirfawr amdanynt.

'Estrones' oedd Ilse yn llygad y llywodraeth – er mai 'Dosbarth C' oedd ei statws, sef y ffoaduriaid a ystyrid fel y rhai mwyaf 'diogel', ac fe gafodd lonydd rhag yr awdurdodau o'r herwydd. Serch hynny, nid oedd modd bod yn hollol ffyddiog y câi lonydd am byth, yn enwedig wrth i gasineb tuag at Almaenwyr gynyddu yn sgil y bomio.

Sylwodd Edith yn syth ar y cwmwl a ddaeth dros wynepryd yr hogan.

"Peidiwch â phoeni, 'ngeneth i. Ddôn nhw ddim i chwilio amdanoch chi... Ac os dôn nhw, bydd yn rhaid i chi a George briodi a dyna ddiwedd arni."

Gwelodd Edith y pryder yn wyneb Ilse yn troi'n arswyd, ac felly dyma hi'n chwerthin o'i hochr, a dechreuodd George wenu a chilchwerthin hefyd ac yn y diwedd penderfynodd Ilse mai dim ond cellwair oeddent a chwarddodd hithau gyda nhw.

48

Paratoi i godi. Cyrraedd dibyn y lanfa. Tsiecio brêcs. Fflapiau wedi'u gosod i'r man iawn, a'r peiriannydd yn symud y pedwar lifer ymlaen. Rhua'r peiriannau. Yn rhwydd a chan symud yn gynt ac yn gynt, dechreua'r awyren ar ei thaith ar hyd y lanfa. Dyma'r adeg pryd y gall Hugh anghofio pryder, straen a blinder. Ŵyr o am ddim byd tebyg i'r profiad o godi i'r awyr fel hyn.

Ei chadw'n syth; cynffon yn codi; cyflymdra'n codi. Ac yn sydyn, mae'r daith sigledig ar hyd y concrid yn darfod, wrth i'r awyren drymlwythog adael y ddaear yn gwbl ddiymdrech.

"Codi olwynion."

"Olwynion wedi'u codi, skipper."

Mae hi'n esgyn yn rhwyddach fyth ar ôl codi'r olwynion. Mae'r sbîd yn cynyddu drwy'r adeg. Hedfan yn lefel am ychydig. Goleuadau ola'r lanfa'n gwibio heibio ac mae'r awyren yn cael ei sugno i'r gwyll.

"Fflap i mewn."

"Fflap i mewn, skipper."

Brawddegau cwta, awtomatig. Symudiadau awtomatig.

"Navigator i'r capten. Cwrs 065."

Mae hi'n ddeg o'r gloch union. Y tu ôl i W-William, mae chwe chant o awyrennau bomio beichus yn codi o'r ddaear o wahanol feysydd yn yr un modd. W-William sydd ar flaen y gad. I fod dros y targed bum munud cyn pawb arall, i oruchwylio'r marcio a'r bomio. Y meistr-fomiwr. Arweinydd y distryw.

Eisoes mae lleuad werdd-welw i'w gweld ar ymyl y gorwel, ac oddi tani mae Môr y Gogledd yn llonydd. Pob munud yn mynd â'r llu awyrennau a'u llwyth angheuol bedair milltir yn nes at eu cyrchfan.

Dyma ddechrau'r gwylio, y chwilio parhaus am y gelyn. Yn amlach na heb, ffrâm yr awyren yn cael ei sigo o dan ergydion canon fydd yr arwydd cyntaf o'i bresenoldeb. Mae pawb yn gwylio. Yr anelwr bomiau'n edrych ymlaen o'i le yn y trwyn; Hugh a'r peiriannydd yn gwylio uwchben y trwyn ac i'r chwith ac i'r dde; y dyn weiarles yn craffu o'r astrodôm, pryd bynnag y caiff gyfle i adael ei radio, a'r gynwyr, yn rhynnu yn eu tyredi bach cyfyng, anghysbell. Pawb yn gwylio. Pawb yn dawel. Yr ofn dan gaead, ond yn hollbresennol.

Mae Hugh yn peri i'r awyren siglo ychydig o ochr i ochr wrth hedfan, fel y gall y gynwyr wylio'n union oddi tani ar dro pob pendil. Yn nes ymlaen bydd y siglo hamddenol yma'n troi'n symudiad corcsgriw gwyllt, er mwyn drysu llygaid electronig helwyr y nos. Gwaith caled i'r peilot yw cadw'r symudiad yma i fynd, symudiad sy'n codi cyfog ar bawb ar ôl cyfnod hir. Symudiad y mae'r helwyr wedi dysgu sut i'w efelychu'n rhwydd gan gripian dan gysgod eu prae, i siglo ar siglen eu tranc, y gynnau pwerus wedi'u hanelu at i fyny at fol diymgeledd y bomiwr...

Tawel oedd yr awyr uwchben Lerpwl y noson honno. Gallai Ilse weld yr un lleuad welw-werdd a oleuai lwybr y llu bomwyr dros Ewrop tuag at eu targed – y ddinas lle y'i magwyd, dinas Hamburg.

Aeth allan i'r pwt gardd yng nghefn y tŷ. Deuai oglau gwyddfid i'w ffroenau, yn gymysg â rhyw hen dawch chwerwfelys o'r bragdy gerllaw. Syllodd i fyny i'r wybren serog, gan ystyried yr anfeidrol a'r tragwyddol, nes i'r ffasiwn fyfyrio godi'r bendro arni a bu'n rhaid iddi ostwng ei threm a throi'i meddwl at ofidiau'r presennol.

Ychydig ddyddiau ar ôl sylw cellweirus Anti Edi am briodi, dyma George, yn annisgwyl, yn troi'r sgwrs foreol yn y siop i gyfeiriad manteision uniad o'r fath.

Roedd y siop yn mynd o nerth i nerth ac er gwaetha problemau'r byd cyhoeddi adeg y rhyfel, ymdrechion beunosol y *Luftwaffe* i'w gwastatáu a thrafferthion lu eraill, llwyddai'r siop i ddal ei thir a mwy.

Gallai Ilse deimlo'i hagwedd tuag at fywyd yn newid.

Yn hafan ddigynnwrf Ffordd Picton, medrodd Ilse ymdrwytho yn rhythm rhyw drefn syml nad oedd yn gofyn gormod ohoni; tendio ar Anti Edith, paratoi'i brecwast a thocyn bwyd ar gyfer amser cinio cyn mynd draw i'r siop i ymuno â George am weddill y dydd. Dychwelyd tua phedwar i gymryd drosodd oddi wrth chwaer Anti Edith – Anti Beti – paratoi bwyd i bedwar a threulio'r gyda'r nos yn darllen, yn gwnïo... neu, weithiau, yn llochesu rhag y bomiau.

Wedi mynd oedd yr ysfa flaenorol i ymestyn ei hadenydd a chroesi'r Iwerydd, ac roedd meddwl am fod yn brae i'r llongau tanfor a sut y gallai'i chorff gael ei olchi i'r lan ar ryw draethell unig yn Iwerddon fel y digwyddai i gynifer o'r teithwyr ar yr *Arandora*, yn pylu cryn dipyn ar ei *Wanderlust* hefyd. Am y tro bodlonai ar y ffaith mai hawddfyd oedd ganddi o'i gymharu â llawer un o'i chwmpas. Gwnâi les iddi fagu nerth, cael hoe, a mwynhau'r ffaith nad oedd dim byd yn digwydd iddi'n bersonol.

Roedd hi wrth ei bodd â'r siop, a'i holl gorneli cyfrin, annisgwyl a'r ffordd y byddai heulwen y bore'n ffrwydro yn y ffenest fwa gan lenwi'r tu mewn â golau euraidd a olchai i bob cilfach tywyll gan gronni mewn pyllau lliw'r enfys wrth waelod y silffoedd.

Doedd dim taw ar George wrth ei waith. Byddai'n prepian yn siriol am bob diawl o bob dim o fore gwyn tan nos; a phan na fyddai'n siarad byddai'n chwibanu'r caneuon dawns diweddaraf – ond dim pob amser mewn tiwn – a gallai hynny fynd yn fwrn ar brydiau. Teimlai Ilse ar adegau ei fod yn anweddus o siriol fel pe na allai'r un dim beri tristwch iddo, a'i fod rywsut yn greadur calongaled, er yn annwyl a meddal ei ymarweddiad yn y bôn. Ei ymateb cynta i hanes suddo'r *Arandora* oedd bod chwe chant wedi'u hachub a bod y newydd calonogol yma fel pe bai'n negyddu trychineb y colledigion. Fodd bynnag, at ei gilydd, bu'r agwedd wyneb-haul-i'r-byd yma yn llesol i Ilse ac roedd ei garedigrwydd yn gyson ac yn ddiamod.

Byddai bob amser yn gofyn ei barn am bopeth, yn enwedig am y cyhoeddiadau diweddaraf i gyrraedd y siop, gan wrando'n astud ar ei hateb:

"Be 'dach chi'n feddwl o hyn, Ils?" Doedd hi ddim yn leicio'r talfyriad o'i henw ond heb ddweud dim hyd yn hyn.

"'Dan ni wedi gwerthu naw copi o *Where Do We Go From Here?* gan Laski mewn pythefnos. 'Dach chi wedi'i ddarllen o? Be 'dach chi'n feddwl amdano fo?"

"Wedi sbecian drwyddo – 'na i gyd."

Roedd teitl y *Penguin* bach coch a gwyn wedi tynnu'i sylw, ond wedyn penderfynodd nad oedd hi am ystyried y dyfodol ar hyn o bryd. Gallai'r dyfodol fod yn boenus iawn iddi. Y presennol oedd yn cynnig y cysur mwyaf iddi am y tro.

"Sosialydd da," meddai George. "Ble 'dach chi'n meddwl yr awn ni o fan hyn, Ils?"

"Dwi ddim yn gwybod," atebodd yn oeraidd onest. "Fel mae pethau'n mynd gallai tanciau'r Almaen fod yn y stryd ymhen mis ac wedyn mi fyddwn i'n cael mynd ar fy mhen i wersyll i Iddewon, mae'n siŵr."

"Peidiwch â siarad fel 'na – y lol. Dydyn nhw ddim yma eto ac... wel, tasan nhw'n dod, wel, gallen ni briodi a gallech chi smalio mai sgowsar go-iawn 'dach chi... newid eich enw... lliwio'ch gwallt... gweithio ar yr acen..."

"Tewch, wir!" meddai dan chwerthin, er braidd yn bîg iddo siarad mor ffri am briodas. "Rhowch help llaw i mi fan hyn hefo'r rhain, plîs."

"Iawn, mysys," meddai dan saliwtio.

Edrychodd Ilse arno'n wirioneddol flin am ennyd, ond wrth weld y llygaid disglair 'na a'r wên gam, buan yr ildiodd ei myll i chwerthin go-iawn a dechreuodd ei fwrw'n ffyrnig ar ei gorun hefo copi o *Picture Post*, ond digon llywaeth ac aneffeithiol oedd ei hymosodiad.

"Fflac ysgafn yn dod i fyny, skipper."

Maent yn nesáu at y targed a fflachia'r bwledi gwyrdd a choch heibio i'r awyren wrth i Hugh ei hercio o'u llwybr. Digon gwael yw'r anelu ac nid yw'r awyren mewn unrhyw berygl am y tro.

Erbyn hyn mae'r awyrennau marcio'n dechrau cyrraedd ac mae'r ddinas oddi tanynt wedi'i goleuo'n sydyn gan glystyrau o oleuadau coch. Noda'r anelwr bomio gywirdeb y marcio ac mae Hugh yn cyfarwyddo'r llu awyrennau sy'n dechrau cronni uwch eu pennau ynghylch pa farciau i anelu amdanynt a pha rai sy'n glwc neu'n ffug.

Cyn bo hir gwelant olwg cyfarwydd yn ymledu islaw; dinas dan ymosodiad anferthol. Bomiau'n ffrwydro, mwg yn chwyrlïo i'r awyr, pelydrau'r chwiloleuadau'n ymweu drwy'r mwg a fflachiadau coch y fflac trwm. Ysgafn yw'r amddiffynfeydd o'u cymharu ag ambell fan.

I lawr yn y ddinas, mae'r asffalt yn toddi ac mae'r bobl yn

*marw yn eu llochesi wrth i'r fflamau a'r gwres sugno'r anadl
o'u hysgyfaint. Llysg yr eglwysi a'r ysbytai. Ac yn y selerydd
neu wrth neidio'n ofer i'r camlesi, geilw'r miloedd ar eu
duw i'w hachub, neu'i felltithio am eu twyllo... cyn llyncu
tân a marw.*

*Mae cyfuniad o dywydd sych a phoeth a natur hylosg yr
holl hen adeiladau pren yn creu storom dân ddifaol sy'n
llyncu hanner can mil o fywydau i'w chrombil.*

*A rhywle yn nyfnderoedd yr eigion o fflamau, mae llythyr
bach brau mewn drôr yn crimpio'n golsyn – llythyr a
ysgrifennwyd at Ilse Meyer saith mlynedd yn ôl gan lencyn
o Lŷn yn sâl o gariad, sydd bellach yn rhodio ei ddinistriol
hynt dros ddinas Hamburg yn un o gyrchoedd awyr mwyaf
difaol ac anfaddeuol y rhyfel.*

49

Oni bai am y *Luftwaffe* fyddwn i ddim yn briod â George, meddyliodd Ilse, nid am y tro cynta, wrth loetran yn yr ardd o dan olau hudol y lloer fomio, gan ofyn iddi'i hun, ac nid am y tro cyntaf, ai da ynteu drwg o beth oedd hynny.

Ymlwybrodd draw i'r gornel bellaf lle codai'r twmpath o bridd a orchuddiai'r lloches Anderson. Roedd y llanast a'i gorchuddiai ar ôl y noson dyngedfennol honno ym mis Mai y llynedd wedi'i hen glirio a'r border bach a blannwyd ar ben y twmpath ar ddechrau'r rhyfel wedi adennill ei le. Ar y noson arbennig dan sylw, roedd cymaint o rwbel wedi syrthio drosti fel nad oedd modd dianc ohoni nes i'r gwasanaethau achub gyrraedd yn y bore i'w rhyddhau.

Roedd Anti Edith yn aros gyda'i nith yn Neston ar y Wirral a bu'n rhaid i George ac Ilse weiddi am help i dynnu sylw'r criwiau achub pan glywsant y cerbydau'n nesáu tua thoriad y wawr.

Y bomio trymaf y tu allan i Lundain drwy gydol y rhyfel oedd y bomio y noson honno. Lladdwyd tair mil o bobol a dinistriwyd un fil ar ddeg o gartrefi dinas Lerpwl. Roedd George i fod ar ddyletswydd fel gwyliwr tân o hanner nos ymlaen ond roedd y cyrch wedi hen ddechrau a sawl stic o fomiau wedi syrthio yn y cyffiniau'n barod a bu Ilse'n crefu arno i beidio â'i mentro drwy'r strydoedd.

"Gwell i ni fynd i'r Anderson, 'te?" meddai George yn anfoddog, gan estyn y lamp olew o ben y cwpwrdd.

Gas gan Ilse oedd y twll lloches cyfyng, diawyr â'i holl falwod ac ogleuon llaith. Yn ystod misoedd y gaeaf roedd tua modfedd o ddŵr wedi hel yn y gwaelod a bu'n rhaid fferru noson ar ôl noson mewn wellingtons wrth aros am yr *all clear*, ac roedd yr holl lyfrau ar y silffoedd bach a dillad y gwelyau wedi llwydo, ond, rywsut neu'i gilydd, roedd George wedi llwyddo i gael gafael mewn digon o goncrid – roedd George rywfodd yn medru cael gafael mewn llawer iawn o bethau na fedrai pobl eraill ond breuddwydio amdanynt yr adeg honno – i orchuddio'r llawr. Ond hen le afiach oedd o o hyd.

Bu Ilse yn gorwedd yn y tywyllwch yn gwrando ar ddwndwr y cyrch. Bob hyn a hyn teimlai'r ddaear yn crynu a deuai cymylau o lwch i'r lloches a gosai gefn eu gyddfau gan beri iddynt besychu'n gras. Roedd y bomio'n dod yn nes. Llathen oddi wrthi gorweddai George gan ddarllen *Where Do We Go From Here?* yng ngolau'r lamp.

Syllai Ilse arno, yn ddiarwybod ei bod yn gwneud hynny. Roedd hi'n meddwl am ei theulu. Os oeddent yn dal yn fyw tybed oedden nhw'n gorfod dioddef hyn hefyd? Anodd iddi oedd clywed ei chymdogion yn bytheirio am yr angen i fomio a lladd trigolion dinasoedd yr Almaen, er mor ddealladwy eu dicter wrth i nifer y meirwon gynyddu yn ninasoedd eu gwlad eu hunain. Ceisiai ddychmygu sut y byddai'n teimlo pe bai hi'n dal i fyw yn yr Almaen a bomiau'r RAF yn syrthio am ei chlustiau, a'i chymdogion yn cael eu tyrchu'n gelanedd o adfeilion eu cartrefi. Fyddai hi'n brygawthian am ddial? Digon posib.

Trodd George ei ben a gweld bod Ilse yn edrych arno. Gwenodd.

"'Dach chi'n iawn?"

Nodiodd ei phen ond rhaid bod yr olwg ar ei hwyneb yn datgelu stori arall. Rhoddodd George y llyfr o'r neilltu a chodi ar ei eistedd ar erchwyn y gwely bach isel.

"Be sy, yr hen Ils? Mae golwg drist ofnadwy arnoch chi fwya sydyn."

Gwenodd Ilse yn wantan gan edrych i'w lygaid. Am ennyd dalient fel 'na. Yn edrych ar ei gilydd o ddifri am y tro cynta ers iddynt gyfarfod. Teimlodd Ilse ei bol yn dowcio y mymryn bach lleia, ac wedyn yn sydyn teimlodd y ddau ryw *wwwsssshhh* o awyr ac fe'u hyrddiwyd o'u gwelyau. Syrthiodd y lamp i'r llawr gan dorri a chododd fflam hirysig yn syth o'r teilchion gwydr. Mewn chwinciad roedd George wedi'i ddiffodd â thywod o'r bwced ger y drws.

"Roedd hwnna'n agos," eglurodd yn ddiangen, gan ymbalfalu yn ôl at y gwely.

Atebodd Ilse ddim, dim ond cythru am ei law yn y tywyllwch. Yna, goleuwyd y tu mewn i'r lloches gan fflach a drodd nos yn ddydd am ennyd. Yn yr ennyd honno, gwelodd hi George yn neidio i'w hamddiffyn â'i gorff cyn i glec fyddarol sgrwtian pob bollt yn y lloches fach haearn. Yn sgil y glec gyntaf – a achoswyd gan drên ffrwydron a ataliwyd gan y cyrch yng nghanol yr ardal breswyl yma, yn cael ei daro – daeth cyfres o ergydion nerthol a ddilynwyd gan gawod fyddarol o frics a thrawstiau yn cael eu bwrw o'r nen, gweddillion y tai ger y rheilffordd yn glanio gyda chywirdeb brawychus ar ben twmpath yr Anderson.

Gwasgodd Ilse mor dynn ag y gallai yn erbyn George gan geisio ymgolli yn ogleuon cyfarwydd ei ddillad. Roedd y cyrten dros ddrws y lloches wedi'i chwythu i ffwrdd a thrwy'r pentwr gweddillion a oedd wedi glanio y tu allan, roedd tanau i'w gweld yn glir a sŵn gweiddi a chlychau ambiwlans ac injans tân. Bwriai'r fflamau gysgodion gwirion, crynedig ar y waliau metel.

Ar ôl rhyw funud cododd George ei ben gan edrych tua'r drws. Cododd a mynd i archwilio'r difrod. Yn fuan iawn, daeth yn amlwg na allent symud oddi yno nes bod rhywun yn clirio'r rwbel o'r tu allan.

"Lwcus oedden ni," meddai gan ddychwelyd i eistedd ar erchwyn y gwely drachefn.

Bu tawelwch.

"Lwcus ydw i," meddai Ilse o'r diwedd yn dawel.

"Be 'dach chi'n ddeud, Ils?" meddai George, ei lais yn wannach nag arfer yn sgil y sioc.

Llifodd rhyw gynnwrf drwy wythiennau Ilse, fel pe bai'r digwyddiad wedi gwefru'i holl synhwyrau. Roedd bywyd ac angau mor agos, y ffin mor denau...

Ymestynnodd Ilse ei llaw a chyffwrdd yn dyner â boch ei chyd-locheswr. Uwchlaw sofl unnos ei farf roedd ei groen mor llyfn a melfedaidd.

"Ddown ni ddim o'ma heb help, wyddoch chi," parablodd George.

Tybed lle mae'r ofn wedi mynd, gofynnodd Ilse iddi'i hun. Efallai agosa yn y byd y down at angau lleia yn byd yr ofn 'dan ni'n ei brofi...

"Oes gennych chi ofn, George Lovall?"

"O, na... na..." ymdrechodd i gadw'i lais yn siriol a dibryder. "Mi ddaw'r bois achub cyn bo hir. Maen nhw'n tsiecio'r Andersons i gyd ar ôl pob cyrch."

"Nage... ofn hyn, dwi'n 'i feddwl."

Cododd Ilse ar ei phenelin gan blannu sws ar ei wefusau. Ni allai'r naill weld wyneb y llall yn fanwl ond am yn hir buont yn craffu ar ei gilydd yn y tywyllwch.

"Dwi ddim yn gwybod," mwmiodd George yn y diwedd. Crynai'i law yn ei llaw hithau.

"Peidiwch â bod ofn dim," sibrydodd.

Heno, anodd credu i'r fath noson ddigwydd erioed a'r awyr yn wag heb suo herciog y bomwyr, na chlec y gynnau na tharan y bomiau eu hunain, ac Ilse'n rhydd i rodio'r ardd heb beryglu'i bywyd. Teimlai'r llen rhwng byw a marw'n ddiriaethol gadarn heno a'r ffurfafen yn darian uwch ei phen. Teimlai Ilse ei hun yn swrth ac yn ddryslyd a rhyw aflonyddwch yn plycio ei thu mewn.

50

Roedd y llen yn denau ar y naw uwchben Hamburg y noson honno, ac yn y ddinas islaw fe'i rhwygwyd yn gareiau o'r neilltu wrth i'r byw a'r meirw ymdoddi yng nghoflaid y storm dân.

Ar fwrdd Lancaster W-William, *roedd un o'r gynwyr newydd gyhoeddi ei fod wedi gweld awyren yn ffrwydro dros y targed. Arwydd bod yr helwyr wedi cyrraedd, â'u bryd ar ddial.*

Yn sydyn, gwelwyd gwyrdd a choch eu bwledi yn crafu'r düwch i bob cyfeiriad o'u cwmpas. Mewn amrantiad, troai pigiadau melyn yn y pellter yn goelcerthi ffrwydrol wrth i'r naill fomiwr ar ôl y llall fynd dan lach schräger musik – *cerdd ddryllio – y canonau trwm...*

Roedd hi'n ddau o'r gloch y bore. Pedair awr ers gadael Lloegr. Trodd Hugh drwyn W-William *am adref.*

Dau o'r gloch. Ar ôl dod yn ôl i'r tŷ roedd y gloch fach wedi canu yn yr ystafell ddrws nesa a bu Ilse yn hebrwng Anti draw i'r lle chwech.

"Mae hi'n lladdfa heno," meddai'r hen ddynes am y tywydd, a gallai Ilse weld y chwys yn pigo ar ei thalcen.

"Pan ddowch chi'n ôl, mi wna i olchi'ch wyneb a rhoi 'bach o *eau de Cologne* ar eich talcen."

"'Dach chi'n sobor o garedig, ferch."

Gwenodd Ilse a phwyso yn erbyn y wal y tu allan i'r

closed wrth i'r hen ddynes dincial i'r pan.

Llifai golau'r lleuad drwy'r ffenest fach yn y to uwchben y landin a gadawodd Ilse iddo olchi drosti fel cawod gan symud ei phen o ochr i ochr yn ei anwes.

Yn ôl yn ei gwely, llithrodd i gwsg llawn breuddwydion. Roedd Hugh wedi dychwelyd yn y peiriant hedfan a welsai yn ei breuddwyd ar y trên yn ôl i Gymru o Rydychen toc cyn dechrau'r rhyfel. Roedd ganddo fachgen bach yn ei freichiau.

"Dwi wedi dod â hwn i ti," meddai gan hofran o'i blaen ac ymestyn ei freichiau. "William ydi'i enw fo."

Ac wedyn roedd fel pe bai'r bachgen wedi hedfan o'i freichiau a phlymio i'r ddaear; rhuthrodd Ilse i'w ddal ond methodd â'i gyrraedd cyn deffro.

Ymgolli yn y dorf. Dyna'r gamp. Osgoi sylw llygaid radar yr helfa wrth i'r bomwyr ei heglu yn eu cannoedd yn ôl dros gyfandir Ewrop. Eu brys wrth adael yn awgrymu rhyw euogrwydd.

Ond roedd Hugh yn ei chael yn anodd canolbwyntio heno. Roedd fel pe bai rhyw gannwyll-y-gors yn ei ben a'i golau'n arwain ei feddwl ar gyfeiliorn o hyd. Gwelai wynebau'n ymrithio yn llun ei feddwl – wynebau anghofiedig – Ilse, Hywel Wmffra, ei dad, ei frawd, Toby, Sophia... Delweddau'n codi o'i flaen ym mwâu'r fflac amryliw. Yn ymweu drwy'i ben yn rhubanau diddiwedd, roedd yr holl ddigwyddiadau a oedd wedi lliwio a llywio'i fywyd dros y degawd diwethaf.

Daliai i gadw'r awyren i bendilio'n ôl ac ymlaen i ddrysu llygaid y gelyn.

Yn sgil ei garwriaeth â Ceinwen gallai deimlo'i fywyd yntau'n dechrau pendilio'n ôl tuag at Gymru o'r newydd. Serch hynny, roedd wedi gwrthod cynnig Glyn Price, Cymro o Lanberis a arferai fod yn ei griw yn ei hen sgwadron, i fynd ag ef yn ôl i droed yr Wyddfa dros y Nadolig. Doedd o ddim yn barod eto. Roedd yna rywbeth ar goll yn rhywle ond ni allai roi'i fys ar y peth. Efallai y gwnâi les iddo ddychwelyd. Byddai'n rhaid iddo gysylltu â Glyn. Doedd o ddim wedi'i drosglwyddo i'r sgwadron newydd gyda gweddill y criw. Bechod. Roedd o siŵr o fod allan fan'na'n rhywle heno hefyd.

Ar ben tro'r pendil dyma ymbaratoi i swingio'n ôl.

Sŵn rhaca drom yn union tano. Chwalwyd y deials a'r switsys o'i flaen, rhwygwyd yr hydrolics yn jibidêrs, roedd y gynwyr a'r peiriannydd eisoes yn gelain yng nghawd y bwledi canon. Dechreuodd yr awyren wyro i'r dde gan ddisgyn yn gyson, anorfod...

Oddi tani tynnodd yr helwyr ymaith gan wylio wrth i'r tân ddechrau lledu rhwng yr aden a chorff eu prae. Dyma'r drydedd i syrthio i'w gynnau y noson honno. Cyn bo hir byddai'r aden yn syrthio i ffwrdd a byddai'r Lancaster *yn dechrau troelli'n gynt ac yn gynt gan nadu'r criw rhag dianc, er efallai y byddai ganddynt ddigon o amser i wisgo'u parasiwtiau. Byddai wedyn yn torri'n ddarnau cyn taro'r ddaear mewn rhyw gae rywle yng ngwlad Belg.*

51

Medi 1943

Cymerodd y daith adref yn hirach na'r disgwyl i Ceinwen. Roedd cael eistedd a phaned o'i blaen yn ei chartref ei hun yn teimlo'n hollol afreal, ar ôl drama'r enedigaeth a'r hyn a ddilynodd. Ystyriodd Ceinwen y cymysgedd rhyfedd o edliw brwnt a charedigrwydd cynhenid a brofodd yn yr ysbyty.

"Wrth gwrs 'i bod hi'n brifo, yr hogan wirion. Dylet ti fod wedi meddwl am hynna cyn i ti agor dy goesa i'r dyn cynta welaist ti," meddai un hen bladres wrthi a hithau yng nghanol yr esgor.

"Paid â gwrando ar honna," sibrydodd nyrs fach fochdew wrthi. "'Chaiff honna ddim cyfle i agor 'i choesa tasa hi'n byw tan Ddydd y Farn."

A sut y medrai anghofio'r meddyg ifanc o Sais a oedd wedi'i chanmol yn ei lais tawel, bonheddig am ddewrder ei phenderfyniad, ac wedi gadael sebon gwallt yn anrheg iddi, heb i neb ei weld, wrth gwrs, pan ddaeth heibio iddi yn y ward am y tro ola – pryd y gwelwyd sebon gwallt yn y siopau'r ochor yma i'r rhyfel?

Ond yn awr roedd yr atgofion cas a chlên yn cymylu. Dyma hi'n ôl yn y bwthyn lle cafodd hithau ei geni, a synau ac arogleuon cyfarwydd o'i chwmpas. Ymhyfrydai yn y normalrwydd a chynefindra popeth.

Roedd hi'n noson hyfryd o haf bach Mihangel, y drws yn agored led y pen a'r gwres aeddfed cynaeafol yn llepian

dros lechi oer y rhiniog fel llanw wrth i'r haul ddechrau
suddo tua'r môr. Roedd Moi a'r lleill yn brysur yn y caeau
a gallai glywed tuchan yr injan ddyrnu draw yn Nant-y-
Ffin yn atseinio yn erbyn creigiau'r Foel. Ochneidiodd.
Byddai'n rhaid iddi ddechrau hulio swper i'r hogiau cyn
bo hir.

Ddylai hi deimlo'n unig? Yn wag? Yn hiraethus? Wel,
dylai, hwyrach. Ond doedd hi ddim. Roedd cael bod ar ei
phen ei hun fel hyn heb orfod siarad nac ateb cwestiynau,
na disgrifio nac egluro, na chyfiawnhau na datgelu dim,
yn gwneud byd o les i'w henaid briw. Doedd dim rhaid
iddi wneud dim ond gadael i lanw'r machlud wrth y drws
raddol feirioli'i synhwyrau diffrwyth a'i llonyddu.

Yn ddi-os y deuai'r dagrau a'r amheuon a'r euogrwydd
yn eu tro a chyda'i gilydd, ond gwyddai yn y ffordd
ymlaciol yr ymatebai'i chorff i falm y baned fod y
penderfyniad cywir wedi'i wneud ac o'r diwedd y gallai
ddisgwyl i glwyfau'i galar gael cyfle i geulo.

Ymestynnai'i hamryfal brofedigaethau y tu ôl iddi'n
rhuban llaes; yn rhibidres o farwolaethau diangen – ei
mam, ei thad, Robin, yr holl wynebau bachgennaidd
ifainc a adwaenai yn ei chyfnod yn y WAAFs ac a gollwyd
dros fôr a thir, ac wedyn Hugh... ei hannwyl Hugh... a'i
fysedd hirion a'i lygaid bythol flinedig...

Roedd wedi amau bod rhywbeth wedi digwydd iddo
pan nad oedd wedi clywed ganddo ar ôl tair wythnos, a
hithau wedi ysgrifennu ato i'w hysbysu am y ffaith ei bod
yn cario'i fabi.

Am ychydig meddyliodd efallai ei fod wedi cymryd y
goes fel ag y gwnaeth hefo Ilse druan, gan ei gadael yn
hollol ddiymgeledd mewn gwlad estron. A oedd darllen
am y baban yn ei llythyr wedi rhoi cymaint o fraw iddo
nes ei fod am ailadrodd ymddygiad annheilwng y

gorffennol? Ond, rywsut, roedd hi'n amau'n gryf erbyn hyn ai rhedeg i ffwrdd rhag ei gyfrifoldebau fyddai ymateb rhywun a arweiniai hyd at bedair mil a rhagor o ddynion feunos ar gyrchoedd dros dir y gelyn.

Ond dyn oedd o yn y diwedd, yntê? A phethau digon anwadal oedd dynion yn y bôn. Yn gallu cau'u calonnau a'u meddyliau'n glep i'w hamddiffyn eu hunain. Tasan nhw ddim fel 'na fasa 'na ddim rhyfeloedd, meddyliodd Ceinwen – fedren nhw fyth ddygymod â'r holl ladd a cholledion fel arall.

Oedd, mi oedd Hugh wedi sôn am y dyfodol unwaith neu ddwy tra oeddent gyda'i gilydd, ond gan amlaf deuai'r sgwrs i ben drwy ddweud mai "aros i gael gweld" oedd orau; strategaeth ddigon derbyniol a doeth o dan amgylchiadau ansad yr oes.

Aeth mis heibio, a gwyddai Ceinwen i sicrwydd bron fod rhywbeth wedi digwydd i'r dyn. Roedd colledion ymhlith criwiau'r *Pathfinders* yn ddihareb. Ac eto, ni wnaeth geisio am wybodaeth i gadarnhau'i hofnau. Roedd meddwl am ddygymod â phrofedigaeth arall yn ormod. Fel hyn gallai ddelio â'r sioc a'r dicter a'r anobaith. Byddai wedi cael cyfle i ymbaratoi yn hytrach na chael ei hitio gan y daran ddisymwth arferol.

Yna, dechreuodd ystyried efallai fod Hugh wedi'i glwyfo neu'n garcharor rhyfel. Mi wna i ddechrau holi fory, meddyliodd. Ond drannoeth ni bu raid iddi ddechrau. Derbyniodd lythyr. Llythyr yn y Gymraeg gan Glyn Price.

Prin ei bod wedi dod i nabod Glyn. Fe'i cofiai fel y dyn anweladwy a oedd yng nghwmni Hugh y noson rynllyd honno pan oeddent wedi taro ar draws ei gilydd yn Wyton; roedd hi wedi cael cip arno unwaith mewn tafarn mewn pentre cyfagos ar ôl i Hugh ddweud wrthi mai dyna pwy ydoedd.

Annwyl Miss Jones,
Gyda chalon drom...

Doedd dim pwynt darllen yn fanwl, nag oedd?... *saethu i lawr dros Wlad Belg... pawb ar fwrdd yr awyren wedi'u lladd... Pennaeth sgwadrwn Hugh wedi trosglwyddo'ch llythyr a gyrhaeddodd toc ar ôl marwolaeth Hugh i mi gan na fedrai yntau ddeall y Gymraeg...* Ni allai Ceinwen ddarllen rhagor; ni allai ddal rhagor. Syrthiodd y tudalennau tenau i'r llawr, wrth iddi roi ei dwylo ar ymchwydd ei bol, ei hwylofain di-sŵn yn bygwth ei llorio. Ni ddywedodd yr un gair wrth neb am dridiau.

A hyd yn oed wedyn ni chafodd neb wybod mai Hugh oedd tad y plentyn yn ei chroth.

Cododd Ceinwen yn awr a mynd draw at y ddrôr yn y ddresal i nôl y llythyr er mwyn ei ailddarllen. Sgubodd ei llygaid yn anfoddog dros fanylion y lladdfa yn yr awyr gan ailafael ynddo lle y soniai Glyn yn ymddiheurol sut y bu'n rhaid iddo ddarllen ei lythyr olaf at Hugh:

...ar ôl darllen bwrdwn eich llythyr, sylweddolaf y bydd marwolaeth Hugh yn ergyd ddeufin lem oherwydd nid yn unig y bydd yn gadael merch heb ei darpar-ŵr ond hefyd fe edy blentyn heb ei dad. Yr oedd gan Hugh feddwl y byd ohonoch. Yr wyf yn cofio'r ffordd yr oedd wedi ymlonni'r noson oerllyd honno y cyfarfyddon ni â'n gilydd yn Wyton.

Miss Jones, yn eich llythyr ato, yr ydych yn mynegi pryder efallai na fyddai Hugh am arddel y baban yr ydych yn ei gario. Mi allaf eich sicrhau nad oes sail i'ch pryder. Soniodd Hugh fwy nag unwaith am ei awydd i ddychwelyd i Ben Llŷn i'ch priodi ac i fagu tyaid o blant gyda chwi, a'r rheini yn Gymry cynhenid,

heb iddynt orfod dioddef cael eu mowldio'n Saeson –
rhywbeth a ddigwyddodd iddo yntau a rhywbeth a
fu'n boendod mawr iddo ar hyd ei oes. Mor hanfodol
bwysig iddo oedd cael cyfle i droi'r rhod yn hanes ei
deulu ef ei hun a dangos y parch priodol i wlad ei
gyndeidiau.

Plymiodd calon Ceinwen wrth ddarllen y geiriau hyn. Yn sydyn, roedd ei holl benderfyniad wedi'i sigo a theimlodd yn hollol ysgymun ac ysgeler am fod mor hunanol ag ymwrthod â'i phlentyn ei hun, ymwrthod â phlentyn Hugh. Sgrwtsiodd y llythyr yn belen a'i luchio at y lle tân oer. Methodd y nod a rholiodd y belen i gongl dywyll. Cododd Ceinwen yn anniddig ar ei thraed gan fwrw'r bwrdd wrth wneud a cholli gwaddod y baned dros y lliain glân.

"Go damia!"

Cerddodd at y drws ac allan â hi i wres y gyda'r nos. Roedd awyr y gorllewin yn fflamgoch, pelydrau'r haul yn ei dallu wrth iddi geisio edrych draw i'r gorwel. Wrth droi rhag yr haul edrychodd o gwmpas y buarth cyfyng. Roedd golwg ddigon diraen ac anhyfryd ar y cwbwl, er gwaetha'r goleuni godidog.

Be haws fyddai hi o gael plentyn arall o'i chwmpas? Gwell o lawer canolbwyntio ar fagu'i chwaer fach a'i helpu i'w chodi ar ei thraed a gwneud rhywbeth mwy gwerthchweil â'i bywyd na llafurio yn ei hunfan am weddill ei hoes. Dyna fyddai'r flaenoriaeth bellach, a phan fyddai'r rhyfel diawledig yma drosodd, efallai y câi hi, Ceinwen, gyfle i wneud rhywbeth drosti'i hun. Roedd pethau wedi newid i ferched – hyd yn oed i ferched Cymru. Byddai'n rhaid i Moi ddysgu byw hebddi efallai ryw ddiwrnod.

Oedd, roedd y penderfyniad cywir wedi'i wneud. Basa. Mi fasa'r babi bach yn well ei fyd lle'r oedd o. Fe geid hyd i ryw bobl glên a chlyfar a ysai am blant i gyfannu'u byd a'u priodas ddi-blant. Hwyrach mai Cymry fydden nhw; Cymry Lerpwl, ella, a digon o bres ganddynt, wedyn roedd yna hyd yn oed siawns y câi deisyfiad cyn-etifedd Plas y Morfa'i wireddu.

Ac ar un wedd, roedd Ceinwen yn llygad ei lle; pwy bynnag a'i magai, fe ddichon y câi'r Cymro bach newydd anhysbys bob mantais ar ei aelwyd newydd. A'i brif fantais, ella, meddyliodd Ceinwen, fyddai peidio â gwybod mai Cymro ydoedd.

Ac am flynyddoedd maith felly y bu.

52

Bu ail hanner 1943 yn gyfnod anodd i Ilse.

Ar ôl eu noson o fraw, rhamant a rhyw yn yr Anderson ddwy flynedd ynghynt, roedd methiant dechrau'r mislif canlynol wedi gyrru'r ddau ohonynt i wneud trefniadau brys yn y gofrestrfa leol. Fodd bynnag, dridiau cyn y seremoni, roedd y mislif wedi penderfynu cyrraedd mewn steil yn hwyr rhagor na hwyrach, a thybiodd Ilse efallai y dylent ailystyried eu sefyllfa.

Ond, erbyn hyn, roeddent ill dau (i raddau gwahanol) wedi mopio â'r syniad o lân briodas, gan sylweddoli pe baent yn cario ymlaen fel yr oeddent ei bod yn ddigon tebyg y byddai'r rheidrwydd i neidio'r ysgub yn codi'i ben ymhen hir a hwyr, beth bynnag.

Yn wir, roedd y syniad o gael teulu hefyd yn apelio at y ddau a chyda bod George eisoes yng nghanol ei bedwar degau, gorau po gyntaf iddynt fwrw ati.

"Neu wyt ti'n meddwl 's'nam pwynt i bobol gael teulu ar adeg rhyfel fel hyn?" holodd George yn betrus.

Ystyriodd Ilse sefyllfa'i theulu'i hun – ar chwâl a heb fodd yn y byd iddi wybod a oeddent ar dir y byw hyd yn oed, a phob amheuaeth a greddf yn awgrymu na welent ei gilydd fyth eto. Serch hynny, gwyddai ym mêr ei hesgyrn nad oedd amgylchiadau'r oes yn mennu dim ar yr hyn a ddywedai'i chorff wrthi am ei hawydd i gael plentyn. Roedd yr arwyddion yn ddigamsyniol, yn gnofa barhaus, gynyddol fel rhyw frysneges yn cael ei darlledu drosodd a thro a hynny'n uwch ac yn fwy ffrenetig bob dydd drwy'i hisymwybod.

Ers gadael y Wern, roedd ei meddwl wedi troi fwyfwy at blant, lle gynt nad oedd wedi rhoi fawr o sylw iddynt. Yn staenio ei chydwybod roedd hanes dau fywyd ifanc – bywyd Sasha ac Antonia, a'u coffadwriaeth yn mynnu'i sylw sawl gwaith y dydd ac am gyfnodau hir yn ystod anhunedd y nos.

Bellach roedd yn haws iddi ddygymod â marwolaeth Sasha na'r ffordd roedd hi wedi llwyddo i fradychu a chefnu ar Antonia. O leiaf yn achos Sasha, gallai'i phen dderbyn y ddadl mai damwain drychinebus nad oedd modd iddi, o fewn rheswm, ei hatal, oedd yn gyfrifol am gipio'r bywyd ifanc. Roedd wedi llwyddo i drafod y digwyddiad â George yn fuan ar ôl iddi gyrraedd Lerpwl. Yn ôl yn y Wern lle'r oedd pawb wedi'u cyffwrdd mewn modd mor bersonol gan dranc y bachgen, roedd pob un, yn anochel, fel pe baent yn chwilio am fwch dihangol, am eglurhad, ac yn or-barod i fwrw bai – neu felly y teimlai Ilse yn ei heuogrwydd. Roedd George yn gallu gwrando, a chydymdeimlo a rhesymu a chynnig golwg newydd ar bethau.

Ond yn achos Antonia, ni allodd Ilse sôn yr un gair amdani wrth neb. Roedd gormod o gywilydd arni, y stwmp wedi'i wreiddio'n rhy ddwfn ar ei stumog. Dianc fu ei hanes, a hynny yn y ffordd fwyaf cachgïaidd dan din, gan adael y Sbaenes fach ar y clwt i wynebu anawsterau'r byd ar ei phen ei hun a hynny ar ôl iddi ymddiried cymaint yn Ilse. Ni ddywedasai'r un gair wrthi cyn gadael y tŷ ar y mynydd. Ni allai ddelio â'r gwewyr o dorri newydd mor andwyol i enaid mor fregus.

Ers setlo yn Lerpwl, roedd wedi ysgrifennu ati gan ddanfon anrhegion bach ac addewidion lu am ymweliadau, ond heb dderbyn ymateb. Doedd hynny'n fawr o syndod, ond roedd y siom yn ei bwyta'n fyw.

Roedd hefyd wedi ysgrifennu at Céline i ofyn iddi roi gwybod pe baent yn clywed unrhyw beth am hanes ei rhieni. Nid yn annisgwyl, ni chafodd ymateb i'w chais.

O ganlyniad, nid oedd ganddi'r un achlust o'r hyn a ddigwyddai yn y Wern erbyn hyn. Gwyddai fod y gwersyll Iddewig wedi dod i ben yng Nghastell Gwrych ryw ddwy flynedd yn ôl, am fod gan yr hollwybodus Sally Walker rai aelodau o'i theulu amlganghennog ymhlith y preswylwyr, ond, yn fwy na hynny, am hanes ffoaduriaid y Wern, y Kablinskiaid a'i hen gysgod bach, Antonia, ni wyddai ddim.

Breuddwydiai'n aml am Antonia. Byddai hi bob amser yn ceisio cyflawni rhywbeth yn ei chwmni – adeiladu cwch, dal trên, plannu blodau, trefnu te parti – ond byddai Antonia bob amser yn camymddwyn yn enbyd, fel y byddai'n rhaid i Ilse droi oddi wrth beth bynnag oedd ar y gweill i roi ram-dam iddi. Yng nghanol ei cheryddu byddai hi ar fin codi'i llaw i roi celpan iddi, ond cyn i'r llaw gyrraedd y nod, byddai'n deffro mewn laddar o chwys neu dan weiddi neu grio, a byddai'r euogrwydd yn chwyddo'n gwlwm tyn y tu mewn iddi wedyn, a byddai Ilse mewn hwyliau drwg am weddill y dydd.

Yn rhannol oherwydd hyn tybiai y byddai cael plentyn gan George hwyrach yn ffordd o wneud iawn am y diffygion hyn ar ei buchedd. Byddai'n rhoi ei chariad oll yn ddigwestiwn i'w hepil. Ni chodai'r un llaw arni neu arno a byddai'n ei ymgeleddu rhag holl ddrygioni'r byd nes i'r dydd wawrio pan fyddai'r rhyfel ar ben a phopeth yn ôl ar ei echel.

Roedd hyn yn ystyriaeth bwysicach iddi na'i hunion deimladau tuag at George, na phriodoldeb a doethineb ieuo â dyn a oedd mewn hen ddigon o oedran i fod yn dad iddi.

Hoffai George yn fawr; bu'n gyson garedig wrthi ers y diwrnod cyntaf. Bu mor annwyl ar y noson ryfeddol honno yn y lloches amrwd, ddiramant yng ngwaelod yr ardd, gan geisio lliniaru'i hofn a'r amgylchedd diflas.

Wrth aros am y criwiau achub i'w cyrraedd, roedd wedi sôn wrthi am sut yr oedd wedi dotio arni o'r eiliad cyntaf y gwelodd hi yn y castell.

"...yn Cinderella ofnus, ar ei phen ei hun mewn hen gastell mawr, yn meddwl fod yna lygoden fawr yn ceisio torri mewn i'r lle, a honno'n ddigon mawr i wthio drws mawr trwm y gegin 'na'n agored. Sut na fedrech chi syrthio mewn cariad â rhywun felly?"

Soniodd am y wefr o'i gweld yr eildro yn Llandudno, a'i anghrediniaeth pan ysgrifennodd ato a sut na wyddai pa ffordd yn y byd y gallai ymateb i'w llythyr heb fwrw'i fol yn flêr ac yn aflafar, gan ei dychryn o'i fywyd unwaith ac am byth... a sut, pan ddaeth ei chais am gael aros, roedd wedi crwydro fel dihiryn dwl drwy'r nos yn y parc gerllaw yn feddw fawr ar lawenydd pur.

Er mor gyntefig ac anaddas yr Anderson fel lleoliad am noson o serch i ddau gariad newydd, roedd wedi gwneud pob ymdrech i gynnal rhyw urddas o dan yr amgylchiadau gan wneud yn siŵr ei bod hi'n gysurus a chan ddangos iddi bob parch a thynerwch ar hyd y nos.

Ei hunig gariad cyn George oedd Hugh. Bron na theimlai braidd yn annheyrngar ar y dechrau, ond wrth ymollwng i'w hanghenion corfforol y noson honno, ni allai lai na sylwi bod George yn llawer iawn mwy deheuig yn yr hyn a wnâi i beri iddi deimlo'n dda na wnaeth Hugh druan. Nid dyma'r tro cyntaf iddo wneud hyn, medd-yliodd, wrth i'r llanw hufennog ddechrau'i chludo ar yr hen fordaith oesol.

"Wrth gwrs, roedd ganddo fo gariad yn ôl yn '38, chi'n gwbod," sibrydodd Anti Edith yn gynllwyngar i gyd un noson yn y gegin gefn tra oedd George wrthi'n gwneud cyfrifon y siop yn y parlwr.

"O," dychrynodd Ilse. Rywsut doedd hi a George ddim wedi trafod eu gorffennol carwriaethol. Yn sydyn, teimlai'n genfigennus ac yn ansicr.

"'Sdim rhaid i chi boeni, 'mach i. Bu farw'r hen Joan druan. Fawr o gystudd. Ddechrau'r wythnos yn wên i gyd yn y gegin 'ma. Gwaelu ar y dydd Gwener. Yr wythnos wedyn, yn gelain yn ei bedd, gr'aduras. Gwenwyn yn y gwaed, meddan nhw. Dwi ddim yn gwbod wir. Druan â George, byddai'n mynd ar gefn ei feic hanner can milltir i'w gweld hi bob dydd Sul. Torrodd ei galon yn lân. Roedd o wedi penderfynu na fyddai 'na neb arall iddo fo tra byddo... nes i chi gyrraedd, wrth gwrs, a newid hynny i gyd. Rydych chi wedi gwneud cymaint o les iddo... Wedi magu George er pan oedd yn fachgen bach, 'chi'n gweld. Ei dad ar y môr, ei fam yn sâl. Meddwl amdano fel fy mhlentyn fy hun. Pan fydd George yn cael ail – mae fel gwayw drwy 'nghalon i. Mi fyswn i'n darn-ladd unrhyw un a fyddai'n ei frifo, byswn yn wir."

Dwi'n eich clywed chi, peidiwch â phoeni, meddyliodd Ilse.

"Be 'dach chi'ch dwy'n sibrwd amdano nawr?" daeth llais George o'r parlwr.

"Dim byd," meddai Anti Edith. "Dydi'r rhai sy'n clustfeinio byth yn clywed pethau da amdanyn nhw eu hunain."

"Ha!" chwarddodd George. "Dywedwch chi, Anti Edi."

Yn nes ymlaen, dyma Ilse'n mentro holi George ynghylch yr hen gariad yma. Aeth yn dawel i ddechrau ac ofnai ei bod wedi'i dramgwyddo ac y byddai'n cloi fel cragen.

"Anti sy wedi bod yn prepian, decini. Oedd. Roedd gen i gariad – dyweddi a dweud y gwir, o'r enw Joan Cassidy, ac mi fuo farw. Dyna'r peth trista sydd wedi digwydd imi erioed. Ond, dyna fo, dwi'n lwcus, tydw? Doeddwn i wir ddim yn credu y gallwn i deimlo dim byd fel 'na am neb eto... nes imi dy weld di." Gwenodd ac wedyn difrifolodd drachefn.

"Ond fedra i ddim cwyno, na fedraf? A titha'n gorfod dygymod â rhyw dristwch ofnadwy drwy'r adeg. Heb wybod am dy deulu... Ymhell o dy gartre... Rhaid ei bod hi'n drybeilig i ti?"

"Ydi," cytunodd Ilse heb feddwl.

"Rhaid eu bod nhw ar dy feddwl drwy'r amser."

Ar ôl saib:

"Ydyn, ond dim fel y buon nhw. Mae 'na rywbeth arall sy'n peri mwy o dristwch imi erbyn hyn."

"Duw mawr! Be ydi hwnna?"

"Pam 'mod i'n methu beichiogi?"

Gostyngodd George ei olygon am eiliad, wedyn gosod ei law ar ei gwar gan fwytho'r croen yn dyner rhwng bys a bawd o dan ddeunydd llac ei ffrog.

"Dwn i'm, Ils... Mae'r pethau 'ma'n gallu cymryd blynyddoedd 'sti. Pwy a ŵyr, efallai y tro nesa fydd dy dro di. Efallai 'mod i'n rhy hen."

Trodd ei hwyneb ato dan wenu, ond, heno, ni allai hi godi gwên i achub ei bywyd.

Roedd hynny dros ddwy flynedd yn ôl bellach. Roedd profion wedi'u cynnal, ond heb unrhyw ganlyniad pendant. Tybid yn y diwedd hwyrach mai ar George oedd y 'bai'. Ceisiodd Ilse sicrhau George, a hi'i hun, nad oedd hyn o bwys iddi a'i bod yn gallu ei garu a bod yn hapus yn ei gwmni – a hynny am byth. Ar un wedd roedd hynny'n berffaith wir. Erbyn hyn, George oedd ei ffrind gorau yn y byd ac ni allai ddychmygu'i bywyd hebddo. Roedd bywyd cymharol ddigyffro Wavertree – a'r bomiau wedi peidio erbyn hyn – wrth fodd ei chalon.

Ond, ni allai ei thwyllo'i hun chwaith. Roedd bwrw'r egin-amheuaeth yma ynglŷn â'i allu i'w ffrwythloni wedi achosi rhyw newid eto yn nheimladau Ilse tuag at ei phriodas os nad tuag at ei chymar fel y cyfryw, gan arwain at rwystredigaeth ac iselder cynyddol na wyddai sut i'w goresgyn.

Unwaith yn rhagor, roedd yr hen ysfa-i-godi-pac yn dod i'r amlwg ynddi, ynghyd â'r ofn ei bod wedi gwneud camgymeriad mwyaf ei bywyd wrth ddewis gŵr a oedd ar drothwy'i hanner cant yn gymar einioes ac yn ddarpardad. Hyd yn oed pe bai'n cael plentyn ganddo, byddai George bron wedi cyrraedd oed yr addewid erbyn i'r plentyn neu blant gyrraedd trothwy eu bywydau fel oedolion. A phe bai George yn mynd yn ffaeledig, byddai hi, Ilse, yn gorfod rhoi'r gorau i beth bynnag roedd yn ei wneud i ofalu amdano.

Wedyn, byddai'n ei cheryddu'i hun gan geisio ei hatgoffa'i hun mor lwcus ydoedd. Roedd hi'n fyw; roedd to uwch ei phen; roedd ganddi ŵr caredig a ffyddlon. Mewn oes mor dreng, gallai weld ei bod yn ddynes ffodus iawn.

Ond daliai'r gwacter i'w llarpio. O'i chwmpas, gwelai nifer gynyddol o ferched beichiog, rhai'n briod a rhai ddim, yn cario canlyniadau cyfarfyddiad hap â rhyw enaid unig yn chwilio am gysur rhag gwyntoedd blin y rhyfel.

Hwyrach y dylai chwilio am gymar unnos ifancach, hudo rhyw longwr neu filwr unig er mwyn ei had ac wedyn perswadio George mai ef oedd y tad.

Ond cyn gynted ag y deuai'r meddyliau hyn i'w phen, mi fyddai'n ymwrthod â nhw'n llwyr. Gallai weld yn glir y gofid a achosid i George gan y sefyllfa. Roedd fel pe bai rhyw glip ar yr haul yn ei gymeriad. Lle gynt y byddai'n bregliach yn ddi-baid a'r geiriau'n dylifo ohono, roedd ei sgwrs yn fwy ymdrechgar a llai bywiog nag y bu. Darfu'r chwibanu; disodlwyd y chwerthin gan fudandod y felan.

Roedd y caru corfforol wedi peidio i bob perwyl hefyd; doedd y naill na'r llall yn awyddus i gymryd y cam cyntaf ar y llwybr hwnnw. A heb y caru, wrth gwrs, roedd yr unig gamau ymarferol y gallent eu cymryd tuag at wireddu'u cyd-ddyheu am deulu ac unioni'r sefyllfa wedi'u dirymu, a, fesul tipyn ac yn groes graen, dieithrio ac ymbellhau fyddai'u hanes.

Yn y siop, roedd y problemau yr arferent chwerthin amdanynt yn mynd yn rhwystrau pellach i gyfathrebu call, ac yn destun cynnen ddiangen yn aml. Roedd pob ymgom o flaen y cwsmeriaid erbyn hyn wedi dirywio i ryw ddawns fach gwrtais o gwmpas ei gilydd er mwyn y busnes.

Gwaethygu hefyd oedd cyflwr Anti Edith ac er nad oedd Ilse yn gwarafun rhoi o'i hamser i ofalu amdani, ac er y gallai ddibynnu ar George i rannu'r baich arbennig hwnnw, nid oedd hi'n sicr y gallai'i hanian-aderyn-mewn-cawell bresennol ddygymod â'i sefyllfa am lawer iawn yn rhagor. Doedd hi ddim eisiau codi pac eto go-iawn. Doedd hi ddim eisiau torri calon George a bradychu Anti Edith fel yr oedd wedi bradychu Antonia, ond ni allai weld sut y medrai ddal ati am byth.

Ond i ble'r âi, beth bynnag? Yn ôl i Rydychen? Rhoi cynnig ar chwilio am Hugh eto? Ond wyddai hi ddim bod Hugh ynghyd â chwech o'i gymheiriaid yn gorwedd dan y weryd mewn mynwent yn Florennes yn neheubarth gwlad Belg ers chwe mis a rhagor.

George a soniodd gyntaf am fabwysiadu, a hynny'n ddigon ffwr'-â-hi tra oedd yn tsiecio'r stoc un prynhawn glawog ar ddechrau 1944. Dechreuodd sôn am sut roedd yn nabod pâr priod o West Kirby a oedd wedi mabwysiadu dau blentyn, bachgen a merch, a sut yr oedd y bachgen pryd golau'r un ffunud â'r tad, a'r ferch bryd tywyll yr un ffunud â'r fam, a sut ar ôl hynny i gyd, roeddent wedi llwyddo i gael eu plentyn eu hunain, merch fach a oedd yn edrych yn debyg iddynt ill dau.

Rywsut doedd y syniad o fabwysiadu ddim wedi taro Ilse o'r blaen, ac i ddechrau roedd hi wedi'i dychryn ganddo ac yn amheus iawn o'i oblygiadau. Sut allai mabwysiadu fodloni'r gnofa gorfforol hollbresennol 'na? Sut allai rhyw broses felly lenwi'r gwagle y tu mewn?

Ar ben hynny, doedd hi ddim yn siŵr am safbwynt ei ffydd am hyn. Oedd Iddewon yn mabwysiadu? Doedd hi ddim yn cofio cwrdd â neb ymhlith eu ffrindiau Iddewig yn Hamburg a chanddynt blentyn mabwysiedig. Fyddai hi'n gorfod mabwysiadu plentyn Iddewig? Beth fyddai barn George am hynny? Yn hollol annisgwyl, roedd arwyddocâd ei thras Iddewig wedi ymrithio o'i gorffennol gan beri ansicrwydd a dryswch mawr iddi. Fe'i magwyd ar gyrion y ffydd braidd, heb lwyr ddeall ei goblygiadau na'i hathrawiaethau. Oddi mewn i'r teulu rhyw ddigwyddiadau lliwgar oedd y gwyliau, cyfle i bobl ddod at ei gilydd, dim mwy na hynny; rhywbeth i'r hen do oedd cynnal yr holl ddefodau a thraddodiadau, mynychu'r synagog a darllen yr ysgrythurau. Ond wrth wynebu'r cyfrifoldeb newydd, teimlai nad oedd wedi'i harfogi'n ddigonol i gyflawni'r hyn a oedd yn briodol.

Hyd y gwyddai efallai mai hi oedd yr unig aelod o'i

theulu ar dir y byw erbyn hyn; ac oni bai iddi hi weithredu'n iawn, gallai'r gynhysgaeth yma ddarfod am byth.

"Hola Sally Walker," oedd ymateb syml George.

"Faset ti ddim yn malio tasa'r plentyn yn cael ei fagu yn y ffydd Iddewig?"

"Anffyddiwr ydw i, Ilse, fel wyt ti'n gwbod yn iawn. Mae gan bawb yr hawl i gredu be fynnon nhw, yn does? Os ydi'r busnes Iddewiaeth yma'n bwysig i ti, wel, does gen i ddim gwrthwynebiad."

"Mae'n rhyfedd iawn. Prin ein bod ni'n gwbod mai Iddewon oedden ni wrth dyfu i fyny yn yr Almaen. Tasa bywyd wedi aros yn normal, dwi'n amau'n fawr y baswn i wedi meddwl ddwywaith am ffydd fy mhlant. Mi wnaeth fy chwaer Suzanne briodi â dyn nad oedd yn Iddew a llond dwrn o weithiau y bu'i phlant hi'n agos at synagog. Ond doedd hynny ddim yn gwneud gwahaniaeth pan ddaeth y Natsïaid i rym. Eu plagio a'u hambygio'r un fath gawson nhw yn yr ysgol… Hwyrach y basa'n well anghofio amdano."

"Be? Anghofio am fabwysiadu?"

"Nage, am fagu 'mhlant – 'n plant ni – yn Iddewon, iddyn nhw gael eu herlid lle bynnag yr ân nhw."

Ystyriodd George gan nodio'i ben fel pe bai'n cytuno. Wedyn dyma fo'n ei chofleidio a'i dal yn dynn – y closia y buon nhw'n gorfforol ers sbel. Cusanodd gorun ei phen.

"Gwranda, Ilse. O dras Romani ydw i. Yn fab i sipsi. Roedd nain a taid Lovall yn byw mewn carafán ac yn byta draenogod dros dân agored. Dim ond drwy storïau 'nhad, a fu farw ar y môr pan oeddwn i'n bedair ar ddeg, cofia, y ces i wybod am hyn. Ydw i 'ngweld fy hun yn Romani? Go brin. Ond pan glywa i bobol yn cega'r sipsiwns, yn eu pardduo ac yn lladd arnyn nhw, neu pan fyddwn i'n gweld carafán ar ochr y ffordd wrth deithio o gwmpas hefo'r fan fach erstalwm, byddai rhywbeth yn deffro ynddo i, a byswn i'n teimlo fod rhyw wreiddyn ynddo i'n rhywle nad oes modd 'i ddifa."

Doedd Ilse erioed wedi clywed y ffasiwn ddifrifoldeb gan ei gŵr.

"Pwy a ŵyr?" meddai o'r diwedd. "Efallai mewn carafán y byddwn ni cyn diwedd ein dyddiau, beth bynnag."

Gwenodd ac yn raddol ymatebodd Ilse i'r wên, a thoc dyma nhw'n chwerthin am y tro cyntaf ers hydoedd.

53

Ystafell eang, olau yn llawn plant dan ofal dwy weinyddes ifanc mewn iwnifforms gwyn a phenwisg las. Roedd y naws yn hapus. Byrlymai lleisiau bach dibryder ar bob tu a daeth sawl "hylô" bach siriol i gyfarch y ddau oedolyn a oedd newydd ddod i mewn.

Hwn oedd ail ymweliad George ac Ilse â sefydliad y Gymdeithas Fabwysiadu. Heddiw roeddent yn mynd i weld bachgen bach blwydd oed am y tro olaf cyn penderfynu'n derfynol ai hwn fyddai'u dewis.

Teimlent yn llai gofidus y tro hwn. Bu staff y Gymdeithas yn hynod garedig ac yn barod i ateb pob cwestiwn. Cawsent wybod holl gefndir y gwahanol blant o'u dewis, ac eithrio enw'r rhieni.

Ar eu hymweliad cyntaf roedd Ilse wedi'i denu at ferch fach trwyn smwt a oedd wedi cyrraedd y cartref yn fabi ar ôl i'w thad gael damwain yn y dociau. Roedd wedi syrthio o ben ystol – fawr o godwm i gyd – a chael ei ladd. Roedd gan y fam bump o blant yn barod ac ni allai fforddio codi un arall ar ei phen ei hun. Soniwyd wrthynt pa mor dorcalonnus fu penderfyniad y ddynes druan, ond yn y diwedd gwelodd nad oedd ganddi ddewis o dan yr amgylchiadau.

Gwyddai Ilse y byddai'n rhaid iddi wneud ei dewis hithau'n gyflym neu pe bai hi'n dechrau sylwi ar yr holl wynebau bach angylaidd yn yr ystafell, ni fyddai byth yn gallu penderfynu.

Roedd hi ar fin cyhoeddi'i dewis pan dynnodd George ei sylw at fachgen bach ychydig ar wahân i'r gweddill a oedd wrthi'n ddyheuig iawn yn gosod cylchoedd pren dros gyfres o begiau o wahanol faint.

"Sbia fan hyn, Ils! Tydi hwn yn un bach clyfar?"

Pan sylwodd y bachgen ar y ddau oedolyn yn craffu arno, edrychodd yn ddifrifol iawn am ennyd. Wedyn, daeth yr wyneb yn fyw a gwnaeth bob ymdrech i gropian tuag atynt, ond roedd y gamp honno heb ei pherffeithio ganddo eto a rholiodd rywsut ar ei ochr.

Dyma George yn ei achub a'i godi i'w freichiau. Edrychodd y bachgen o'r naill i'r llall – rhyw olwg freuddwydiol. Teimlodd Ilse ryw gryndod oddi mewn a daeth yn ymwybodol o wacter diwaelod yn ei chalon. Ofnodd am ennyd na fyddai mabwysiadu ond yn dwysáu'i hiraeth am gael ei phlentyn ei hun. Wedyn roedd George yn trosglwyddo'r bachgen iddi hi. Edrychodd ar y bachgen a oedd yn mwynhau edrych o gwmpas yr ystafell o'r uchelfan newydd yma a thrawyd Ilse am y tro cyntaf gan debygrwydd eu sefyllfa – hi a'r bachgen – ill dau heb deulu ac yn ddibynnol ar bobl ddiarth i siapio cwrs eu bywydau. Trodd y bachgen ei sylw ati; llygaid mawr, blinedig. Dyma fo'n estyn ei law fach bwt gan ei gosod ar ei gwefusau.

"Mae o wrth ei fodd hefo chdi," meddai George a'i lais yn llawn cyffro. "Fo ydi'r un, Ils! Fo ydi'r un!"

Wnaeth Ilse ddim dadlau.

Erbyn heddiw roedd y penderfyniad yn ddi-droi'n-ôl.

Cafwyd mai cynnyrch carwriaeth fyrhoedlog rhwng merch yn y WAAFs a pheilot a oedd wedi'i ladd oedd y bachgen – Billy oedd ei enw. Roedd y ferch wedi gwrthod enwi tad ei phlentyn ac roedd hi bellach wedi gadael y WAAFs ac wedi mynd yn ôl i Gymru i fyw.

"Trueni," meddai dynes y Gymdeithas, "doedd ganddi

fawr o ddiddordeb ynddo ac mae o'n fachgen hynod iawn mewn sawl ffordd. Henaidd iawn ei ffordd am un mor ifanc."

"Yn addas iawn," porthodd George wedyn a hwythau ar y ffordd adra, "a ni'n dau wedi cyfarfod yng Nghymru."

Ddywedodd Ilse ddim byd. Be fyddai Hugh yn ei ddweud, sgwn i? A hithau'n fam wen i hanner Cymro. Tybed a welai hi fab y plas fyth eto? A fyddai'n dod drwy'r rhyfel diddiwedd yma?

Roedd George yn hapus. Yn chwibanu wrth yrru gan gipio draw arni bob hyn a hyn a'i wên yn llydan.

"Ti'n iawn. Pobl lwcus ydan ni, Ils. Pobl lwcus iawn!"

"Ydyn," meddai Ilse gan nad oedd hi eisiau ei siomi.

Am restr gyflawn o'n nofelau cyfoes – a phob math o lyfrau eraill – mynnwch gopi o'n catalog newydd, rhad, neu hwyliwch i mewn i **www.ylolfa.com** ar y we fyd-eang!

TALYBONT CEREDIGION CYMRU SY24 5AP
e-bost ylolfa@ylolfa.com
y we www.ylolfa.com
ffôn (01970) 832 304
ffacs 832 782
isdn 832 813